1. Kap.

»Da hast du dir ja einen tollen Tag für unsere gemeinsame Mittagspause ausgesucht, Sis. Wolken, Wolken, nichts als Wolken. Und typischer Hamburger Nieselregen.«

Mein Halbbruder Felix deutete mit gespielt anklagender Geste auf den vor uns liegenden Hafen, der heute alles andere als einladend wirkte. Ich bedauerte die vielen Touristen, die unsere wunderschöne Stadt an einem nasskalten Märztag wie diesem kennenlernten, und hoffte sehr, dass ihnen auch ein paar sonnige Momente vergönnt sein würden.

»Unk hier nicht rum, sondern lass uns lieber auf die Cap San Diego zum Essen«, entgegnete ich und zupfte Felix am Ärmel seines blau-weiß gestreiften Kapuzenpullovers. »Wieso bist du eigentlich so dünn angezogen? Schaust du morgens nicht auf deine Wetter-App?«

Felix zog die Kapuze des Hoodies so tief ins Gesicht, dass man nur noch seine blauen Augen sowie einige seiner rotblonden Locken hervorblitzen sah. Und natürlich die Nasenspitze mit den frechen Sommersprossen.

»Nö. Ich gucke aus dem Fenster, und der Rest ergibt sich dann von selbst«, antwortete er und hakte sich bei mir unter. »Ist ja nicht jeder so ein Kontrollfreak wie du, Schwesterherz.«

Arm in Arm gingen wir über die Holzbrücke hinunter zu dem Museumsfrachter, der an einem Ponton an der Elbe festgemacht war. Das altehrwürdige Schiff war sowohl ein Museum als auch eine beliebte Location für Veranstaltungen. Unser Verlag, der sich gegenüber am Baumwall befand, führte regelmäßig Events auf dem urigen Frachter durch.

»Sekunde, das ist ein super Bildmotiv!«, sagte Felix und blieb abrupt stehen, um mit seiner Spiegelreflexkamera durch die Balkenverstrebungen der überdachten Überseebrücke Fotos zu machen. Aus diesem Blickwinkel hatte man eine fantastische Aussicht auf die Elbphilharmonie, das knallrote Feuerschiff, die Barkassen der Hafenrundfahrt-Flotte und sogar den Mississippi-Dampfer, der Touristen und Hamburg-Liebhaber gemächlich über die Elbe schipperte.

Ich tat es meinem kleinen Bruder gleich und knipste mit dem Smartphone ein Foto für den Instagram-Account, mit dem ich zusätzlich Werbung für unser Magazin *Herself* machte. Meine Follower liebten Bilder vom Hamburger Hafen, die ich meist durch den geschickten Einsatz von Fotofiltern so aufhübschte, dass sie den Fans begeisterte »Ah!«- und »Will auch dahin«-Kommentare entlockten.

Felix schaute mir über die Schulter, während ich ausprobierte, welcher Filter das Bild so aussehen ließ, als scheine gerade die Sonne.

»Alles Lug und Trug in deiner Branche!« Er schnaubte empört. »Ich weiß echt nicht, wie du das aushältst. Wenn das mit diesen künstlich gepimpten Bildern so weitergeht, weiß bald niemand mehr, was ein *echter* Himmel ist. Außerdem: Was ist so schlimm daran, den Leuten zu zeigen, dass Hamburg bei Regen auch nicht anders aussieht als andere Städte?«

Ein wenig schuldbewusst zuckte ich zusammen, denn natürlich hatte mein Bruder recht.

»Komm, lass uns reingehen«, sagte ich und schob ihn durch die geöffnete Eisentür, durch die man zum Bord-Bistro gelangte. Normalerweise hatte man zu diesem Teil des Schiffes nur Zutritt, wenn man eine Eintrittskarte für das Museum kaufte. Als Stammgast und Mitarbeiterin von *Herself* hatte ich allerdings das angenehme Sonderrecht, auch ohne Ticket die Kombüse entern zu dürfen.

»Moin, Juliane, schön, dich zu sehen«, begrüßte Wirt Kalle mich mit einem breiten Lächeln. »Ach, und wen ham wer denn da? Der lütte Bruder is' heute auch mit von der Partie.«

Der *lütte Bruder*, tatsächlich schon achtundzwanzig und einen Meter fünfundachtzig groß, ließ sich die Bemerkung grinsend gefallen und steuerte zielsicher auf die Rechauds am Tresen zu, aus denen es appetitlich duftete.

»Mhmmm«, schwärmte Felix und öffnete den Deckel des Wärmebehälters. »Grünkohl, wie lecker.«

Ich stellte mich neben ihn und studierte das Angebot der Tageskarte, die an der Wand hing. Nicht nur, dass man in diesem Bistro gut und günstig essen konnte; dank Kalle herrschte auch eine warmherzige Atmosphäre, und man hatte durch die Bullaugen einen tollen Blick auf den Hafen. Wann immer mich die Sehnsucht nach der Nordsee überkam und mir ein bisschen Zeit blieb, kam ich hierher. Und sei es nur, um einen Kaffee zu trinken, die Hafenatmosphäre zu genießen und mich auf eine der Nordfriesischen Inseln zu träumen.

Nachdem wir beide die Speisekarte überflogen hatten, bestellte ich zweimal Grünkohl mit karamellisierten Kartoffeln. Das Kasseler sowie die würzige Kochwurst, die für dieses norddeutsche Gericht typisch waren, ließen wir beide weg.

»Wenn du das verputzt hast, kannst du aber nicht mehr arbeiten und deinen Leserinnen ein X für ein U vormachen«, frotzelte Felix, als Kalle wenig später zwei dampfende Teller vor uns auf den rustikalen Holztisch stellte.

»Nicht, wenn ich alles aufesse, das stimmt. Dann bin ich nämlich viel zu satt, um klar zu denken. Und ich schaffe auch den Rückweg in die Redaktion nicht mehr«, sagte ich zwinkernd. »Also, was ist los? Wieso bist du heute so kiebig? Ich weiß ja, dass du meinen Beruf bescheuert findest, darüber brauchen wir also nicht weiter zu reden. Erzähl mal lieber, wie's bei dir läuft. Wohnst du immer noch bei Tine im Karo-Viertel? Ich krieg momentan gar nichts mehr aus deinem Leben mit, weil du ständig auf Achse, dafür aber nie erreichbar bist.«

Felix verzog das hübsche, jungenhafte Gesicht zu einem schiefen Lächeln und nahm die Kapuze ab. »Ja, aber nicht mehr lange. Tine und ich ... na ja, das soll irgendwie nicht sein ...«

»Findet Tine? Oder du?«, hakte ich nach, weil ich die Sprunghaftigkeit meines Bruders kannte. Er konnte sich kaum vor Avancen retten, die Frauen standen Schlange bei ihm. Umgekehrt mochte Felix sich allerdings nicht so recht entscheiden beziehungsweise wollte er sich nicht festlegen.

»Findet Tinder«, antwortete er grinsend. Wie aufs Stichwort kündigte das Surren seines Handys den Eingang mehrerer Nachrichten an. »Tinder zeigt mir täglich so viele Matches an, dass ich gar nicht anders kann. Ich muss die Chancen, die sich mir bieten, einfach nutzen. Das verstehst du doch, Schwesterlein, oder?«

»Sich über mich beschweren, weil ich aus Werbegründen Fotos aufhübsche, aber sich selber bei einer Flirting-App rumtreiben, als gäb's Gefühle und Liebe im Handy-Warenhaus zu kaufen. Und erzähl mir jetzt bitte nicht, dass diese Flirt-Profile alle der Wahrheit entsprechen«, entgegnete ich, halb amüsiert, halb ernst. »Ich verstehe ehrlich gesagt nicht, wieso du so was nötig hast. Du bist charmant, siehst gut aus, hast Witz, bist intelligent … du brauchst doch nur eine an der Bar oder im Supermarkt anzuquatschen, und schon ist sie in dich verknallt.«

»Dann erfahre ich aber nichts von der Existenz der vielen anderen süßen Girls, die es noch so auf diesem Planeten gibt«, hielt Felix unschuldig lächelnd dagegen und machte sich mit gesundem Appetit über den Grünkohl her.

Draußen war es mittlerweile stockdunkel. Der Regen klatschte jetzt mit einer solchen Heftigkeit gegen die Scheiben der Bullaugen, als seien die Tropfen Hagelkörner.

Perfektes Wetter, um es sich in einer reetgedeckten Kate an der Nordsee gemütlich zu machen, ein gutes Buch zu lesen und einen Friesentee zu trinken, schoss es mir durch den Kopf. Oder mich mit Oliver zusammen einzukuscheln …

»Ich glaube ja, dass dir einfach noch nicht die Richtige über den Weg gelaufen ist. Aber das kommt schon noch, du wirst sehen. Bei mir hat's schließlich auch geklappt, obwohl ich gar nicht mehr daran geglaubt habe«, sagte ich zwischen zwei Bissen. »Und wie läuft's mit den Jobs?«

Auch in Sachen Beruf konnte und wollte mein kleiner Bruder sich nicht entscheiden. Nach einem guten Abitur, einer mit Bravour absolvierten Tischlerlehre und einem abgebrochenen Architekturstudium hielt er sich mit Gelegenheitsaufträgen über Wasser, weshalb seine Finanzsituation einem schwankenden Schiff glich. Sehr zum Leidwesen meiner Mutter, die sich stets Gedanken um uns beide machte.

»Momentan ganz okay«, antwortete Felix, trank einen Schluck Bier, das er sich zum Grünkohl bestellt hatte, und leckte sich genüsslich den Schaum von der Oberlippe. »Ich erledige gerade ein paar Sachen für einen befreundeten Architekten. Da ist aber, wie immer, noch Luft nach oben. Das nächste WG-Zimmer darf auf keinen Fall viel kosten. Es sei denn, ich habe bald meinen Durchbruch als Fotograf oder Künstler. Schau mal, was ich in den letzten Wochen so gewerkelt habe.«

Beeindruckt betrachtete ich die Skulpturen, die Felix mir auf dem Smartphone zeigte, während wir Espresso tranken, und wünschte meinem Bruder inständig, dass er es eines Tages schaffte, mit dieser kunstvollen Arbeit Geld zu verdienen. Ich half ihm natürlich immer gern aus, weil ich ihn liebte. Zudem wusste ich aus eigener Erfahrung, wie es war, knapp bei Kasse zu sein und sich Sorgen um die eigene Existenz machen zu müssen. Aber ich wünschte mir auch, dass er endlich etwas fand, was ihm dauerhaft Spaß machte und ihn erfüllte.

»Hast du schon mal versucht, die Skulpturen in einer Galerie unterzubringen?«, wollte ich wissen. »Die würden ganz gut zum Sortiment der HamburGGalerie am Rödingsmarkt passen. Wenn du magst, können wir gleich mal kurz vorbeischauen. Mein nächstes Meeting beginnt erst um drei, also haben wir noch einen Augenblick Zeit.«

»Hast du Angst, dass ich bald auf dem Trockenen sitze, wenn du mir nicht hilfst?«, fragte Felix und rieb sich das rechte Ohrläppchen. Diese Geste war seit seiner Kindheit ein untrügliches Zeichen dafür, dass mein sonst so optimistischer und fröhlicher Bruder gerade nicht weiterwusste, auch wenn er lautstark das Gegenteil behauptete.

»Du weißt, du kannst gern bei mir unterschlüpfen, aber zurzeit würde es einfach nicht so gut passen ...«

»... weil es Oliver in deinem Leben gibt«, vollendete Felix meinen Satz. »Oliver, dein Traumprinz. Der Mann, auf den du dein Leben lang gewartet hast. Der Mann, der nur ein ödes, möbliertes Luxuszimmer in der HafenCity hat und deshalb ständig bei dir abhängt.«

»Sag mal, was ist denn mit dir auf einmal los? Ist dir das Bier zu Kopf gestiegen?«, fragte ich, irritiert von seinem plötzlichen Stimmungswechsel und dem ironischen Unterton. Mein neuer Freund und Felix hatten zwar wirklich keinen besonders guten Start miteinander gehabt. Doch ich war trotzdem nicht bereit, mir einreden zu lassen, dass Oliver ein eitler Schnösel war, der nicht zu mir passte.

»Sorry, Sis, das war gemein. Und vollkommen unnötig«, gab Felix kleinmütig zu und setzte dann seinen Welpenblick auf, mit dem er mich fast jedes Mal herumbekam – dieser Mitleid heischende Augenaufschlag, der auch wütende Freundinnen und Ex-Freundinnen, One-Night-Stands und Kurzzeitaffären jedes Mal dahinschmelzen ließ wie Schokoladeneis in der Sonne. »Wir können ja in den nächsten Tagen abends mal zusammen essen gehen oder in eine Bar. Vielleicht stelle ich dann ja fest, dass ich mich geirrt habe und Oliver in Wahrheit der Einzige ist, den ich dich bedenkenlos heiraten lassen würde. Was übrigens auch mal Zeit wird, Julchen, schließlich bist du schon neununddreißig. Und Mama wünscht sich Enkel.«

»So, Schluss, aus mit diesem nervigen Thema!«, erwiderte ich und gab Felix einen Nasenstüber, denn über dieses Thema wollte ich noch weniger reden als über die Antipathie, die mein Bruder gegen Oliver hegte. Stattdessen freute ich mich über sein Angebot, Oliver besser kennenlernen zu wollen. Normalerweise hielt mein Bruder nämlich nichts davon, das Bild, das er sich einmal von jemandem gemacht hatte, zu revidieren, da er der Meinung war, er hätte eine gute Intuition. »Und was Oliver betrifft, gib ihm eine zweite Chance, anstatt ihn klischeehaft vorzuverurteilen. Nicht jeder, der in der HafenCity wohnt, ist automatisch ein egoistischer Karrierist.«

Als wir das Deck der Cap San Diego verließen, wirkte das Bild des Hamburger Hafens wie neu gemalt: Die Sonne schien und schickte ihre hellen Strahlen über das Hafenbecken. Die Farben der Schiffe und Barkassen, die zuvor verwaschen gewirkt hatten, erstrahlten in frischem Glanz. Selbst Felix' Sommersprossen schienen fröhlich auf seiner Nase auf und ab zu tanzen. Aus meiner Sicht ein tolles Zeichen und ein gutes Omen für einen wunderbaren Frühling.

Und einen Sommer am Meer.

Zusammen mit Oliver, meinem Traummann.

2. Kapitel

Essen gehen oder was vom Lieferservice?

Versonnen schaute ich auf die WhatsApp-Nachricht, die Oliver mir eben geschickt hatte. Seit fast sechs Monaten sahen wir uns beinahe täglich, bis auf die Wochenenden.

… oder lieber gleich zum Dessert übergehen?

Verlegen löschte ich die zweite Nachricht, die gerade hereinkam, obwohl das blanker Unsinn war. Schließlich saß ich allein im Büro, und keiner konnte meine Nachrichten lesen.

Ich antwortete: *Lieferservice! Und Dessert, bis wir aufs Essen warten. Gib mir aber eine halbe Stunde Vorsprung, ja?*

Diese Zeit brauchte ich daheim, um mich nach einem langen Bürotag frisch zu machen. Mein Blick wanderte über den Schreibtisch hinweg in Richtung Fenster, von dem aus man einen fantastischen Blick auf die Elbe hatte.

Noch zwei Monate arbeiten, dachte ich wohlig seufzend, dann würden Oliver und ich uns freinehmen und wegfahren. Zudem hatte er in wenigen Tagen seine Probezeit bestanden und würde aus dem möblierten Zimmer in eine richtige Wohnung umziehen, die er nach seinem Geschmack einrichten konnte.

Beseelt von der Vorfreude auf unseren ersten gemeinsamen Urlaub, gab ich die Stichworte *Leuchtturm*, *Hotel* und *Dagebüll* in die Suchmaske meines Computers ein und wurde sofort fündig. Meine beste Freundin Meggie hatte mir von einem

Leuchtturm nahe der Dagebüller Mole erzählt, der zu einem Hotel umgebaut worden war. Der Blick auf die Website verhieß geschmackvolles, maritimes Ambiente – und Romantik pur.

Meggie und ihr Mann Harald hatten vor zehn Jahren nach ihrer Hochzeit ein verlängertes Wochenende in diesem schnuckeligen Hideaway verbracht und mir immer wieder davon vorgeschwärmt.

Während ich mich durch die vielen einladenden Fotos der Bildergalerie des Hotels klickte, kam mir eine Idee: *Herself* musste unbedingt einen Beitrag über Hotels mit besonderem Ambiente und Flair machen, das die Urlauber dazu inspirierte, ihre Wohnung – oder zumindest einen Raum – im Stil ihres Urlaubsdomizils umzustylen. Rasch tippte ich diverse Notizen in meinen Blackberry, den ich stets dabeihatte, um mir Ideen für mögliche neue Projekte zu notieren. Seit mittlerweile zwei Jahren war ich Leiterin des Ressorts Zuhause & Genießen und konnte mir nicht vorstellen, jemals etwas anderes zu tun, als für ein so tolles Magazin wie *Herself* zu arbeiten, obgleich ich mir manchmal wünschte, neben der Arbeit mehr Zeit für meine Freunde und Familie zu haben.

Tagaus, tagein Topleistungen zu bringen war manchmal sehr, sehr anstrengend, was ich nicht nur daran merkte, dass mein Herz ständig raste und ich nachts häufig unruhig schlief. Doch diesen Wermutstropfen nahm ich in Kauf, denn bis zur Erfüllung meines Traums war es ein langer, harter Weg gewesen. Nach dem Studium hatte ich mich eine Weile durch diverse Praktika, Volontariate und schlechtbezahlte Jobs gehangelt; immer knapp bei Kasse, immer den sorgenvollen Blicken meiner Mutter ausgesetzt, wenn ich ihr von meinem Arbeitsalltag erzählte. Umso mehr hatte ich mich gefreut, als ich schließlich die Rubrik Kochen und Gesundheit bei einem Frauenmagazin, später das Ressort Modern Living für eine Wohnzeitschrift betreuen konnte, bis diese – wie so viele Zeitschriften in den letzten Jahren – mangels Erfolg eingestellt wurde.

Nach einem Jahr Arbeitslosigkeit, in dem ich mich mit dem Schreiben von Artikeln über Wasser gehalten hatte, bekam ich die Chance, mich auf die Stelle der Ressortleitung zu bewerben, und konnte – genau wie meine Mutter – mein Glück kaum fassen, als dieser Wunsch Wirklichkeit wurde.

»Ich geh jetzt los. Kommst du mit zum Yoga?«

Verwirrt schaute ich auf die Uhr; es war zehn vor sechs.

Dann erst erblickte ich meine Kollegin Vivien, die ich gar nicht hatte hereinkommen hören. »Ups! Yoga! Sorry, das habe ich total vergessen. Turn bitte den Sonnengruß für mich mit. Und beim nächsten Mal komme ich mit, versprochen!«

Vivien reagierte zum Glück völlig entspannt. »Kein Ding, ich kenn dich doch. Aber gerade in stressigen Phasen solltest du wirklich was machen, das dich runterholt. Es gibt bei uns jetzt übrigens auch Yogalates, Yoga Nidra und Gong-Meditation. Soll ich dir morgen mal den Kursplan mitbringen?«

»Danke, sehr gern.« Ich unterdrückte ein Seufzen. Nicht nur meine Freunde und Familie kamen zu kurz, auch für Sport und Hobbys blieb neben der Arbeit kaum noch Zeit. »Und ich weiß ja, wie wichtig das wäre. Allein schon, weil man von Yoga und Pilates so tolle Oberarme wie du bekommt«, sagte ich und schaute auf Viviens ärmelloses Etuikleid mit einem Hauch von Strickjacke darüber, durch die man ihre beneidenswert gut definierten Arme sah. »Aber jetzt erklär bitte noch mal kurz, was Gong-Meditation ist.«

Vivien zeigte beim Lächeln ihre makellos weißen Zähne. »Komm doch am Samstag einfach mit in die Kaifu-Lodge, und schau's dir selbst an. Ich verrate nur so viel: Das ist der Hammer!

Unfassbar, wie viele Emotionen diese Meditation in einem frei-
setzt. Und wie ruhig du dabei wirst. Danach fühlst du dich wie
neugeboren.«

»Also ich weiß nicht, ob das was für mich ist«, murmelte ich,
in Gedanken bei den vielen Versuchen dieser Art, an denen
ich stets gescheitert war. »Für Meditation bin ich einfach viel
zu hibbelig. Gong hin oder her – ich denke dabei doch nur
ständig darüber nach, was ich noch einkaufen oder für die
nächste Konferenz erledigen muss ...«

Vivien grinste und drehte sich zur Tür, als sich ein Gedanke
in meinen Kopf schlich – und wie jedes Mal löste er ein leises
Ziehen in meinem Magen aus, das von Woche zu Woche stärker wurde. Oliver würde am Wochenende wieder in Frankfurt
sein, um sich um seine Mutter zu kümmern, die seit längerem
krank war und allein lebte. Beim Gedanken daran, einmal
mehr allein mit meinen Gedanken an Arbeit und Beziehungs-
problemen zu sein, entschied ich mich spontan um. »Ach, was
soll's. Ich komme mit! Schließlich schadet es ja nicht, mal was
Neues kennenzulernen. Muss ich mich dazu irgendwo an-
melden?«

Vivien schüttelte den Kopf. »Nein, das erledige ich schon.
Ich sag den Leuten vom Kaifu einfach, dass wir einen Beitrag
über neue Entspannungsmethoden planen, dann geht das auch
so klar. So, jetzt muss ich aber wirklich los, sonst verpasse ich
die U-Bahn. Tschüss, bis morgen.«

Ich wünschte Vivien einen schönen Abend und checkte
meinen Kalender für den kommenden Tag. Randvoll mit Terminen. Und ohne Zeit, zwischendrin mal Luft zu holen. Dann
kam eine weitere Nachricht von Oliver: *Dessert, während wir
auf das Essen warten, klingt toll!*

Indisch oder Thai?

Ich antwortete *Thai!*, fuhr den PC herunter und warf dann einen Blick auf die weiße Orchidee, die am Fensterbrett stand und sich in der Scheibe spiegelte.

Versonnen schaute ich in den Abendhimmel, der dunkel und samtig-schwer über der Stadt hing, ein Anblick, den ich sehr liebte und von dem ich mich kaum lösen konnte. Doch ich musste mich beeilen, denn ich brauchte eine Weile, bis ich von der U-Bahn-Station Baumwall nach Ottensen kam, wo ich wohnte, seitdem ich bei *Herself* arbeitete.

»Bis nachher«, flüsterte ich, als ich ein paar Meter den Flur hinuntergegangen war und sah, dass die Tür von Olivers Büro einen Spaltbreit offen stand.

Dann ging ich, ohne eine Antwort abzuwarten, zur Treppe.

Im Verlag durfte keiner wissen, dass wir ein Paar waren.

Zum einen waren Beziehungen im selben Unternehmen nicht besonders gern gesehen. Zum anderen war Oliver noch in der Probezeit. Aber genau diese Heimlichtuerei machte unsere Liaison auch so prickelnd. Die verstohlen flirtenden Blicke, die wir uns zuweilen bei Besprechungen zuwarfen, die kleinen, scheinbar zufälligen Berührungen in der Kantine. Natürlich war ich auch schon vor Oliver verliebt gewesen, doch das Gefühl für ihn toppte alles, was ich bisher erlebt und je für einen Mann empfunden hatte.

»Oh, Sie sind ja heute mal richtig früh daheim, Frau Wiegand«, sagte die alte Frau Gehrckens, die ich kurz vor dem weißgetünchten Stadthaus traf, das aufgrund seiner Keilform »Ottenser Nase« genannt wurde. Neben der Eingangstür war ein Getränkemarkt untergebracht, darüber thronte der gusseiserne, weißlackierte Balkon, der zu meiner Wohnung im zweiten Stock gehörte.

»Tja, ich kann es selbst kaum glauben, dass ich mich mal pünktlich loseisen konnte«, antwortete ich und nahm Frau Gehrckens den Leinenbeutel mit den schweren Einkäufen ab.

»Sie arbeiten einfach zu viel, Kindchen«, sagte diese und tippelte neben mir her. »Deshalb sind Sie auch so blass um die Nase und haben Ränder unter den Augen. Machen Sie mal Urlaub oder treten Sie kürzer. Sie wollen doch gesund bleiben, nicht wahr?«

Mittlerweile waren wir im gekachelten Hausflur angekommen, und ich öffnete den Briefkasten, der rappelvoll war. Danach gingen wir gemeinsam die knarzende Holztreppe nach oben, und ich wartete, bis die alte Dame mitsamt den Einkäufen in ihrer Wohnung im ersten Stock verschwunden war. Als sich die Tür hinter ihr schloss, hörte ich sie »Hallo, meine Schöne, da bin ich wieder« sagen. Diese Begrüßung wurde von einem laut vernehmlichen Maunzen quittiert. Ich lächelte zufrieden.

Nach dem Tod ihres Mannes hatte ich meiner Nachbarin ein süßes Kätzchen geschenkt, das aus dem Wurf von Meggies Katze stammte. Seitdem fühlte sich die alte Dame nicht mehr so allein, und meine Freundin hatte ein Kätzchen weniger, um das sie sich – neben ihren lebhaften Zwillingstöchtern – kümmern musste.

In meiner Wohnung angekommen, warf ich den Stapel Briefe und Werbeflyer auf den Schreibtisch, streifte seufzend die Pumps mit den viel zu hohen Absätzen von den Füßen und ging ins Badezimmer, um zu duschen. Während das heiße Wasser meinen Körper wohlig wärmte, richtete ich den Massagestrahl gezielt auf den verspannten Nacken. Die Muskulatur war bretthart, und das wurde natürlich auch nicht besser, wenn ich mir bei meinem hohen Arbeitspensum kaum die Zeit nahm, Sport oder sonstige Entspannungsübungen zu machen. Doch so verspannt ich auch war, so sehr freute ich mich auf das Treffen mit Oliver.

Egal wie nervig oder stressig die Arbeitstage in der Redaktion auch manchmal waren, zu wissen, dass ich danach irgendwann in Olivers Armen liegen würde, machte so einiges wett.

Nach der Dusche cremte ich mich ausgiebig ein und sang lauthals den Klassiker *I will always love you* von Whitney Houston mit, der gerade im Radio lief und an Kitsch und Schmalz kaum zu überbieten war. Aber das war mir egal, denn ich war verliebt bis über beide Ohren, ein großartiges Gefühl. Nachdem die Lotion eingezogen war, schlüpfte ich in ein cremefarbenes Wäsche-Ensemble, das ich mir neulich gegönnt hatte. Kurz bevor Oliver klingelte, war ich fertig angezogen, hatte mein Make-up aufgefrischt und meine langen, karottenroten Locken zu einem Dutt aufgetürmt. Nun war das kleine herzförmige Muttermal am Hals oberhalb des Schlüsselbeins zu sehen. Dank des frisch aufgetragenen Concealers strahlten meine graugrünen Augen trotz Müdigkeit, wie ich mit einem kurzen Blick in den Spiegel zufrieden feststellte.

»Du siehst sensationell aus«, flüsterte Oliver, nachdem ich die Tür geöffnet hatte, und gab mir einen langen, heißen Kuss, der meine Knie weich werden ließ. Ich zog ihn in die Wohnung, und es dauerte keine zwei Sekunden, bis wir auf dem Sofa lagen und so heftig knutschten, dass wir beinahe vergaßen, das Essen zu bestellen. Doch daran erinnerte mich zum Glück der Signalton einer App, die ich mir extra für solche Fälle heruntergeladen hatte.

Ob wir in zwei Jahren immer noch so wild übereinander herfallen werden?, fragte ich mich, während ich telefonisch die

Bestellung des thailändischen Essens durchgab und Oliver begann, meine Bluse aufzuknöpfen.

Mein Körper vibrierte vor Verlangen und Lust, ein wunderschönes Gefühl, von dem ich mir wünschte, dass es niemals endete.

Eine Stunde später lagen wir ineinander verkeilt zwischen den Laken meines Betts, gesättigt von Liebe und köstlichem Essen.

»Wo möchtest du eigentlich hinfahren, wenn wir freihaben?«, fragte ich und richtete mich auf, um an einem Glas Wasser zu nippen, das auf dem Nachttisch stand. »Allmählich müssen wir buchen, sonst bekommen wir nicht mehr das, was wir wollen.«

Oliver setzte sich ebenfalls auf und legte den Arm um meine nackten Schultern. »Irgendwohin, wo es warm ist«, antwortete er. »Ich kann dieses graue Hamburger Regenwetter nämlich kaum noch ertragen. Wie wäre es mit den Kanarischen Inseln? Oder Südspanien?«

Ich versuchte die Enttäuschung zu ignorieren, die Olivers Vorschlag in mir auslöste.

Natürlich war ich ebenfalls gerne im Süden und mochte es, im von der Sonne aufgeheizten Meer zu baden, doch eher im Sommer. Um diese Jahreszeit liebte ich nichts mehr, als warm eingepackt am breiten Strand von St. Peter-Ording entlangzulaufen und den Kite-Surfern zuzusehen. Auf Amrum über den feinen weißen Kniepsand zum Leuchtturm zu marschieren und dabei dem magischen Wechselspiel von Wolken, Sonne und Licht zuzusehen.

Auf Sylt am Keitumer Watt zu sein und die Austernfischer zu beobachten, fand ich ebenfalls toll. Genau wie am Strand von

Utersum auf Föhr den Sonnenuntergang über den Nachbarinseln zu bestaunen – oder von Wyk den Blick auf die Halligen.

»Ich hätte mehr Lust, auf eine der Nordfriesischen Inseln zu fahren«, widersprach ich Olivers Vorschlag. »Wir könnten uns eine gemütliche Ferienwohnung mieten oder auch ein Zimmer in einem Wellness-Hotel.«

»Uah, da kriege ich ja allein schon beim Zuhören das Frieren«, sagte Oliver und klapperte demonstrativ mit den Zähnen. »Wollen wir das nicht im Sommer machen, wenn zumindest ein bisschen Aussicht auf sonniges Wetter an der Nordsee besteht? Außerdem würde ich dich lieber im Bikini unter Palmen sehen als in einer dicken Daunenjacke.«

So viel zum Thema Hotel im Leuchtturm.

Das brauchte ich Oliver dann wohl gar nicht erst vorzuschlagen.

»Okay, okay, überzeugt. Was hältst du von Lanzarote? Da kann man die tollen Bauten von César Manrique besichtigen und auf Kamelen reiten. Und warm ist es da auf alle Fälle.«

»Das klingt schon eher nach meinem Geschmack«, murmelte Oliver, dem die dunklen, zerzausten Locken ins Gesicht fielen, und küsste meine Halsbeuge. »Bevor wir buchen, sollten wir aber noch eine zweite Runde einlegen, findest du nicht?«

»Gute Idee«, flüsterte ich, stellte das Glas beiseite und ließ mich erneut von Oliver verführen.

3. Kapitel

Der Samstagmorgen schenkte Ottensen sein strahlendstes Lächeln – und die Einwohner des quirligen Stadtviertels erwiderten es, indem sie ihren Galaõ vor den Türen der Straßencafés tranken und bunte Frühlingsblumen kauften.

Doch so hübsch ich es in Ottensen auch fand, samstags fühlte ich mich stets ein wenig einsam, da Oliver immer schon freitags nach Frankfurt flog, um bei seiner Mutter sein zu können.

Diese Fürsorge empfand ich einerseits als rührend, hätte mir andererseits aber auch gewünscht, am Wochenende das mit Oliver tun zu können, was andere Paare auch taten: gemeinsam frühstücken, auf dem Markt einkaufen, Freunde einladen, ins Museum oder spazieren gehen. Ich hätte einfach gerne Pläne mit ihm geschmiedet, doch genau das gestaltete sich äußerst schwierig.

Die ganze Woche über hatte Oliver keine Zeit mehr gehabt, um mit mir die Reiseangebote für Lanzarote zu checken, weil es in der Redaktion drunter und drüber ging und wir auch abends Veranstaltungen hatten, die es kaum zuließen, dass wir uns trafen.

Ein wenig betrübt schlenderte ich durch die kleinen Straßen meines Viertels, vorbei an Klamottenläden, Cafés, Bars, Boutiquen, die Eso-Tand verkauften, bis hin zu den Zeise-Hallen in der Friedensallee, wo eines meiner liebsten Kinos war.

Nachdem ich in der Filmhauskneipe einen starken Espresso getrunken hatte, ging ich einkaufen.

Während ich frisches Gemüse und Obst in meinen Einkaufswagen legte, ertappte ich mich bei dem Wunsch, mit Oliver zusammenzuleben.

Wer sagte denn, dass er aus seiner Wohnung in der Hafen-City zwangsläufig in ein Single-Appartement umziehen musste? Schließlich waren wir schon ein halbes Jahr zusammen, beide schwer verliebt und verbrachten unsere knapp bemessene freie Zeit am liebsten gemeinsam. Vielleicht war unser Urlaub ja eine gute Gelegenheit, dieses Thema anzusprechen, auch wenn ich ihn lieber heute als morgen danach gefragt hätte. Allerdings wollte ich den Schritt in diese Richtung nicht selbst machen, sondern darauf warten, bis er diesen Wunsch von sich aus äußerte, damit ich sicher sein konnte, dass Oliver das auch wirklich wollte.

Nachdem ich alle Einkäufe erledigt hatte, unterzog ich das Zeitschriftenregal des Supermarkts einer genauen Betrachtung. Ich konnte nicht anders, ich musste immer checken, ob alle Magazine unseres Verlags – allen voran die *Herself* – auslagen. Außerdem beobachtete ich den Markt sehr genau und kaufte häufig Hefte der Konkurrenz. Seit einiger Zeit registrierte ich interessiert, dass die Palette an Mindstyle-Magazinen, die sich dem Thema Entschleunigung widmeten, mindestens so umfangreich war wie die der Do-it-yourself-Zeitschriften. Dafür waren viele andere Hefte vom Markt verschwunden. Die On-line-Konkurrenz machte den Printmedien schwer zu schaffen. Nur diese Publikationen boomten in einer Größenordnung, die eines sonnenklar machten, nämlich dass gehetzte, gestresste Städter nach vielem lechzten, das ihnen im urbanen Alltag so sehr fehlte: Entspannung, ein schöner Garten, das wohlige

Gefühl, etwas mit den eigenen Händen geschaffen zu haben, seelisches Gleichgewicht, innere Balance. Und über all diesen Sehnsüchten schwebte die eine, riesengroße – die nach immerwährendem Glück.

Um dies zu erreichen, suggerierten die Medien kauffreudigen Konsumenten, dass in ihrem Leben alles glattlaufen und sie glücklich und zufrieden bis ans Ende ihrer Tage leben konnten, wenn sie den bestimmten Schlüssel, *den* erfolgversprechenden Baustein auf dem Weg zum Glücklichsein fanden – Achtsamkeit! Es war beinahe bizarr, wie die Produktpalette, versehen mit diesem Schlagwort, förmlich explodierte. Es gab Kochbücher, Malbücher, Ratgeber, Zeitschriften, Übungshefte und Meditationsanleitungen. Jedes Getränk, jeder Brotaufstrich verkaufte sich ungleich besser, wenn dem Käufer das gute Gefühl vermittelt wurde, es ginge ihm sofort fantastisch, wenn er genau dieses Produkt aß oder trank.

Kopfschüttelnd kaufte ich ein Achtsamkeitsmalbuch, um es zu Hause auszuprobieren. Vielleicht hielt es ja, was es versprach, und brachte mein fortwährendes Gedankenkarussell zum Stillstand, das sich noch schneller drehte, seit das gemeinsame Glück mit Oliver zum Greifen nah schien. Aus irgendeinem Grund misstraute ich dem Ganzen tief in mir, auch wenn ich mir dies nur ungern eingestand und es eigentlich gar keinen Grund für dieses Misstrauen gab. Nur dieses Ziehen in der Magengegend, das immer häufiger auftrat – mittlerweile alles andere als *leise* –, zeigte mir, dass etwas nicht in Ordnung war.

Meggie hatte schon versucht, mir klarzumachen, dass es mir aufgrund meiner familiären Situation nicht leichtfiel, an die immerwährende Liebe zu glauben, da Torge, mein leiblicher Vater, den meine Mutter sehr geliebt hatte, kurz nach meiner Geburt bei einem Autounfall ums Leben gekommen war. Und auch mein Stiefvater Leo hatte uns verlassen, als Felix zehn Jahre alt wurde, weil er sich in eine jüngere Kollegin verliebt hatte.

Dies erklärte wahrscheinlich auch meine regelmäßigen Alpträume, in denen ich an der Wasserkante stand, Wellenberge sich vor mir auftürmten und mein Vater – den kennenzulernen mir nie vergönnt gewesen war – meine Hand losließ, während die größte Welle von allen direkt auf mich zurollte …

Nachdem ich die Einkäufe daheim verstaut hatte, legte ich mich auf mein breites Bett mit der flauschigen, hellgrauen Tagesdecke, um mir ein kleines Nickerchen zu gönnen.

Am späten Nachmittag wollte ich mit Vivien in die Kaifu-Lodge zur Gong-Meditation, anschließend war ich bei Meggie und ihrer Familie zum Abendessen eingeladen.

Nach dreißig Minuten gab ich mein Vorhaben jedoch entnervt auf, denn ich war mal wieder viel zu überdreht und nervös, um zu schlafen. Statt mich weiter von einer Seite auf die andere zu wälzen, schnappte ich mir einen Block Post-its und begann alles, was in den kommenden Tagen zu erledigen oder bedenken war, aufzuschreiben, um die Klebezettel anschließend in der Wohnung zu verteilen: *Geburtstagsgeschenk für Mama besorgen (aber was?)* kam an den Badezimmerspiegel, damit ich jedes Mal, wenn ich ins Bad ging, daran erinnert wurde, mir etwas Schönes für Hanne zu überlegen. Felix wollte ihr eine seiner neuen Skulpturen schenken sowie eine Collage aus Hamburg-Fotos, die er gerade auf Holz drucken ließ.

Kleidung von der Reinigung abholen pinnte ich an die Eingangstür, in der Hoffnung, meine Wohnung nächste Woche nicht noch einmal zu verlassen, ohne daran gedacht zu haben.

Das Post-it mit der Erinnerung *Pflanzen und Blumen in der Gärtnerei besorgen* befestigte ich an der Balkontür.

Ich freute mich jetzt schon darauf, gemeinsam mit Meggie in die Vierlande zu fahren, wo ich traditionsgemäß bei der Gärtnerei Bornhöft Schönes für den Balkon und den Gemeinschaftsgarten holte, den ich mir mit Frau Gehrckens teilte. Anfang Juli starteten wir dann ein zweites Mal in diese traumhafte Region Hamburgs, um im Rahmen der Vierländer Rosentage Rosenstöcke auf einem Rosenhof zu kaufen und anschließend einen Kaffee in der Riepenburger Mühle zu trinken. Meggie verfiel auf dem Rosenhof jedes Mal in Kaufrausch und Ekstase, war sie doch ein kleines bisschen in den smarten Besitzer Stefan Heitmann verschossen. Dieser war allerdings mit einer sympathischen Frau namens Aurelia liiert, die sich auf Aromatherapie spezialisiert hatte. Und Meggie war glücklich verheiratet.

Im vergangenen Jahr hatten wir in der *Herself* einen Beitrag über Aurelia Förster und ihre selbstgemachten Duftöle gebracht, die vielen Menschen halfen, gesundheitliche und seelische Beschwerden zu mildern oder vollkommen zu heilen. Dass die Aromatherapeutin mit ihren beiden Töchtern auf einem malerischen Hausboot im Moorfleeter Jachthafen wohnte, hatte unsere Leserschaft so sehr verzückt, dass Aurelia sich inzwischen kaum mehr vor Anfragen retten konnte, was mich sehr für sie freute.

Ideen für gut verkäufliche Beiträge finden, damit Herself *nicht weiter in Schieflage gerät!*

Diese letzte Notiz hätte ich im Prinzip in der ganzen Wohnung verteilen können.

Wenn ich ehrlich mit mir war, hatte ich tief in meinem Inneren Sorge, dass mein Arbeitsplatz – wieder einmal – auf wackligen Beinen stand. In den vergangenen Jahren war die Auflage kontinuierlich gesunken, egal, wie sehr sich das Team angestrengt hatte.

Je länger ich meinen trüben Gedanken nachhing, umso schmerzhafter wurde mir Olivers Abwesenheit bewusst.

Sollte ich nicht doch auf ihn zugehen und ihn auf unsere gemeinsame Zukunft ansprechen?

Da ich trotz intensiven Grübelns zu keinem Ergebnis kam, packte ich schließlich meine Sporttasche und machte mich auf den Weg zur Kaifu-Lodge.

»Und? Wie war diese ... wie hieß das noch? Klangschalen-Meditation?«, fragte Meggie, nachdem ich Punkt zwanzig Uhr an der Tür geklingelt hatte.

»Juhu, Tante Jule ist da!«, rief die fünfjährige Lotta begeistert, bevor ich antworten konnte. Dann sprang sie mir mit einem Satz auf die Hüfte, während ich noch im Türrahmen stand und von der Wucht des Sprungs beinah in die Knie gegangen wäre.

»Tante Jule ist da!«, echote Lottas Zwillingsschwester Pippa und umklammerte mein Bein, wie sie es früher als Kleinkind getan hatte.

»Nun lasst doch die arme Juliane erst mal in Ruhe reinkommen«, schimpfte Meggies Mann Harald und packte Pippa liebevoll am Schlafittchen. »Seht ihr nicht, wie blass sie ist? Und wie dünn? Die braucht gleich mal ordentlich was auf die Rippen!«

Blass?! Dünn?!

Verwirrt setzte ich Lotta ab und bemerkte dann schmunzelnd, dass die Zwillinge heute zwar mit einheitlichen Latzhosen ausstaffiert waren, aber in unterschiedlichen Farben: die etwas mädchenhaftere Pippa in einem hellen Fliederton, die rabaukigere Lotta in Froschgrün. Darunter trugen die beiden geringelte Shirts. Nachdem Harald mir den Mantel und die

Blumen abgenommen hatte, die ich als Gastgeschenk für Meggie mitgebracht hatte, folgte ich ihm ins große Esszimmer der gemütlichen, aber leicht chaotischen Altbauwohnung. Überall lagen Stapel von Büchern und Zeitungen herum, dazwischen türmten sich Meggies bunte Wollknäuel, gespickt mit Stricknadeln, während sich das Spielzeug der Mädchen quer über den ganzen Raum verteilte.

»Wie du siehst, haben wir es noch nicht geschafft, den Tisch zu decken. Außerdem sollten die Mädchen längst im Bett liegen«, erklärte Meggie entschuldigend, während Harald die Teller auf Tischsets aus buntem Bast verteilte. »Aber sie wollten dich unbedingt noch sehen, weil du so lange nicht mehr hier warst. Gegessen haben sie aber schon, weil es sonst zu spät wird. Außerdem mögen sie eh keine Muscheln.«

»Was haltet ihr davon, wenn ich den beiden noch schnell was vorlese?«, fragte ich, woraufhin Lotta und Pippa kollektives Jubelgeschrei ausstießen.

»Gute Idee«, sagte Harald grinsend. »Dann bringe ich hier inzwischen alles auf Vordermann und versuche dich in einer halben Stunde wieder loszueisen. Viel Spaß euch dreien.«

Während Meggie in die Küche verschwand, aus der ein köstlicher Duft nach frischen Kräutern, Knoblauch und Meer strömte, folgte ich den Zwillingen in das Zimmer, das sie sich teilten. Bevor ich mit dem Vorlesen begann, mussten die beiden noch ihre Pyjamas anziehen und sich die Zähne putzen, was sie erstaunlicherweise ohne großen Protest taten.

»Nach oben?«, fragte ich wenig später mit Blick auf das Stockbett, das Lotta und Pippa sich so sehr gewünscht und letztes Jahr zu Weihnachten endlich bekommen hatten.

Ich kraxelte Pippa auf der Leiter hinterher nach oben, während Lotta unten in der Buchkiste nach etwas zu lesen kramte.

Kurz darauf schlüpfte sie, gekleidet in ihren blauen Frottee-Schlafanzug, zu Pippa und mir unter die Decke und drückte ihre eiskalten Fußsohlen gegen meine Waden.

»Hier!«, sagte Lotta energisch und gab mir ein weinrotes Buch mit comicartigen Illustrationen. Auf dem Cover war ein Mädchen mit frecher Frisur, geringeltem Shirt und eine Heerschar weißer Hasen zu sehen. Das Buch hieß *Lotta-Leben. Alles voller Kaninchen.* Das Titelbild und der Rückseitentext machten sofort gute Laune, genau wie die vor Vorfreude giggelnden Zwillinge. Nicht zum ersten Mal wünschte ich mir in Momenten wie diesen, endlich eigene Kinder, eine eigene Familie zu haben.

Doch bis dieser Traum sich erfüllte, war es vermutlich noch ein langer Weg.

4. Kapitel

Als ich Oliver am Montagmorgen über den Verlagsflur hasten sah, hätte ich ihm am liebsten hinterhergeschrien, so viele Emotionen hatten sich übers Wochenende in mir aufgestaut: »Ich habe es satt, das Leben einer Karriere-Singlefrau zu leben, obwohl ich einen Freund habe. Lass uns endlich Nägel mit Köpfen machen und zusammenziehen. Und hol deine Mutter von Frankfurt nach Hamburg, sonst werden wir nie mehr als nur einen Tag miteinander verbringen können!«

Das Einzige, was mich davon abhielt, ihm in sein Büro zu folgen und eine Szene zu machen, war mein Entschluss, beim heutigen Abendessen über unsere gemeinsame Zukunft zu sprechen. Ich hatte keine Lust mehr, darauf zu warten, bis er den ersten Schritt machte. Ich war es gewohnt, die Dinge selbst in die Hand zu nehmen, warum sollte ich also gerade in Liebesdingen anders handeln?

»Na? Hast du die Gong-Meditation gut verkraftet?«, fragte Vivien und stellte Kaffee und Franzbrötchen für uns beide auf den Schreibtisch, wie sie es netterweise jeden Morgen tat, sobald ich ins Büro gekommen war. Dieser Kolleginnen-Plausch war stets ein wunderbarer Start in den Tag, auch wenn wir nur kurz Zeit dafür hatten. »Ich finde, du siehst ein bisschen abgespannt aus. Du wirst doch nicht etwa krank?«

Wie aufs Stichwort musste ich niesen und dachte mit Schaudern daran, dass Harald erkältet gewesen war. Den Abend über hatte er zwei Packungen Taschentücher verbraucht und immer wieder »Ich habe mich bestimmt bei den Kunden angesteckt« gemurmelt. Gefolgt von: »Dass die sich aber auch immer krank in die Buchhandlung schleppen müssen«, was ihm tröstende Küsse von Meggie eingebracht und mir einen kleinen Stich versetzt hatte. Ich beneidete die beiden um ihre selbstverständliche Beziehung.

»Nein, nein, werde ich nicht«, antwortete ich, mehr um mich selbst zu beruhigen. »Mir hat die Gong-Meditation gefallen, auch wenn ich streckenweise nicht ganz bei der Sache war.«

Ich wusste nur zu genau, dass meine Blässe daran lag, dass an diesem Wochenende irgendetwas mit mir geschehen war.

Ein Wochenende zu viel allein.

Ein Wochenende zu viel, an dem mir klarwurde, dass immer noch niemand von unserer Beziehung wusste, außer Felix, Meggie und meiner Mutter. Umgekehrt hatte Oliver niemals angeboten, mich mal mit nach Frankfurt zu nehmen und seiner Mutter vorzustellen. Mir zu zeigen, wo und wie er so lebte.

Ich hätte gerne seine Freunde kennengelernt, mehr über sein früheres Leben, seine Familie erfahren.

Und ich hätte gern gewusst, ob Oliver überhaupt bereit war, eine so feste Bindung einzugehen, die nötig war, um irgendwann einmal eine Familie zu gründen.

Obwohl mein Kopf mir dazu riet, cool abzuwarten und den Dingen ihren natürlichen Lauf zu lassen, signalisierte mein Bauch gerade das komplette Gegenteil: Er schäumte und blubberte, als würden darin all die Empfindungen, die ich mir bislang nicht eingestanden hatte, herumgeschleudert werden wie in der Trommel einer Waschmaschine.

Ich kannte dieses schäumende Blubbern aus Kindertagen. Meine Mutter hatte mich stets dazu ermahnt, lieb und brav zu sein, niemandem auf die Nerven zu gehen und mich in allem so zu verhalten, dass man mich mochte.

Das war eine ganze Weile gutgegangen, bis dieser Schaum in meinem Bauch mehr und mehr wurde, schließlich überquoll und sich in Form von verbalen Wutanfällen – oder, als ich klein war, Sich-auf-dem-Boden-Herumwälzen – über meine überraschte Umwelt ergoss.

Und obwohl ich es anders geplant hatte, wusste ich, dass ich nicht eine Sekunde länger warten konnte.

Ich würde Oliver fragen, wie es um uns stand.

Hier und jetzt. Egal, ob es ihm gerade passte.

Also marschierte ich los, ein nervöses Dröhnen im Kopf, das schäumende Blubbern in meinem Bauch.

Als Oliver nicht auf mein Klopfen reagierte, öffnete ich die Tür und sah, dass sein Büro leer war.

Mist!

Wo steckte er nur?

Ich warf einen Blick auf seinen Terminkalender, in dem für diese Uhrzeit ein Meeting stand.

Verdammt! Wieso ausgerechnet jetzt?

Ich würde zweifellos irre werden, wenn ich nicht bald mit ihm sprechen konnte. Um ihm eine kurze Notiz zu schreiben, suchte ich nach einem Kugelschreiber, fand jedoch keinen. Offensichtlich lief bei Oliver so gut wie alles über den PC und das Handy. Also öffnete ich die Schublade seines Schreibtisches und fand zuoberst einen dicken Umschlag, adressiert an Katharina und Oliver Mohn. Verwirrt nahm ich das geöffnete Kuvert heraus und drehte es um.

Der Absender war ein bekanntes Kreuzfahrtunternehmen,

und obwohl ich so etwas normalerweise nie getan hätte, warf ich in diesem Augenblick den Respekt vor Olivers Privatsphäre über Bord und zog den Packen Papier aus dem Umschlag.

Mit zitternden Fingern und trommelndem Herzschlag blätterte ich durch die Unterlagen. Meine Augen blieben an den Worten *Buchungsbestätigung* und *Luxusjacht* hängen, dann an dem Schreiben, laut dem Katharina und Oliver Mohn auf eine Kreuzfahrt in die Karibik gehen würden, und zwar für drei Wochen.

Mir wurde heiß, kalt und ein bisschen übel. Der Boden schwankte unter meinen Füßen.

Wer zum Teufel war Katharina?

Olivers Mutter hieß Susanne und war aufgrund ihrer Krankheit ganz bestimmt nicht in der Lage, zu verreisen.

Hatte Oliver eine Schwester, von der ich nichts wusste?

Eine Cousine?

Doch wie ich es auch drehte und wendete, hier stimmte etwas nicht. Zum einen würde Oliver unter Garantie nicht so kurz nach der Probezeit ganze drei Wochen Urlaub bekommen. Zum anderen hatten wir geplant, in dieser Zeit wegzufahren.

Der leugnende Teil in mir suchte verzweifelt nach einer plausiblen Erklärung: Oliver hatte diese Reise gebucht, bevor er mich getroffen hatte, und wollte sie nun stornieren.

Die Fahrt sollte eine Überraschung für mich sein.

Er hatte aber anstelle meines Namens den seiner Schwester oder Cousine eingesetzt.

Aber egal, welche Erklärung ich auch fand, keine ergab Sinn. Schwindel erfasste mich, und ich hatte Panik, umzukippen.

»Was machst du da?«, fragte Oliver, der plötzlich vor mir stand und mich aus hellblauen Augen musterte. Zum ersten Mal erinnerten sie mich an Gletscherwasser. Kalt und abweisend.

Schuldbewusst zuckte ich zusammen, wie ein kleines Kind, das seine Weihnachtsgeschenke vor Heiligabend gefunden und ausgepackt hatte.

Unfähig, etwas zu sagen, streckte ich ihm die Buchungsunterlagen entgegen und setzte mich auf seinen Schreibtischstuhl, weil sich alles um mich herum drehte.

Oliver senkte den Kopf und flüsterte: »Ja, wir müssen reden. Aber nicht jetzt. Und nicht hier.«

Mein Schwindel verstärkte sich, und ich hatte das Gefühl, durchzudrehen, wenn ich nicht augenblicklich die Wahrheit erfuhr. »Ich muss aber wissen, was hier los ist«, erwiderte ich und versuchte den Wunsch, ihn anzubrüllen, unter Kontrolle zu bekommen. »Und ich werde damit auf gar keinen Fall bis heute Abend warten.«

»Okay, okay, das verstehe ich. Wollen wir einen Spaziergang am Hafen machen?«, schlug Oliver vor.

Obwohl ich befürchtete, nicht vom Stuhl hochzukommen und keinen Schritt vor den anderen setzen zu können, nickte ich.

Kurz darauf erfuhr ich, dass Oliver mich vom ersten Date an belogen hatte.

Er war verheiratet und nach Hamburg gekommen, um seiner Ehe, die gerade in einer Krise steckte, für eine Weile zu entfliehen.

»Bitte glaub mir, ich hatte nie vor, dich zu belügen, dir etwas vorzumachen oder dir weh zu tun«, erklärte Oliver mit flehender Stimme. »Ich wollte uns beiden einfach die Chance geben, unbelastet zu starten, um zu schauen, was sich zwischen uns entwickelt. Ich … Ich habe mich von der ersten Sekunde an in dich verliebt. Hätte ich dir gesagt, dass ich verheiratet bin, hättest du dich vermutlich noch nicht einmal auf einen Kaffee mit mir getroffen, habe ich recht?«

Seinem gequälten Blick nach zu urteilen, ging es ihm gerade ebenso mies wie mir.

Vollkommen überfordert von den Ereignissen, stand ich auf der Niederbaumbrücke, starrte auf die Elbe und umklammerte das Geländer in der Hoffnung, es könne mir Halt geben. Die Sonne tauchte den Hamburger Hafen in mildes, warmes Licht, wohingegen in mir tiefste Dunkelheit herrschte.

»Ist deine Mutter wirklich krank, oder bist du jedes Wochenende nach Frankfurt geflogen, um mit deiner ...« Ich glaubte, an dem Wort Ehefrau ersticken zu müssen. »... um mit Katharina zusammen zu sein? Und lüg mich jetzt nicht an.«

Ich drehte den Kopf, um Oliver in die Augen zu schauen, doch er wandte den Blick ab und sah auf die Elbe hinaus. »Meine Mutter ist zum Glück kerngesund«, sagte er leise.

In diesem Augenblick sah ich Rot. »Wie bitte? Habe ich dich gerade richtig verstanden? Deine Mutter ist ... *kerngesund?!*«

Oliver nickte, den Blick noch immer auf das träge dahinströmende Wasser gerichtet.

»Sieh mich verdammt noch mal an, wenn ich mit dir rede!«, zischte ich. Mein Tonfall zeigte Wirkung. Tatsächlich drehte er den Kopf zu mir. Er wirkte beschämt, sogar reumütig, doch das verlieh meiner Wut nur neuen Antrieb. »Du ... du hast ihre Krankheit *erfunden*, um unentdeckt deinen Geheimniskrämereien nachgehen zu können?!«

Keine Ahnung, was mich wütender machte: die Tatsache, dass er mir verschwiegen hatte, dass er verheiratet war, oder die Art seiner *Ausrede*. Schließlich hatten viele Menschen darunter zu leiden, dass ihre geliebten Eltern krank waren.

»Das ist ja so widerlich!«, presste ich hervor, während es in meinem Kopf unaufhörlich ratterte. Und plötzlich fügte sich ein Mosaiksteinchen ans nächste. »Deswegen hast du dich also nicht zur Buchung der Reise nach Lanzarote entschließen können, weil du dich inzwischen mit Katharina versöhnt hast und als krönenden Abschluss dieser Wiedervereinigung drei Wochen mit ihr in der Karibik herumschippern möchtest.« Ich spürte, wie mir heiße Tränen in die Augen stiegen. »Dann wünsche ich euch viel Spaß und eine gute Reise«, sagte ich mit zitternder Stimme. »Ihr beide scheint einander zu verdienen.«

In dem Moment, als mir das Ausmaß dieser Katastrophe bewusst wurde, konnte ich Olivers Nähe und seine betretene Miene, die in meinen Augen eine einzige Lüge war, nicht eine Sekunde länger ertragen. Ohne seine Antwort abzuwarten, machte ich auf dem Absatz kehrt und hastete zurück in die Redaktion. Dort meldete ich mich bei meiner Assistentin krank, packte meine Sachen und machte mich auf den Weg nach Hause.

Keine Stunde später lag ich zusammengerollt auf meinem Bett und weinte und weinte, bis ich irgendwann nicht mehr konnte und mir jede Faser meines Körpers weh tat.

Das wütende Schäumen in meinem Bauch und die tosende Unruhe waren einer tiefen Traurigkeit gewichen, die letztlich noch viel schlimmer war, weil sie mich so ohnmächtig machte. Ich hasste nichts mehr, als passiv zu sein, mich ausgeliefert zu fühlen – dieses Gefühl schmerzte doppelt und dreifach.

Als ich später irgendwann mit verquollenen Augenlidern auf meinem Handy nachschaute, wie spät es war, sah ich, dass Oliver bereits zwanzigmal versucht hatte, mich zu erreichen.

Gut, dass ich das Smartphone zuvor auf lautlos gestellt hatte.

Auf WhatsApp hatte Oliver drei Textnachrichten und eine längere Voicemail hinterlassen.

Ich spielte eine ganze Weile unschlüssig mit dem Telefon herum und fragte mich, ob ich wirklich wissen wollte, was er mir so Dringendes mitzuteilen hatte, es war doch schließlich alles gesagt. Er hatte mich hintergangen und aufs Übelste belogen, also musste ich jetzt all meine Kraft aufbieten, um ihn mir so schnell wie möglich aus dem Herzen zu reißen.

Nachdem ich mir das Gesicht gewaschen und einen starken Kaffee gekocht hatte, fand ich endlich die Kraft, Olivers Nachricht abzuhören. Mit reumütig klingender Stimme versuchte er mich davon zu überzeugen, dass es mit seiner Frau endgültig vorbei sei und er die gemeinsame Reise dafür nutzen wollte, um sich in aller Ruhe und Freundschaft von Katharina zu trennen.

Seine Nachricht ging mir durch Mark und Bein. Ich musste dringend mit jemandem über diese Ungeheuerlichkeit reden, bevor ich durchdrehte.

»Um sich von seiner Frau zu trennen, muss der Mann extra in die Karibik? Ist der noch ganz dicht?«, fragte Meggie erbost, als sie wenig später mit Kuchen, Chips und einer Flasche Sekt bei mir eintraf und ich ihr Olivers WhatsApp-Nachricht vorspielte. Wie gut, dass ich sie erreicht hatte, und welch ein Glück, dass Lotta und Pippa heute auf einem Kindergeburtstag eingeladen waren, von dem Harald sie später abholen würde. »Mal ganz im Ernst, glaubst du ihm den Mist?«

Ich zog die Beine an und kuschelte mich, eingewickelt in eine Flauschdecke, in das taubenblaue Sofa mit den vielen Kissen, auf dem wir beide saßen. Vor uns auf dem Couchtisch waren die Überreste von Meggies Mitbringseln verteilt.

»Ich weiß es nicht«, murmelte ich, zutiefst verunsichert und erschöpft vom vielen Weinen. »Auf der einen Seite wünsche ich mir natürlich, dass das Ganze stimmt und Oliver auf der Reise reinen Tisch macht. Auf der anderen Seite hat er mich von Anfang an belogen und so getan, als sei er ein freier Mann und plane eine gemeinsame Zukunft mit mir. Ich bin eine blöde, naive Kuh. Wieso habe ich nicht schon viel früher gemerkt, dass da etwas nicht stimmt?«

»Bin ich froh, dass Harald so ein grundanständiger Kerl ist.« Meggie seufzte und steckte sich eine Handvoll Chips in den Mund. »Er sieht zwar mit seinem Buchhändler-Schluffi-Breitcord-Look nicht halb so gut aus wie Oliver, ist aber seit fünfzehn Jahren mein Fels in der Brandung. Es tut mir so leid, Jule, dass dir so was passieren muss. Ich habe wirklich geglaubt, dass das mit euch beiden etwas für die Zukunft ist. Was für ein Idiot!«

»Ja, das ist er«, stimmte ich ihr zu, während die Verletzung mir so die Kehle zuschnürte, dass ich Mühe hatte zu sprechen.

Es war nicht das erste Mal, dass ich mich fragte, weshalb es einigen vergönnt war, schon früh denjenigen zu treffen, der ihn komplettierte. Den über alles geliebten Seelenmenschen, mit dem man Hand in Hand durchs Leben gehen konnte, egal wie steif die Brise war, die einem auf diesem Weg zuweilen ins Gesicht blies.

Mit einem Mal überfiel mich blanke Panik, dass Oliver womöglich die letzte Chance in meinem Leben war – und ich sie vertat, indem ich zu hart reagierte.

Dass er verliebt in mich war, stand außer Frage.

Hätte ich daran im Laufe der letzten sechs Monate auch nur den geringsten Zweifel verspürt, hätte ich mich nicht so weit auf ihn eingelassen.

»Meinst du nicht, dass ich Oliver noch eine Chance geben

sollte? Vielleicht stimmt es ja doch, was er sagt, und er hat nur eine äußerst fragwürdige Methode gewählt, um seine Ehe zu beenden. Vielleicht … ach was, ich rede Unsinn. Sorry, ich kann gerade echt nicht klar denken.«

Meggie verengte ihre warmen, dunkelbraunen Augen zu schmalen Schlitzen und strich sich durch das kurze, blonde Haar. »Ganz im Ernst, Jule. Ich würde dir ja liebend gern etwas anderes sagen, denn ich mag Oliver. Aber wie heißt es doch so schön? Was du mit einem machst, machst du auch mit anderen. So hart es klingt: Ich würde an deiner Stelle die Finger von ihm lassen und mich erst mal auf den Job und dich selbst konzentrieren. Dem Mann ist offenbar nicht zu trauen.«

Bevor ich etwas darauf entgegnen konnte, klingelte es an der Tür.

Als ich öffnete, überreichte mir der Briefträger ein Einschreiben einer Anwaltskanzlei. Verwundert nahm ich das Dokument entgegen, quittierte den Empfang und öffnete den Umschlag. Hastig überflog ich die Zeilen, die vor mir auf und ab tanzten wie Schaumkronen auf Nordseewellen.

»Äh, muss ich das verstehen?«, fragte Meggie, die mir über die Schulter schaute, fassungslos. »Du hast etwas von einer Frau namens Ada Schobüll geerbt, deren Namen ich noch nie gehört habe? Bist du dir sicher, dass der Brief wirklich für dich ist?«

»Ada Schobüll war meine Großmutter«, antwortete ich tonlos. Und fragte mich insgeheim, ob dieser Tag noch absurder werden konnte, als er schon war.

45

5. Kapitel

Am nächsten Morgen war klar, dass ich mich wirklich erkältet hatte. Meine Augen tränten, ich musste niesen, mein Hals kratzte. Doch all das war nichts im Vergleich zu dem, wie es in meinem Inneren aussah.

In der Nacht war ich immer nur kurz weggedämmert, an tiefen, erholsamen Schlaf war nicht zu denken gewesen. Olivers Betrug und direkt im Anschluss die Nachricht von einem mysteriösen Erbe waren schlicht zu viel für mich.

Stöhnend setzte ich mich im Bett auf, in meinem Kopf wütete ein Presslufthammer. Und ausgerechnet heute hatte auch noch meine Mutter Geburtstag, und Felix und ich waren zum Abendessen bei ihr eingeladen. Da ich mich außerstande fühlte zu arbeiten, meldete ich mich auch für diesen Tag im Verlag krank, obwohl das schlechte Gewissen an mir nagte. Wenigstens stand heute keine Konferenz auf dem Terminplan, dennoch würde ein Haufen Arbeit liegenbleiben.

Nachdem ich meiner Assistentin gesagt hatte, was sie an meiner Stelle erledigen musste, checkte ich die Nachrichten auf meinem Handy.

Ist alles okay bei dir? Ich mache mir Sorgen!, lautete eine von zahllosen Nachrichten, die Oliver seit gestern im gefühlten Fünf-Minuten-Takt geschickt hatte und von denen ich keine einzige beantwortete, auch wenn ich ihm zugutehielt, dass er sich darum bemühte, mich zu erreichen.

Stattdessen kochte ich mir einen Salbeitee, beschmierte eine Scheibe Toast mit Butter und kroch zurück ins Bett, das mir wie eine schützende, tröstende Höhle erschien.

Ein dickes Kissen im Rücken, mummelte ich mich in der Daunendecke ein, das Tablet auf den Knien.

Bevor ich mich weiter meinem Gefühlswirrwarr in Bezug auf Oliver hingab, musste ich mich erst mal um den Brief des Notars kümmern. Prioritäten setzen, wie es mir meine Mutter von klein auf eingebleut hatte.

Also googelte ich die wichtigsten Fakten zum Thema Erbrecht, um mir ein Bild von der juristischen Situation zu machen.

Über wen ich allerdings nicht die klitzekleinste Notiz im Internet finden konnte, war Ada Schobüll.

Es schien, als sei diese Frau im World Wide Web genauso wenig existent wie in meiner Familie. Ada war meine Großmutter väterlicherseits gewesen, über die meine Mutter sich jedoch seit meiner Kindheit so eisern ausschwieg, dass ich in dem Gefühl aufwuchs, weder Großmutter noch Großvater zu haben. Hätte ich nicht zumindest Adas Namen gekannt, hätte ich wie Meggie geglaubt, dass es sich bei dieser Erbschaftsangelegenheit um eine Verwechslung handelte.

Und nun hatte ihr Notar Doktor Petersen einen Termin am Donnerstag anberaumt, um zu klären, ob ich bereit war, das Erbe anzunehmen.

Neben dem Tablet lag das Schriftstück der Kanzlei wie ein herabgefallener Komet.

Wie ein Zeichen des Himmels.

War dieses Sichüberstürzen der Ereignisse eine Konsequenz der Tatsache, dass sich die letzten Jahre meines Lebens vergleichsweise gleichförmig gestaltet hatten?

Ein Signal dafür, dass ich irgendetwas verändern, irgendetwas in Angriff nehmen sollte?

Mitten in meine Grübeleien platzte ein Anruf meiner Mutter.

»Ich habe von deiner Assistentin erfahren, dass du krank bist. Wie geht es dir denn, Schätzchen, hast du Fieber?«, fragte sie, ganz besorgte Mutter.

Wie immer rief diese Frage ein leichtes Augenrollen bei mir hervor, weil Hanne stets als Erstes wissen wollte, ob ich Fieber hatte, auch wenn das nur ganz, ganz selten vorkam.

»Es ist nur eine Erkältung, Mama, kein Grund, dir Sorgen zu machen«, versuchte ich, Hanne zu beruhigen – und dabei auszublenden, dass Oliver meine Gefühle mit Füßen getreten und meine Seele mehr als verletzt hatte. »Aber ich denke, ich sollte bis heute Abend im Bett bleiben, um mich zu schonen. Oder soll ich besser gar nicht erst kommen, damit ich keinen von euch anstecke? Alles Gute zum Geburtstag übrigens. Du bist mir jetzt leider zuvorgekommen.«

Meine Mutter schien mit sich zu ringen, denn es war einen Moment lang still in der Leitung. Während ich auf ihre Antwort wartete, konnte ich durch das gekippte Fenster des Schlafzimmers Vögel hören, die fröhlich ihr Frühlingslied anstimmten, als wollten sie mir Mut machen, den Herausforderungen des Lebens zu begegnen.

»Ach was, wir werden uns schon nichts holen«, sagte Hanne schließlich. »Es ist aber auch kein Problem für mich, wenn du dich kurzfristig doch noch umentscheidest. Das Wichtigste ist, dass es dir gutgeht, mein Schatz.«

Ein wohlig warmes Gefühl durchflutete meinen Bauch, und ich wusste, dass ein gemeinsames Abendessen mit meiner Familie genau das war, was mir in meiner momentanen Situation guttun würde.

Kaum hatte ich aufgelegt, rief Meggie an, um zu fragen, wie es mir ging. Unterbrochen von einigen Niesattacken, erzählte ich ihr, dass ich in der vergangenen Nacht kaum ein Auge zugetan hatte, weil ich hin und her überlegt hatte, wie ich mich Oliver gegenüber verhalten sollte. Die Tatsache, dass ich eine unerwartete Erbschaft gemacht hatte, verblasste gerade wieder vor dem Hintergrund meines Liebeskummers, der durch das Gespräch mit Meggie neu entfacht wurde.

»Warte, meine Süße! Bevor du weitersprichst, schicke ich dir mal eben ein Foto«, sagte sie, und kurz darauf kündigte ein leises *Pling* den Eingang einer Bilddatei an.

Verwirrt betrachtete ich eine Postkarte mit einer quietschgrünen Blumenwiese, auf deren Untergrund stand: *Ich folge weiterhin meinem Herzen. Das muss der Verstand ja nicht wissen.* Darunter war eine Pusteblume abgebildet.

»Und? Was möchtest du mir damit sagen?«, fragte ich und trank dabei den wohltuenden Tee in einem Zug leer.

»Ich meine damit, dass ich gestern sehr hart über Oliver geurteilt, aber vielleicht gar nicht recht habe mit meiner Einschätzung«, bekannte Meggie freimütig. »Womöglich will er ja wirklich reinen Tisch mit seiner Frau machen und hat nur einen äußerst ungewöhnlichen Weg dafür gewählt. Die werten Herren sind in diesen Dingen ja meist recht feige. Ich weiß, wie sehr du ihn liebst und dass er der erste Mann seit Jahren ist, der dir wichtiger ist als dein Job. Also tu, was du tief in deinem Inneren fühlst, und lass dich nicht von mir verunsichern. Ich bin schon so lange raus aus dieser ganzen Beziehungskram-Nummer, dass ich bestimmt keine besonders gute Ratgeberin bin.«

»Lieb, dass du das sagst«, murmelte ich, während erneut Tränen meine Augen füllten. »Ich überlege ständig hin und her, wie es wäre, mich von Oliver zu trennen, ohne ihm zumindest die Chance gegeben zu haben, die Sache mit Katharina zu klären. Zur Krönung habe ich sogar Pro-und-Kontra-Listen gemacht, die aber blöderweise fünfzig-fünfzig ausgegangen sind.« Ich griff nach einem Taschentuch und putzte mir die Nase. Dann sprach ich leise weiter. »Weißt du, wovor ich am meisten Angst habe? Dass ich es bereue, wenn ich ihm jetzt aus dem Affekt heraus den Laufpass gebe, und mich später immer frage, ob ich nicht einen riesengroßen Fehler gemacht habe. Oliver scheint zu wollen, dass wir zusammenbleiben. Er hat mich mit Anrufen und Nachrichten bombardiert ... das würde er mit Sicherheit nicht tun, wenn er sich wieder mit seiner Frau versöhnen möchte.« Ich dachte an die vielen Beziehungsgeschichten von Bekannten und Kolleginnen, bei denen es anfangs zuweilen ebenfalls dramatisch oder zumindest turbulent zuging.

»Ich bin sicher, du wirst die richtige Entscheidung treffen«, sagte Meggie zuversichtlich. »Aber was ist denn jetzt mit dieser Erbschaftsgeschichte? Hast du Hanne schon davon erzählt?«

»Nein. Ich wollte damit noch warten, damit wir ihren Geburtstag in Ruhe feiern können«, antwortete ich. Aus demselben Grund würde ich ihr auch nicht sagen, dass meine Beziehung zu Oliver gerade auf äußerst wackligen Beinen stand. Es reichte, wenn es in meinem Kopf drunter und drüber ging. Ich musste nicht auch noch meine Mutter damit belasten.

Nach dem Telefonat kam wieder ein bisschen Leben in mich, und ich beschloss, duschen und später einkaufen zu gehen. Schließlich brauchte ich noch ein Geschenk für meine Mutter.

Als ich eine Stunde später auf wackligen Beinen das Haus verließ, um mich in Ottensen bei einem Bummel durch die kleinen Lädchen inspirieren zu lassen, fühlte ich mich noch immer benommen. Während mein Leben so plötzlich durcheinandergewirbelt worden war, schien das der Menschen um mich herum einfach weiterzugehen. Lustlos stöberte ich in ein paar Läden, doch nichts erschien mir wirklich passend. Und so kaufte ich zu guter Letzt in einer Buchhandlung einen Gutschein, da meine Mutter sehr gern las und passionierte Buchsammlerin war. Nachdem ich auch noch frisches Obst, Salat und Medikamente in der Apotheke besorgt hatte, machte ich mich auf den Heimweg und sah zu meiner Überraschung, dass Oliver auf dem Treppenabsatz vor der Haustür stand und suchend in die Menge der vorbeieilenden Passanten blickte. Als er mich entdeckte, wurden seine angespannten Gesichtszüge sofort weicher.

»Juliane, da bist du ja!«, rief er und umarmte mich so stürmisch, dass ich keine Chance hatte, seine Zärtlichkeiten und Küsse abzuwehren. »Ich dachte, ich drehe durch, weil ich dich nicht erreichen konnte«, raunte er mir ins Ohr. Dann ließ er mich los und schaute mich besorgt an. »Du bist ganz schön blass, ist alles okay bei dir?«

Eine heftige Hustenattacke bewahrte mich davor, ihm ein *So okay, wie es einem eben geht, wenn man belogen und betrogen wurde* entgegenzuschleudern, und so beschränkte ich mich auf ein vages Achselzucken, während mir das Herz vor Aufregung bis zum Hals schlug.

Sosehr mein Verstand sich auch dagegen wehrte, mich einlullen zu lassen – mein Innerstes sehnte sich danach, einfach in Olivers Armen zu liegen und zu vergessen, was in den vergangenen vierundzwanzig Stunden passiert war.

»Können wir bitte in Ruhe reden?«, fragte er, und vor meinem geistigen Auge blitzten klischeehafte Bilder von Männern auf, die Fragen wie diese mit dem Überreichen eines überdimensionierten Straußes dunkelroter Rosen verbanden. Doch zum Glück hatte Oliver sich nicht zu einer derart pathetischen Geste hinreißen lassen, sondern bat um etwas, das ich ihm nach sechsmonatiger Beziehung eindeutig schuldig war.

»Okay, komm mit rauf, aber nur kurz. Ich muss mich noch mal hinlegen, bevor ich heute Abend zum Geburtstag meiner Mutter gehe«, antwortete ich und schritt voran ins Treppenhaus. Ich wollte mir auf gar keinen Fall anmerken lassen, wie verletzt ich war.

»Espresso?«, fragte ich mechanisch, nachdem ich die Einkäufe verstaut hatte.

»Gern.« Oliver stand wie ein unsicherer Teenager auf dem alten Dielenboden. Mit hängenden Schultern und niedergeschlagener Miene hatte ich ihn – den erfolgreichen Vertriebsleiter – bislang noch nicht gesehen. »Ich habe heute Morgen übrigens erfahren, dass ich nicht übernommen werde und mein Vertrag mit sofortiger Wirkung aufgelöst wird«, murmelte er.

Ich war gerade dabei, Espressopulver in meine Glaskanne zu häufeln, und verschüttete einen Teil davon. Feiner, dunkelbrauner Pulverstaub verteilte sich in Klümpchen über die hellgraue Arbeitsplatte, wie kleine Inseln im Meer.

»Wie bitte? Wieso das denn?«, fragte ich, während ein gedankliches Feuerwerk in meinem Kopf explodierte. »Und was willst du jetzt machen? Bewirbst du dich hier in Hamburg bei anderen Verlagen?« Meine Sehnsucht nach einem Happy End umklammerte das Wort *Hamburg* wie eine Ertrinkende den Rettungsring.

So absurd es auch war: Ich wünschte mir immer noch eine Zukunft mit Oliver. Ich wollte, dass alles wieder gut wurde.

»Aber natürlich«, sagte er, befeuchtete den Spüllappen und wischte das verschüttete Pulver weg. »Ich möchte alles tun, um bei dir sein zu können. Keine Sorge, ich finde schon etwas Neues. Wir beide gehören zusammen.«

Als er mich erneut küsste und mir dabei ein Schauer nach dem anderen über den Rücken lief, fiel für einen Moment alle Anspannung, alle Sorgen von mir ab.

Ich wollte Oliver, hier und jetzt, egal, ob ich ihn mit meiner Erkältung anstecken oder zu spät zur Geburtstagsfeier kommen würde, weil wir miteinander schliefen.

Er und ich, eine ineinander verkeilte Einheit in meinem Bett, war alles, was in diesem Moment zählte.

Meggie hatte bestimmt recht: Männer wählten zuweilen eigenartige Methoden, um bestimmte Probleme aus dem Weg zu räumen. Und wer war ich, um darüber zu urteilen, ob es für Katharina und ihn nicht womöglich genau das Richtige war, sich in aller Ruhe von ihrer Ehe zu verabschieden und die Dinge, die geklärt werden mussten, vernünftig zu klären.

Während Oliver mich fest umschlungen hielt und ich seinen warmen Atem in meiner vom Liebesspiel verschwitzten Nackenbeuge spürte, beschloss ich, ihm zu vertrauen und den Dingen einfach ihren Lauf zu lassen …

»Alles Liebe und Gute zum Geburtstag«, sagte Hanne zur Begrüßung, nachdem sie die Tür geöffnet hatte.

Ich war gerührt, dass wir dieses Spiel seit Jahren immer noch spielten. Keine Ahnung, wie meine Mutter darauf gekommen war, aber ich hatte Spaß an der Verkehrung der Rollen, allein schon, weil *sie* Freude daran hatte.

Also antwortete ich: »Danke schön, das wünsche ich dir auch«, und begrüßte sie mit einem Luftkuss, um sie vor meinen Bazillen zu schützen.

»Schön, dass du da bist, Julchen«, sagte meine Mutter,

hochrot im Gesicht, ein Zeichen dafür, dass die Vorbereitung des Abendessens sie stresste. »Geht's dir inzwischen besser?«

Tatsächlich hatte die Liebe am Nachmittag meinen Kreislauf angekurbelt, genau wie die Tatsache, dass Oliver seine Frau wirklich verlassen würde. Also nickte ich, wickelte den Strauß bunter Tulpen, den ich noch auf dem Weg gekauft hatte, aus dem Papier und überreichte ihn Hanne zusammen mit dem Gutschein der Buchhandlung.

Nachdem ich auch meinen Bruder begrüßt und den Mantel an der Garderobe im Flur aufgehängt hatte, fiel mein Blick auf einen schwarz eingerahmten Briefumschlag auf der antiken Kommode, aus dem ein Blatt Papier ragte. Es war leicht zerknittert, als wäre es zu hastig zurück in den Umschlag geschoben worden. Ich konnte nicht anders. Nach einem kurzen Blick über die Schulter zog ich das Papier ein Stück heraus. Wie erwartet, prangte der Name Ada Schobüll in schwarzen Lettern darauf.

Demnach hatte meine Mutter ihre Todesanzeige bekommen. Schnell schob ich das Blatt Papier zurück in den Umschlag.

»Na, Sis, alles gut?«, hörte ich Felix' Stimme hinter mir, und ich drehte mich blitzschnell zu ihm um. Seine sonst so störrischen Haare waren heute glatt gegelt, und in seinem enganliegenden schwarzen Hemd wirkte er um ein Vielfaches erwachsener als bei unserem letzten Treffen.

»Alles gut«, sagte ich mechanisch und ging in die Küche, um nach meiner Mutter zu sehen, die gerade die Blumen anschnitt und in eine Vase stellte. Sie war eine begnadete Köchin, aber leider nicht besonders nervenstark, wenn sie Gäste zu bewirten hatte.

»Kann ich dir helfen?«, fragte ich, als sie begann, eine Zitrone in Scheiben zu schneiden, und ließ meinen Blick über ihren zierlichen Rücken gleiten.

Wie oft hatte ich sie schon aus dieser Perspektive betrachtet? Tausendmal?

Heute trug meine Mutter einen hellblauen Flauschpullover mit Dreiviertelarm und einen dunkelblauen Bleistiftrock. Ihre rotblonden Locken waren wie immer geglättet und zu einem kleinen Knoten verschlungen, der ihr etwas Mädchenhaftes, aber zugleich auch Strenges verlieh.

»Du könntest die Kartoffelpuffer, die noch im Backofen sind, mit Lachs, einem Klecks Crème fraîche, frischem Dill und einer halben Scheibe Zitrone belegen«, antwortete sie, hielt dann jedoch in der Bewegung inne. »Ach was, Unsinn, du solltest besser nichts anfassen, du bist ja erkältet.« Dann erhob sie ihre Stimme und rief: »Felix, kommst du bitte mal?«

Mein Bruder tauchte keine zwei Sekunden später in der Küche auf, in der Hand die Traueranzeige, mit der er demonstrativ durch die Luft wedelte. »Ma, wer ist Ada Schobüll?«

Der Rücken meiner Mutter versteifte sich; nun stand sie so kerzengerade vor der Anrichte, als hätte sie ein Lineal verschluckt.

Das Licht der Dunstabzugshaube ließ die feinen Härchen an ihren Unterarmen, die senkrecht standen, golden schimmern.

»Das ist niemand. Leg den Brief wieder dahin zurück, wo du ihn herhast«, antwortete sie in einem so eisigen Tonfall, dass die Raumtemperatur ins Bodenlose sank.

6. Kapitel

Den Kopf voller Fragen, ging ich zwei Tage nach Hannes Geburtstag die Osakaallee in der HafenCity entlang, auf dem Weg zu einem Treffen mit Felix.

Der Wind spielte mit meinen Haaren und kräuselte das Wasser der Elbe, die im Abendlicht wie ein schwarzes Band mit silbernen Stickereien aussah. Möwen flogen laut kreischend über meinen Kopf hinweg und erweckten in mir das Gefühl, ganz in der Nähe der Nordsee zu sein.

An diesem Abend wollten Felix und ich das neue Restaurant Neni ausprobieren, das im 25hours Hotel Altes Hafenamt eröffnet hatte. Normalerweise gingen wir in einfache Gaststätten oder Kneipen, wenn wir uns trafen. Doch ich war heute im Auftrag von *Herself* unterwegs, die eine Kooperation mit angesagten Hotels in Hamburg plante. Dummerweise war ich viel zu spät dran, weil der Notartermin länger gedauert hatte als gedacht, und entsprechend angespannt. Meine Erkältung war zum Glück wieder abgeklungen, und ich freute mich auf den gemeinsamen Abend mit meinem Bruder.

»Hey, da bist du ja endlich«, begrüßte mich Felix, der vor dem Eingang stand und den letzten Zug seiner selbstgedrehten Zigarette inhalierte. »Dachte schon, die behalten dich beim Notar ewig da.«

Ich gab ihm einen flüchtigen Kuss auf die Wange und wedelte den Rauch weg. Schade, dass er nach einem Jahr Abstinenz wieder rückfällig geworden war. »Tut mir leid, dass du warten musstest, ich hoffe, unser Tisch ist noch frei«, sagte ich, und so betraten wir beide die Lobby.

Mein Blick fiel als Erstes auf ein großes, üppig bestücktes Holzregal, an dem der neonfarbene Schriftzug MARE KIOSK leuchtete. In dem Regal wurden maritime Bücher und Accessoires verführerisch präsentiert. Wäre ich nicht mit den Gedanken ganz woanders gewesen, hätte ich die Auslage bestimmt genauer in Augenschein genommen und das ein oder andere Buch gekauft.

»So, nun spann mich nicht länger auf die Folter«, sagte Felix, nachdem wir beide das Angebot auf der Speisekarte überflogen hatten. »Was hat die alte Dame dir vererbt?«

Zum ersten Mal an diesem mehr als verstörenden Tag sprach ich die Worte »Leuchtturm«, »Hallig« und »Bauernhof« laut aus.

Sie fühlten sich fremd und zugleich merkwürdig vertraut an.

»Du hast bitte was geerbt?« Felix starrte mich ungläubig an. »Sag das bitte noch mal, ich glaube, ich hab mich verhört.«

»Meine Großmutter hat mich zur Alleinerbin eines Leuchtturms samt Wärterhäuschen und eines Bauernhofs auf der Hallig Flieberoog bestimmt. Der Notar gibt mir bis Montag Bedenkzeit, danach muss ich entscheiden, ob ich das Erbe annehme oder nicht.«

»Das ist ja total geil!« Felix prostete mir begeistert zu. »Du sagst doch wohl hoffentlich zu? Oder hängen an diesem Erbe Schulden? Und … und müsstest du diesen Leuchtturm … wie nennt man das? Bedienen?«

Ich schüttelte den Kopf. Doktor Petersen hatte mir versichert, dass meine Großmutter bis zu ihrem Tod sparsam gelebt und gut gehaushaltet hatte. Der Bauernhof war zurzeit vermietet, so dass ich sogar Mieteinnahmen und etwa fünftausend Euro Barvermögen zu erwarten hatte. Der Turm war vor einigen Jahren außer Betrieb gesetzt worden, musste also nicht einmal mehr gewartet werden.

»Ich muss mir das Ganze natürlich erst mal anschauen, bevor ich mich entscheide. Hast du Lust, mitzukommen? Ich fahre am Samstag«, teilte ich Felix meine Pläne mit. Dieser Ausflug war eine wunderbare Ablenkung von der anstrengenden Situation mit Oliver, die noch immer schwer auf meiner Seele lastete und die ich seit Tagen so gut wie möglich zu verdrängen versuchte.

Felix lächelte, funkelnde Abenteuerlust und Vorfreude in den Augen. »Aber klaro! Wozu sind Brüder denn da? Und rein zufällig habe ich übers Wochenende nichts vor, das mich davon abhalten könnte, dich zu begleiten. Aber jetzt mal 'ne ganz blöde Frage. Wie kommt man denn auf diese Insel? Mit 'ner Fähre?«

»Doktor Petersen hat mich als Allererstes darüber aufgeklärt, dass eine Hallig keine Insel ist. Und nach Fliederoog kommt man in der Regel mit einer Lore oder mit der Fähre von Schlüttsiel. Am Samstag würde uns Jasper Bendix, ein Freund von Ada, mit der Lore abholen. Ich möchte aber früh los, damit sich der weite Weg auch lohnt und wir möglichst viel im Hellen sehen können. Schaffst du es, um acht Uhr startklar zu sein?«

»Kommt drauf an, wie lange ich Freitagabend feiere«, antwortete Felix grinsend. »Jetzt guck nicht so, Sis, das war 'n Scherz, geht natürlich klar.«

Den Rest des Abends verbrachten wir damit, diverse Leckereien von der Speisekarte zu probieren, über Felix' Kunstobjekte zu quatschen und nach dem Dessert mit Hilfe meines Smartphones Bilder und Videos von Fliederoog zu googeln.

Wie sich herausstellte, war diese Hallig nicht halb so frequentiert wie ihre größeren Schwestern Langeneß und Hooge, die in der Sommersaison zahllose Touristen anlockten.

Sie lag eingebettet zwischen Föhr, Oland und Langeneß und verdankte ihren Namen der Tatsache, dass die Hallig ab August über und über mit hellrosa, weißen und lavendelfarbenem Strandflieder bedeckt war – ein Blütenmeer, so weit das Auge reichte, um das andere Hallig- und Inselbewohner die Fliederooger stets beneideten.

Ich versuchte mir vorzustellen, wie es wohl war, als neunzigjährige Dame auf diesem einsamen Eiland inmitten der Nordsee zu leben, weit entfernt vom Festland, der Gefahr von Sturmfluten ausgesetzt und nahezu ohne Kontakt zu anderen Menschen. Auf der viereinhalb Kilometer langen und anderthalb Kilometer breiten Hallig mit den zwei Warften gab es insgesamt fünfzehn Häuser, eine Kombination aus Kita und Schule, einen Gasthof mit angeschlossenem Laden und rund fünfundvierzig Bewohner, die Mieter des Schobüllschen Bauernhofes eingeschlossen.

»Mann, Mann, Mann, das ist echt total abgefahren«, wiederholte Felix nun schon zum x-ten Mal und wiegte den Kopf hin und her. »Wovon leben die Leute da überhaupt? Vom Fischfang? Luft und Liebe?«

»Soweit ich gehört habe, von Viehhaltung, Landwirtschaft, Vermietung von Fremdenzimmern und … nun ja … so genau weiß ich das ehrlich gesagt auch nicht«, antwortete ich.

Ich hatte zuvor zwar den netten Notar, der meine Großmutter gut gekannt hatte, über alles Mögliche ausgequetscht, war jedoch nicht in der Lage gewesen, mir alles zu merken. Schließlich war ich die meiste Zeit in Gedanken bei Oliver gewesen.

»Klingt, als seien diese Halligbewohner ganz gechillte Typen, sonst würden sie es da wohl kaum aushalten. Allerdings frage ich mich, wie Ada dann ins Bild passt – zumindest falls du ihre Gene geerbt hast. Schließlich bist du von morgens bis abends in Action und willst die Welt aus den Angeln heben.«

»Vielleicht hat sie das ja auch gemacht«, sagte ich. »Leider weiß ich ja kein bisschen über sie.«

Felix schaute mich nachdenklich an. »Echt krass, dass Hanne dir nie von ihr erzählt hat«, sagte er. »Auch mir gegenüber hat sie nie ein Wort darüber verloren, dass du eine Großmutter hast, die noch lebt. Manchmal kann unsere Ma eine echte Geheimniskrämerin sein.«

Ich nickte düster. »Ja, und deshalb bin ich mir auch noch nicht sicher, ob ich Hanne überhaupt von dieser Erbschaft erzählen werde, bevor ich mich nicht entschieden habe.«

Der Anblick meiner Mutter, die bei der Nennung des Namens meiner Großmutter in Schockstarre verfallen war, hatte sich mir tief ins Gedächtnis eingebrannt.

Als ich nach dem Abendessen nach Hause kam, war ich in Gedanken mehr bei Ada als bei dem Erbe selbst. In diesem Moment war sie sogar präsenter als die schwierige Situation mit Oliver.

Wie unfassbar schade, dass ich sie nicht gekannt hatte.

Ich wusste ja noch nicht einmal, wie sie aussah.

Da ich mir beim besten Willen nicht vorstellen konnte, mich länger als nur einen Tag auf einer Hallig aufzuhalten, kam im Prinzip nur ein Verkauf in Frage, für den Fall, dass ich das Erbe tatsächlich annahm. Doch konnte ich wirklich guten Gewissens etwas veräußern, das so lange im Besitz meiner Familie väterlicherseits gewesen war?

Ganz besonders trieb mich die Frage um, weshalb Ada mich als Alleinerbin eingesetzt, in all den Jahren aber nie kontaktiert hatte.

Doktor Petersen hatte erzählt, dass sie mindestens einmal im Jahr in Hamburg gewesen war, solange sie noch in der Lage gewesen war zu reisen.

Wie gerne hätte ich diese Frau einmal kennengelernt, schließlich war ich ihr Fleisch und Blut.

Wie hatte ihr Lachen geklungen?

Hatte sie sich auf Fliederoog einsam gefühlt, oder war sie froh gewesen, in aller Ruhe fernab der Hektik zu leben?

War sie glücklich gewesen mit meinem Großvater?

Was war aus ihm geworden?

Hatte sie meinen Vater vermisst, als er so früh gestorben war?

Schaute sie jetzt gemeinsam mit ihm vom Himmel aus auf mich herab?

Während ich mir einen Hustentee kochte, hörte ich die Nachrichten auf dem Anrufbeantworter ab. Eine von ihnen stammte von Frau Gehrckens. Sie bat mich, einen Blumenstrauß abzuholen, den ein Bote am Abend für mich abgegeben hatte.

Ob Oliver mir nun doch Rosen geschickt hat?, überlegte ich, während ich mich abschminkte und mir anschließend die Zähne putzte. Doch es war schon viel zu spät, um bei meiner Nachbarin zu klingeln. Das würde ich morgen früh tun, bevor ich in den Verlag fuhr. Der Gedanke an Oliver und meine Angst davor, ihn zu verlieren, waren an diesem Abend für eine Weile wohltuend in den Hintergrund gerückt. Dabei war es ziemlich hilfreich, dass Oliver nicht mehr im Verlag arbeitete, nachdem der Probezeit keine Festanstellung gefolgt war.

In diesem Moment, allein in meiner Wohnung, hatte ich

jedoch Sehnsucht nach ihm und hätte gern mit ihm über das Erbe gesprochen und ihn um Rat gebeten.

Also schnappte ich mir mein Handy und wählte seine Nummer. Es war besetzt. Im Laufe der nächsten Stunde versuchte ich es weitere sieben Mal; um ein Uhr morgens gab ich es schließlich auf.

Sosehr ich auch versuchte, mich gegen meine Eifersucht zu wehren, so tief saß die Furcht, er könne gerade mit seiner Frau telefonieren. Mit wem sonst – außer mir – sollte er zu dieser nachtschlafenden Zeit sprechen? Außerdem hatte ich heute noch gar nichts von ihm gehört, was mich zusätzlich verunsicherte.

Leider war es nicht mehr zu leugnen: Der ersten Euphorie über unsere Versöhnung folgte nun melancholischer Katzenjammer, verbunden mit der bangen Frage nach der Zukunft.

Würde Oliver sich wirklich von seiner Frau trennen?

Und würde es ihm wirklich gelingen, in Hamburg einen neuen Job als Vertriebsleiter zu bekommen? Der Verlag hatte sein Ausscheiden aus dem Unternehmen kurz vor Ende der Probezeit mit Sparmaßnahmen begründet, was mich natürlich ebenfalls alarmierte.

Müde und niedergedrückt von Sorgen, legte ich mich ins Bett.

Um bei Kräften zu bleiben, musste ich versuchen, all die drängenden Fragen, auf die es momentan keine Antwort gab, so gut es ging beiseitezuschieben und mich darauf zu konzentrieren, was als Nächstes anstand, nämlich der Besuch auf Flieberoog.

Obwohl ich daran zweifelte, dass es mir gelingen würde, zur Ruhe zu kommen, fiel ich, Minuten nachdem ich das Licht gelöscht hatte, in tiefen Schlaf.

Im Traum sah ich eine junge Frau in einem wippenden Kleid aus grünem Chiffon am Anleger einer Fähre stehen.

Um den Hals trug sie ein knallrotes Tuch, in der Hand eine knallrote Lacktasche.

Ich konnte ihre Gesichtszüge nicht erkennen, wohl aber kirschrote Lippen, die sie zu einem Kussmund formte.

Als sie zu winken begann, sah ich am Finger ihrer linken Hand einen silbernen Ring im Licht der Sonne schimmern …

7. Kapitel

Wie sehr ich diese Strecke liebte!

Sie führte vorbei an Windrädern, Rehen, die am zarten Frühlingsgras knabberten, Pferdekoppeln, alten Bauerngehöften und schließlich an den für Nordfriesland typischen Rotziegelhäusern in Richtung Deich.

»Und diese süßen Tierchen landen zu Ostern alle auf dem Teller, ist das nicht schrecklich?«, sagte Felix, der ab Husum das Steuer übernommen hatte, und deutete auf die Lämmer auf der Deichkrone, die sich dicht an ihre wolligen Mütter kuschelten und mit neugierigen Augen in die Welt blinzelten.

»Ja, das ist es«, antwortete ich seufzend. »Wir müssen Hanne unbedingt noch mal daran erinnern, dass sie zu Ostern wieder Fisch machen soll und keine Lammkoteletts.«

Obwohl unsere Mutter wusste, dass Felix und ich kein Fleisch und nur selten Fisch aßen, überfiel sie jedes Jahr um diese Zeit eine Art Amnesie. Ostern und Lamm, das gehörte für sie bedauerlicherweise genauso zusammen wie Weihnachten und Gänsebraten – eine Prägung aus der Kindheit, gegen die kein Kraut gewachsen war.

Wenige Kilometer später tauchte der Fährterminal Dagebüll in unserem Blickfeld auf, genau wie der große Parkplatz, der vor einigen Jahren für die zahllosen Touristen gebaut worden war, die mit den Fähren nach Föhr oder Amrum hinüberschipperten. Nachdem Felix meinen Mini neben den anderen

Autos geparkt hatte, gingen wir zu Fuß zum vereinbarten Treffpunkt, an dem Adas Freund Jasper Bendix uns in Empfang nehmen und mit der Lore nach Fliederoog bringen würde.

Jasper, unter dessen dunkelblauer Strickmütze schlohweiße Haare hervorblitzten, begrüßte uns mit einem freundlichen »Moin«. Er war in einen gefütterten Parka und eine Thermohose gehüllt, so dass er gut gegen den Wind geschützt war, der kühl und frisch von der Nordsee herüberwehte und die zwölf Grad, die das Autothermometer angezeigt hatte, wirken ließ wie fünf. Jaspers Laune schien das keinen Abbruch zu tun. Er strahlte über das ganze wettergegerbte Gesicht.

»Ihr hattet wohl keine Lust, durchs Watt nach Fliederoog zu stapfen?«, fragte er, Schalk in den tiefblauen Augen, die unter buschigen, ebenfalls weißen Brauen hervorblitzten.

»Nee, das ist mehr was für Fortgeschrittene«, antwortete mein Bruder und gab Jasper die Hand. »Ich bin Felix, und das hier ist meine liebreizende Schwester Juliane, Adas Enkelin und künftige Erbin des Hallig-Imperiums.«

Ein wenig beschämt von Felix' Flaxerei, gab ich Jasper ebenfalls die Hand und spürte seinen Blick geradezu körperlich auf mir ruhen. Die Lider des alten Mannes, laut Aussage des Notars achtundachtzig, zuckten, während er jeden Millimeter meiner Erscheinung abmaß. Bestimmt suchte er nach Ähnlichkeiten mit seiner verstorbenen Freundin.

»Schön, dass Sie uns endlich mal besuchen kommen, min Deern. Hat ja lange genug gedauert.« Sein Händedruck fühlte sich angenehm fest an, und ich verspürte den Impuls, gleich hier und jetzt über meine Großmutter zu sprechen und ihm all die Fragen zu stellen, die mir seit Tagen auf der Seele lagen. Doch ich hielt mich zurück, weil ich nicht schon in den ersten

Minuten unserer Begegnung ein emotionales Feuerwerk zünden wollte.

»So, dann mal reinspaziert in die gute Stube«, sagte Jasper, nachdem sich sein Blick von mir gelöst hatte, und deutete auf die Lore, die abfahrbereit auf dem Gleis stand.

Da ich mir zuvor ein paar YouTube-Videos angeschaut hatte, die Fahrten nach Oland und Fliederoog zeigten, wusste ich in etwa, was uns erwartete. Dennoch fühlte es sich ungewohnt an, in den kleinen, einfach ausgestatteten Waggon zu steigen, der Gäste auf die Hallig und wieder zurück brachte. Jasper setzte sich ins Führerhäuschen, wir nahmen auf einer Bank parallel zum Fenster schräg hinter ihm Platz. Dann steuerte der alte Herr die Lore, die einer Spielzeugeisenbahn ähnelte, über die Schienen den Dagebüller Deich hinauf.

Nun waren wir auf Augenhöhe mit den Schafen und Lämmern, die hier friedlich grasten und ab und zu ein sanftes *Mäh* ertönen ließen – ein äußerst idyllischer Anblick.

Nachdem wir den Deich wieder verlassen hatten, erblickte ich parallel zu den Gleisen die alten Schienen. Steine und Schotter trennten sie von dem neuen Gleisbett, flankiert von ablaufendem Nordseewasser, das aufgrund fehlenden Sonnenlichts grüngrau wirkte. Links von uns erstreckten sich die Salzwiesen, denen man ansah, dass der vergangene Winter dem Frühling noch nicht so recht Platz machen wollte. Regenwasser hatte große Pfützen und lange Rinnsale gebildet, die mich an Priele erinnerten. Im Sommer war es hier bestimmt wunderschön, und es wuchsen außer Strandflieder sicherlich auch andere typische Nordseepflanzen wie Queller, Meersenf oder Strandastern. Durch das von Salzwasserschlieren leicht verschmutzte Fenster konnte ich kleine Vögel sehen, die unsere Fahrt auf ihren gefiederten Schwingen begleiteten.

Ob es Austernfischer waren, die auf Langeneß und Oland auch Halligstörche genannt wurden, oder Rotschenkel, konnte ich leider nicht erkennen, da sie viel zu schnell flogen.

»Kommt man denn bei Hochwasser überhaupt auf die Insel?«, fragte Felix, was ihm sofort einen Tadel von Jasper einbrachte.

»Wenn du dreimal ›Insel‹ gesagt hast, kostet dich das 'nen Schnaps«, entgegnete er und war damit unmerklich zum Du übergegangen. »Eine Hallig is' nu' mal keine Insel. Aber um deine Frage zu beantworten, ja, das kann man, seit wir die neue Schienenstrecke haben, die um sechzig Zentimeter höher gelegen ist. Toi, toi, toi, hat bislang immer geklappt, aber wer weiß schon, was der liebe Gott noch so alles mit uns vorhat.« Während Jasper dies sagte und direkt auf eine Weiche zusteuerte, betrachtete ich seine Hände, die das hölzerne Lenkrad umschlossen. Sie waren ebenfalls wettergegerbt und von dunklen Altersflecken übersät. Am Ringfinger der rechten Hand erblickte ich einen goldenen Ehering, am Ringfinger der linken einen breiten aus Silber. Der Schmuck kam mir vage bekannt vor.

Nur woher?

Ich kam jedoch nicht dazu, weiter über diese Frage nachzudenken, weil Jasper mit einem Mal einen dritten Schienenstrang ansteuerte, der, leicht nach links gebogen, vor uns lag.

»Tut mir leid, aber ich muss mal eben anhalten. Irgendwas läuft hier gerade nicht ganz rund«, erklärte er, verließ die Lore und hantierte dann an der Klappe des Führerhäuschens herum.

Während Felix ebenfalls ausstieg und zu Jasper ging, sah ich die beiden durch die Scheibe hindurch gestikulieren.

Kurz darauf kamen sie in den Waggon zurück. Es hatte offenbar nur einer winzigen Reparatur am Keilriemen bedurft, um die Lore wieder flottzukriegen.

»Tja, so ist das mit den Dingern, alles Marke Eigenbau, aber TÜV-geprüft und mit Hupe und Licht ausgestattet«, erklärte Jasper augenzwinkernd und setzte sich wieder ans Steuer. »Aber genau für so was haben wir ja diese Nothaltebucht. Und natürlich für den Fall, dass einem eine andere Lore von Flieeroog entgegenkommt. Dann muss man halt 'n büschn warten und hat Zeit, in die Luft zu gucken.«

Ich bewunderte den alten Mann für seinen Gleichmut und wünschte mir, in manchen Momenten ebenso cool bleiben zu können. Lag diese Lässigkeit in den Genen der Nordfriesen, oder kam sie automatisch mit dem Alter?

Männer wie Jasper Bendix brauchten mit Sicherheit kein Achtsamkeits-Malbuch, um nach einem stressigen Tag abschalten zu können. Obwohl gerade auf den Halligen beinahe rund um die Uhr gearbeitet wurde, wie ich aus den Büchern über die *Perlen im Wattenmeer* wusste, die ich mir gestern nach Feierabend noch schnell gekauft und vor dem Schlafengehen überflogen hatte. Doch ich vermutete, dass man nach einem langen, harten Arbeitstag an der frischen Luft viel zu müde und kaputt war, um sich neurotischen Gedanken hinzugeben.

»So, da sind wir«, sagte Jasper, nachdem wir weitere zehn Minuten gefahren waren, und bremste. »Alle Mann aussteigen, Endstation. Wollt ihr gleich laufen oder lieber Rad fahren? Ich hab jedenfalls mal sicherheitshalber zwei für euch am Bahnhof geparkt.«

Felix und ich berieten uns kurz und entschieden uns dann für die Räder, in der Hoffnung, nicht allzu viel Gegenwind zu haben.

Der »Bahnhof« war in Wahrheit nicht mehr als ein großer Bretterverschlag, in dem nebst einem Bollerwagen drei weitere Draisinen auf ihren Einsatz warteten.

»Fliederoog bestand ursprünglich aus drei Warften«, erklärte Jasper, während er uns half, die Fahrradsättel in der passenden Höhe einzustellen. »Bis ins Jahr achtzehnhundert gab es neben der Kirch- und der Schulwarft eine sogenannte Pipe mit vierunddreißig Häusern. Doch dann hat der Blanke Hans seine gierigen Finger nach ihnen ausgestreckt, und jetzt haben die Fliederooger nur noch zwei. Aber das reicht ja vielleicht auch. Dafür gibt es mittlerweile den Leuchtturm, und die Kirchwarft wurde in ›Leuchtturmwarft‹ umbenannt. Allerdings nennen die Halliglüüd sie meist ›Adas Warft‹. Zur Kirche müssen die Leute nu' halt woandershin.«

Da es lange her war, seit ich zuletzt auf einem Fahrrad gesessen hatte, musste ich zunächst meine Balance finden.

Nach einer Weile ging dann aber alles wie von selbst – schließlich war ich in Hamburg immer geradelt, solange ich kein Geld für ein Auto gehabt hatte –, und ich genoss es sehr, zu spüren, wie das Rad durch meinen Antrieb Fahrt aufnahm. Nachdem wir eine Weile schweigend das schmale Landstück geradeaus gefahren waren, Jasper und Felix vorneweg, ich in etwas gemächlicherem Tempo hinterher, erreichten wir die erste der beiden Warften, die an ein kreisrundes Puppenstubendorf erinnerte. Jasper stoppte vor einem weißlackierten Holzzaun, der einen kleinen Teich umschloss, hinter dem ein schnuckliges Friesenhaus mit Reetdach lag.

»Falls ihr jetzt denkt, diese Pfütze ist der Dorfteich, dann habt ihr nur zur Hälfte recht«, erklärte Jasper, der laut Doktor Petersen seit seiner Pensionierung ehrenamtlich Führungen auf Langeneß, Oland und Fliederoog machte. »Dieser Tümpel nennt sich Fething, fängt das Regenwasser auf und dient dem Vieh als Tränke. Wir haben ja seit jeher auf den Halligen Probleme, an Süßwasser zu kommen. Da nützt es auch nix, dass wir in Wasser schwimmen. Denn leider is' es nur Wasser, kein Geld.«

Ich schmunzelte angesichts Jaspers trockener Art, die Dinge – und insbesondere Probleme – auf den Punkt zu bringen. »Und stört euch man bitte nicht an dem Kuddelmuddel an Baustilen«, fuhr er fort und deutete mit ausladender Geste auf die Häuser, die das Wasserspeicherbecken umgaben. »Wenn's hier im Sommer grünt und blüht, dann schaut man eh nur noch auf die schönen Vorgärten. Außerdem soll ja jeder machen, wie er lustig ist, solange er anderen damit nicht auf den Senkel geht.«

»Wo ist eigentlich das Gasthaus mit dem Kaufmannsladen, wo Sie gearbeitet haben?«, fragte ich mit dem wohligen Gefühl, im Auenland zu sein. Alles war so putzig klein und niedlich; für eher zierliche Menschen wie mich, die gerade mal einen Meter sechzig maßen, ideal. Doch nirgends war ein Haus mit dem Schriftzug *Kiek ut* – so der Name des Gasthofs – zu sehen.

»Kannst wohl nicht kochen, oder warum willst du das wissen?«, mutmaßte Jasper grinsend.

»Kann sie tatsächlich nicht, dafür aber prima beim Lieferservice bestellen«, antwortete Felix an meiner Stelle und knuffte mich feixend in den Arm. »Jule ist viel zu ungeduldig zum Kochen, deshalb ernährt sie sich hauptsächlich von Salat, Obst und Gemüsereis, der easy zuzubereiten ist.«

»Ada war eine fantastische Köchin«, murmelte Jasper. »Genau wie meine Frau Joke, Gott hab sie selig.« Einen Moment schaute er versonnen in die Ferne, dann kehrte das fröhliche Blitzen in seine Augen zurück. »Das Kiek ut ist gleich da vorne um die Ecke. Aber ihr wollt doch jetzt sicher erst mal zum Leuchtturm, was?« Felix und ich nickten einmütig. »Na dann dreht euch mal um, Kinners, da hinten steht er, am anderen Ende der zweiten Warft, mit Blick auf Föhr.«

Langsam drehte ich mich um. Und bekam augenblicklich Gänsehaut, als ich in der Ferne den hohen, rot-weiß geringelten Leuchtturm erblickte, der majestätisch am Horizont aufragte. Über seiner Spitze stand nun die Sonne und brachte mit ihren Strahlen die Hallig zum Leuchten. Als wäre dieser Strahlenkranz ein letzter Gruß meiner verstorbenen Großmutter.

8. Kapitel

Schon als kleines Kind hatten Leuchttürme mich fasziniert, und ich hatte viele Jahre einen aus Plastik als Nachtlicht auf meinem Nachttisch stehen, obgleich meine Mutter davon nicht so begeistert gewesen war.

Sobald es dunkel war, durchströmten seine sanften Lichtsignale mein Kinderzimmer, was mich beruhigt und eingeschläfert hatte.

Nach langer Zeit einmal wieder vor einem *echten* zu stehen, noch dazu vor einem, der künftig mir gehören sollte, war ein schier unbeschreibliches Gefühl.

»Zwickst du mich bitte mal?«, wisperte ich Felix zu, der stumm neben mir stand und staunend den Kopf in den Nacken gelegt hatte.

»Fast einundvierzig Meter über dem Mitteltidehochwasser, neun Stockwerke und hundertsiebenundfünfzig Stufen, das ist schon 'n ordentlicher Schnack!«, sagte Jasper, sichtlich amüsiert. »Ich hoffe, ihr seid gut im Training, sonst kommt ihr da nämlich gar nicht hoch.«

Felix nickte und knuffte mich abermals in den Arm. »Ach was, das schaffen wir doch locker, nicht wahr, Schwesterherz?«

Ich konnte seinen Optimismus hinsichtlich meiner körperlichen Kondition leider gar nicht teilen. Viel zu lange war ich nicht mehr in meinem Fitness-Club gewesen, am besten kündigte ich dort so bald wie möglich. »Wie ist die alte Dame denn da hochgekommen – oder ist sie am Ende gar nicht mehr auf den Turm gestiegen?«

Ich sah zu, wie Jasper einen schweren Bund mit zahllosen Schlüsseln aus der Jacke seines Parkas zog und die Tür öffnete.

Gebannt hielt ich den Atem an. Mit einem Mal fühlte ich mich wie im Märchen und war gespannt auf die Zauberwelt, die hinter dieser schweren, dunklen Holztür mit Eisenbeschlägen auf mich wartete. Meine Augen mussten sich allerdings erst an das Zwielicht gewöhnen, das dem Inneren des Turms etwas Magisches verlieh.

Hier drin roch es nach Metall, feuchter Seeluft, Algen – und einem Hauch von Parfüm.

Konnte es sein, dass dies der Duft meiner Großmutter war?

Mit klopfendem Herzen ließ ich meinen Blick durch den runden Raum schweifen, in dem eine große Maschine untergebracht war, elektrische Vorrichtungen hinter Glas – und ein Regal mit Schuhen. Das Interieur erinnerte eine wenig an Maschinenräume von Schiffen.

»Ada hat zuletzt ab und an diesen – nun ja – nennen wir es mal Treppenlift benutzt, um nach oben zu kommen«, erklärte Jasper und deutete auf eine Konstruktion, die am hölzernen Treppengeländer angebracht war. »Den haben ein Freund und ich gebaut, als Ada siebzig wurde. Aber meist ist sie zu Fuß bis ganz nach oben gegangen, auch wenn es manchmal Stunden gedauert hat. Sie liebte den Ausblick über die Nordsee, die Halligen und die Inseln über alles und war kreuzunglücklich, wenn sie mal nicht da oben herumturnen konnte.«

»Meine Großmutter scheint eine tolle Frau gewesen zu sein«, sagte ich, in Gedanken versunken und immer noch dabei, dem Duft nachzuspüren, der in der Luft hing wie eine federzarte Wolke.

Ich kannte das Parfüm, kam aber nicht darauf, wie es hieß.

»Also, Kinners, Treppe oder Aufzug?«, fragte Jasper und lächelte schelmisch. »Oder wollt ihr euch lieber erst mal das Wärterhäuschen und den Bauernhof anschauen?«

Mit Blick auf die Uhr entschied ich mich für Letzteres.

Der Anblick des schneckenhausförmigen Turminneren war zwar wunderhübsch, und ich wäre gern länger geblieben, doch ich musste jetzt pragmatisch sein.

»Ehrlich gesagt würde ich das mit dem Aufstieg gerne verschieben«, antwortete ich. »Bis es dunkel wird und wir wieder zurück nach Hamburg müssen, sollte ich besser die Zeit nutzen, um mir das Haus und den Bauernhof genauer anzuschauen. Haben Sie den Mietern denn Bescheid gegeben, dass wir heute kommen?«

»Wollen wir nicht du sagen, Juliane?«, fragte Jasper und streckte mir erneut seine Hand entgegen. »Ada hätte es so gewollt.«

Nachdem wir alle drei offiziell beschlossen hatten, uns zu duzen, verließen wir den Leuchtturm. Adas Wohnhaus stand etwa fünfzig Meter entfernt, und auf dem kurzen Weg dorthin gingen wir an Salzwiesen vorbei, auf denen Schafe grasten.

Ich war sofort hingerissen von dem zauberhaften Anblick, der sich uns bot: Das Haus sah aus wie aus einem Märchenbuch. Klein, ein wenig schief, mit weißgetünchten Wänden, das Dach reetgedeckt. In Adas Reich gelangte man durch die typisch nordfriesische Klönschnacktür, die zweigeteilt und in den Friesenfarben Weiß und Blau getüncht worden war. Im oberen Teil waren Adas Initialen, A und S, eingeritzt und mit dunkelblauer Farbe bemalt.

»Hey, das ist ja ein Hobbit-Haus!«, rief Felix aus, nachdem er sich beinahe den Kopf am Türrahmen gestoßen hatte. »Deine Oma war wohl ebenso winzig wie du, Jule.«

Es duftete ähnlich wie im Leuchtturm, außer dass sich der Geruch der Nordsee hier im Wohnhaus mit Holz anstatt Metall verband.

»Vom Pesel aus geht es in die Stuv«, erklärte Jasper, der in diesen Räumlichkeiten wirkte wie ein Riese im Miniatur-Wunderland. Als ich das Herzstück von Adas Haus, die Stuv, betrat, war es endgültig um mich geschehen. Von so einem Raum hatte ich in den letzten Jahren immer wieder geträumt.

Ein dunkelblauer Kachelofen mit umlaufender Bank lud förmlich dazu ein, sich an kalten Tagen dort den Rücken zu wärmen, Tee zu trinken und in einem der vielen Bücher zu schmökern, die sich in Adas Regalen türmten.

Vor dem Fenster mit Blick aufs Meer stand ein quadratischer Holztisch mit vier Stühlen, auf denen bunt bestickte Kissen lagen, zum Teil mit Pailletten und Perlen besetzt.

Hatte Ada sie an langen Winterabenden selbst verziert?

Unter unseren Füßen knarzte und ächzte ein uralter Dielenboden; der Duft erinnerte mich an Dachböden, die von Holzbalken durchzogen sind.

Ein einziger Teppich lag darauf, der jedoch nicht recht ins Gesamtbild passen wollte, weil ihn das Motiv einer indischen Gottheit zierte, die auf einem Lotusblatt stand und vier Arme hatte. Ein wenig irritiert ließ ich meinen Blick weiter durch das Zimmer schweifen, bis er an einer Art Altar hängenblieb. Und dann erkannte ich, dass das, was ich bis eben für Parfüm gehalten hatte, in Wahrheit der Duft von Räucherstäbchen war, für die Ada offensichtlich eine große Vorliebe gehegt hatte. Der *Altar* war mit einem purpurfarbenen Seidentuch behängt, auf dem eine Buddha-Statue saß und gütig lächelte. Daneben erkannte ich eine Räucherschale, eine Duftlampe und einen selbstgetöpferten Krug, in dem verschiedene

Packungen Räucherstäbchen mit den Aromen Patschuli, Zedernholz, Teerose und Amber steckten. Der Holzstiel eines dieser Stäbchen lag samt Ascheresten in dem dafür vorgesehenen länglichen Halter, der mit Perlmutt-Intarsien verziert war.

Die ganze Szenerie erinnerte mich an die Auslagen des Om Shankari, eines kleinen Ladens in Ottensen, in dem ich gern stöberte.

»Wie ist Ada eigentlich gestorben, und wo liegt sie begraben?«, fragte ich, während Felix ausgiebig die Rücken der zahllosen Bücher studierte, und stellte mich zu Jasper, der nachdenklich aus dem Fenster schaute.

»Sie war bis kurz vor ihrem Tod fit wie der sprichwörtliche Turnschuh«, hob der alte Mann an. In diesem Moment war all das Schnodderige, all die Coolness, die er bislang an den Tag gelegt hatte, verschwunden. Seine Stimme klang brüchig, als er von den letzten Tagen im Leben meiner Großmutter erzählte. »Dummerweise hat sie Ende Februar beim Radfahren auf dem Weg zu Einspänner einen kleinen Schwächeanfall erlitten, ist gestürzt und hat sich einen Oberschenkelhalsbruch zugezogen. Und dann geschah leider das, was so häufig passiert. Sie bekam im Krankenhaus in Flensburg eine Lungenentzündung, von der sie sich nicht richtig erholt hat. Zum Glück schlief sie letztlich hier im Haus friedlich ein. Es wäre schlimm für sie gewesen, ihren letzten Atemzug woanders zu tun als hier auf Fliederoog. Wir waren am Abend zuvor noch alle bei ihr und haben gefeiert, dass sie wieder aus Flensburg zurück war und scheinbar das Schlimmste überstanden hatte. Tja, und am nächsten Tag ist sie nicht wieder aufgewacht ...«

Ich schluckte schwer, als ich versuchte mir vorzustellen, dass Ada nur wenige Meter entfernt von dort, wo ich jetzt stand, in ihrem Bett gestorben war, ohne dass wir beide je die Chance gehabt hatten, einander in die Augen zu sehen oder in den Arm zu nehmen.

»Wir haben sie dann vor Amrum auf See bestattet, so wie sie es sich gewünscht hat«, fuhr Jasper fort. Seine Stimme hatte wieder an Festigkeit gewonnen, doch ich sah Tränen in seinen Augen schwimmen.

Gerührt von Jaspers Kummer, verspürte ich den Impuls, seine Hand zu nehmen, wagte es aber nicht, aus Angst, dem alten Mann zu nahe zu treten.

»Ada wollte immer nur eins: an ihrer geliebten Nordsee sein, zusammen mit Börge, ihrem Mann. Nun sind sie dort oben auf immer vereint«, fuhr Jasper fort und deutete auf den strahlend hellen Märzhimmel hinter der Fensterscheibe.

Felix hörte auf, in einem Bildband zu blättern, den er aus dem Regal genommen hatte, und ich hielt den Atem an.

Es war das erste Mal, dass der Name von Adas Mann fiel.

Börge Schobüll, mein Großvater.

»Demnach gibt es also gar kein Grab, keinen Ort, an dem ich von ihr Abschied nehmen kann«, murmelte ich bedrückt. »Wie schade. Ich hatte so gehofft …«

Jasper wischte die Tränen mit dem Ärmel seiner Jacke fort, drehte sich zu mir und sagte: »Aber natürlich gibt es den, min Seuten. Ganz Fliederoog ist voll davon. Du findest sie überall. Im Gesang der Seeschwalben, in den Blüten des Strandflieders, im Summen der Bienen, im Wechsel der Gezeiten, im weiten Himmel über der Hallig, ja sogar in den gelben Augen von Einspänners Ziegen.«

»Wer oder was ist denn dieser Einspänner?«, mischte sich nun Felix in die Unterhaltung ein. »Du hast den Namen gerade zweimal erwähnt. Ich kenne dieses Wort nur in Zusammenhang mit einem Wiener Heißgetränk. Das ist doch Kaffee mit Schlagobers, also Sahne, wenn ich mich nicht täusche?«

Jasper nickte. »Und wenn du den noch ordentlich mit Rum streckst, hast du einen typisch norddeutschen Pharisäer – und hinterher ordentlich einen im Tee.«

Jetzt erst sah ich, dass Jaspers Lachfältchen weiß waren, im Gegensatz zu seinem gesamten Teint, den die Märzsonne offenbar schon häufiger geküsst hatte.

»Einspänner ist der nächste Nachbar hier auf dieser Warft. Früher hat er auf Langeneß gewohnt. Er heißt eigentlich Enrik Schaefer, aber seit seiner Zeit in Österreich nennen ihn die Halliglüüd *Einspänner*. Enrik hatte mal eine Brieffreundschaft mit einer wunderschönen jungen Dame aus Wien namens Theres. Sie war dann auch ein paar Mal bei ihm auf Langeneß und Enrik bei ihr in Wien. Er war verliebt – sie auch, aber es sollte nicht sein. Ihr war Langeneß zu öde und ihm Wien zu hektisch. Und so hat Enrik von seiner großen Liebe nur zwei Erinnerungen behalten: ein Foto, das er immer bei sich trägt, und seine Vorliebe für Wiener Kaffee. Allerdings hat ihn der Liebeskummer damals so mitgenommen, dass er sein Pferdefuhrwerk verkauft hat und von Langeneß nach Flederoog gezogen ist, um dort Ziegen zu züchten. Langeneß erinnerte ihn zu sehr an Theres und war ihm zu überlaufen.«

Obwohl ich es nicht wollte, musste ich lachen.

Was war das nur für ein Mensch, der die Einsamkeit so sehr liebte, dass er sogar die größere, lebendigere Hallig gegen eine noch winzigere, einsamere tauschte?

»Wenn Ada zu ihm gefahren ist, als sie den Unfall mit dem Rad hatte, heißt das, die beiden waren befreundet gewesen?«, fragte Felix, den dieser Einspänner offenbar ebenfalls beschäftigte.

»Ja, das waren sie«, antwortete Jasper. »Sie haben zwar kaum geredet, aber sie konnten stundenlang nebeneinander auf der Bank vor ihrem Haus oder seiner Kate sitzen, Vögel und Schafe beobachten und die Wolkenspiele am Himmel. Beide wussten immer ganz genau, wann wir auf den Halligen Land unter kriegen, denn beide haben geradezu körperlich auf sich ankündigende Sturmfluten reagiert. Ada bekam immer Schluckauf – und Einspänner Knieschmerzen.«

»Dieser Einspänner wohnt aber nicht auf Adas Bauernhof?«, fragte ich, mittlerweile leicht verwirrt. »Ich meine, weil er doch Ziegen züchtet ...«

Jasper schüttelte den Kopf und schaute dann auf die Uhr, die an einer silbernen Kette an der Tasche seiner Thermohose befestigt war. »Nein, er hat wie gesagt nur eine winzige Kate und einen großen Stall. Auf dem Bauernhof wohnen die Lorenzens, eine nette Familie aus Husum, wo ich lebe, seit ich nicht mehr im Kiek ut arbeite. Thomas Lorenzen hat vor ein paar Jahren 'n büschn zu viel gearbeitet und brauchte dringend Ruhe, also ist er mit seiner Frau und seiner kleinen Tochter nach Flie234oog gezogen. Hier sind nun alle Mann glücklich, und vor einem halben Jahr hat die Kleine sogar ein Brüderchen bekommen. Aber die werdet ihr ja jetzt alle gleich kennenlernen. Kommt, wir müssen los, sie erwarten uns zum Kaffee. Die Räder könnt ihr vorm Haus stehen lassen.«

Felix und ich folgten Jasper, der strammen Schrittes über einen Bohlenweg ging, der durch die Marschwiese zum Bauernhof führte. Schon von weitem konnte ich das Muhen von Kühen hören und wenig später das aufgeregte Gackern von Hühnern, die in einem abgezäunten Gärtchen rechts vom Bauernhaus herumstaksten und eifrig nach Futter pickten.

»Isst du gern Eier? Oder bist du Veganerin?«, fragte Jasper, während Felix und ich die Hühner betrachteten. »Man hört ja so einiges darüber, dass die Leute in Vierteln wie Ottensen sehr bewusst leben und jedem neumodischen Schnickschnack hinterherrennen. Ist ja 'n büschn verrückt, wenn ihr mich fragt, und irre anstrengend.«

Ich fühlte mich ein wenig ertappt und amüsierte mich zugleich darüber, dass Jasper offensichtlich bestens über alles Mögliche Bescheid wusste, obgleich die Einsamkeit der Halligen anderes vermuten ließ.

Aber was wusste ich schon von dem Leben auf einem Eiland wie diesem oder seinem Leben in Husum?

Wahrscheinlich hatte ich in Bezug darauf genauso viele Klischees im Kopf wie einige Menschen Vorstellungen vom *Ottensener an sich*.

Und daher war ich äußerst gespannt zu erfahren, wie die Wirklichkeit aussah.

9. Kapitel

»Und, wie war's heute in der Redaktion? Konntest ja mal richtig früh Schluss machen.«

Oliver und ich standen am frühen Montagabend nebeneinander an Deck des Fährschiffs der Hamburger Flotte, das in Richtung Oevelgönne fuhr. Ich hatte den Kragen meiner Jacke hochgeschlagen, um mich gegen den Wind zu schützen, der uns kühl entgegenblies.

Seit dem Nachmittag an Hannes Geburtstag hatten wir uns nicht mehr gesehen und ungewöhnlich wenig telefoniert.

Von Oliver kamen hauptsächlich WhatsApp-Nachrichten, in denen er immer wieder betonte, wie sehr er gerade wegen der Jobsuche im Stress sei, aber auch, dass er mich liebte und vermisste.

Normalerweise hätte ich ihm geglaubt und mich sowohl über seine virtuellen Liebesbekundungen, Küsse und den traumschönen Strauß roséfarbener Rosen gefreut, der bei Frau Gehrckens auf mich gewartet hatte. Doch seit dem Abend, an dem er um ein Uhr nachts noch telefoniert hatte, schrillten alle Alarmsirenen in mir, so gern ich sie auch zum Verstummen gebracht hätte.

Umso wichtiger war dieses heutige Treffen, das vor allem einen Zweck hatte: meine Empfindungen zu überprüfen.

»Im Verlag herrscht momentan eine unterschwellig bedrückte Stimmung. Natürlich macht vielen die Tatsache Angst, dass man dich aus finanziellen Gründen nicht übernommen hat. Du weißt ja, wie schnell in solchen Fällen Gerüchte kursieren und wie sehr sich die Leute dann gegenseitig hochschaukeln«, antwortete ich und vergrub meine Hände tief in den Taschen des Daunenmantels. In Momenten wie diesen konnte ich es kaum erwarten, dass es endlich wärmer wurde und die Tage wieder länger. Ich sehnte mich mit jeder Faser meines Körpers nach Sonne und Licht. Nach Ruhe und Geborgenheit. »Marcus Winter tut natürlich alles dafür, um den Gerüchten einer drohenden Insolvenz entgegenzuwirken, aber das ist nicht so leicht, zumal er auch gerade einen Termin mit einer Unternehmensberatung hatte, wie ich von Vivien weiß. Aber es ist natürlich schön, zur Abwechslung mal früher Feierabend zu haben, umso mehr, weil du ja bald weg bist.«

Mit *weg* war die Kreuzfahrt gemeint, die Oliver und seine Frau kommenden Freitag tatsächlich antreten würden.

Je näher dieser Termin rückte, desto mehr schwand mein Vertrauen in unsere gemeinsame Zukunft. Meine Unsicherheit in Bezug auf uns als Paar ging sogar so weit, dass ich nicht wie sonst seine Hand hielt und komplett angespannt war. Es stand nämlich immer noch die Antwort auf die Frage aus, wieso Oliver – kurz nach dem angestrebten Beginn seines Jobs – eine dreiwöchige Reise gebucht hatte.

Und weshalb er sich zu diesem Zeitpunkt nicht mit aller Kraft auf die Suche nach einer neuen Anstellung machte.

Als kurze Zeit später der Turm des noblen Seniorenstifts Augustinum in Sicht kam, war ich beinahe erleichtert.

Ich wollte nämlich lieber gehen, als so dicht neben Oliver zu stehen und den Duft seiner Haut und seiner Haare einzuatmen, in dem Bewusstsein, dass es womöglich das letzte Mal war, dass wir uns so nahe kamen. Tief in mir glaubte ich nicht mehr daran, dass zwischen uns alles gut werden würde, so sehr diese Vorstellung auch schmerzte und mir Angst machte. Und so sehr ich mich auch an die Hoffnung klammerte, ich könnte mich irren.

Auch Oliver war heute nicht besonders gesprächig, und so stiegen wir gemeinsam mit den anderen Passagieren an der Endstation Oevelgönne aus.

Schon von der Fähre aus hatte ich den knallroten Leuchtturm, den der Verein Museumshafen vor dem Abriss gerettet und hier neu aufgestellt hatte, erblickt. Im Vergleich zu Adas Leuchtturm wirkte er allerdings wie der Spielzeugturm meiner Kindheit, was seine Symbolkraft jedoch in keiner Weise minderte. Leuchtfeuer wiesen den Menschen seit ewigen Zeiten den Weg durch die stürmische, rauhe See. Aber vielleicht auch durch Stürme, die das Leben verursachte?

»Der sieht ja toll aus«, sagte Oliver, als er das kleine Schmuckstück, das von der Elbinsel Pagensand stammte, ebenfalls entdeckte. »Man mag es kaum glauben, aber ich habe noch nie einen Leuchtturm von innen gesehen, außer in Filmen.«

Spätestens jetzt hätte ich ihm sagen müssen, wo ich am vergangenen Wochenende gewesen war und welchen Anlass mein Besuch auf Fliederoog hatte. Unter normalen Umständen hätte ich es keine Minute ausgehalten, ihm nicht von Adas Tod und allem, was daran hing, zu erzählen, so wie ich es am Abend meiner Rückkehr von der Hallig vorgehabt hatte. Doch nun war ich vorsichtig, ja geradezu misstrauisch, und wollte lieber ganz für mich allein überlegen, ob ich diese Erbschaft auch wirklich antreten wollte.

Also stand ich stumm neben Oliver, als dieser den Text auf der Informationstafel las, die der Verein am Geländer vor dem Turm angebracht hatte – während meine Gedanken auf der

Hallig und vor allem bei meinen Großeltern weilten. Selbst bei unserem Marsch in Richtung Fähranleger Teufelsbrück, wo wir im Café Engel zu Abend essen wollten, ließen sie mich einfach nicht mehr los. Ada und Börge waren offenbar zeit ihres Lebens zusammen gewesen, genau wie Jasper und seine Frau Joke.

Das war es, was ich mir tief in meinem Inneren wünschte.

Ich wollte nicht so werden wie meine Mutter, die nach dem Tod meines Vaters und der Scheidung von Leo allein lebte und deren einziger Lebensinhalt – abgesehen von ihrer Arbeit als Empfangsdame in einem renommierten Friseursalon in der Innenstadt – Felix und ich waren.

»Du bist ja heute so schweigsam. Ist alles in Ordnung bei dir?«, fragte Oliver, nachdem wir eine ganze Weile wortlos nebeneinander über den hellbraunen Sand gestapft waren, der vom Regen des Vortags noch feucht war.

Um uns herum tobten Hunde, kuschelten sich Besucher des Elbstrands an die Kaimauer, einige grillten sogar schon, obwohl es nicht besonders warm war. Ein Stockentenpärchen watschelte über den Strand, wurde jedoch schnell von einem jagdfreudigen Labrador zurück ins Wasser getrieben.

»Ja und nein«, antwortete ich gedehnt. »Mir geht zurzeit viel im Kopf herum. Deine Probezeit wurde nicht verlängert, mein Job steht womöglich demnächst ebenfalls auf dem Spiel, und zu allem Überfluss bist du jetzt erst mal weg – und das auch noch für ziemlich lange. Ich versuche zwar, gelassen zu bleiben und positiv zu denken, aber ich kann trotzdem nicht gut damit umgehen, dass mit einem Schlag alles so unsicher geworden ist.« Dass ich Oliver momentan zutiefst misstraute und panische Angst davor hatte, richtig tief verletzt zu werden, behielt ich für mich.

Dieses Gefühl konnte und wollte ich nur Meggie anvertrauen, mit der ich in den vergangenen Tagen beinahe nonstop in Kontakt gewesen war und die mich immer wieder aufgebaut hatte, so gut es ging.

»Das kann ich verstehen«, sagte Oliver und legte den Arm um mich. Obwohl es irgendwo in mir dieses kleine Mädchen gab, das sich gerade jetzt danach sehnte, gehalten und getröstet zu werden, versteifte ich mich innerlich, ließ Oliver aber gewähren, um keine weitere Diskussion zu provozieren. »Aber noch ist ja überhaupt nichts entschieden. Und egal, was mit *Herself* wird, eine so tolle Ressortleiterin wie du findet immer einen Job. Vielleicht nicht auf Anhieb bei dem Magazin deiner Träume, aber du wirst auf alle Fälle nicht arbeitslos, dafür lege ich meine Hand ins Feuer. Vielleicht müssen wir erst mal eine Weile lang eine Fernbeziehung führen, aber das ist auch kein Weltuntergang. Gestern habe ich durch einen guten Bekannten eine Stelle in München angeboten bekommen. Wenn du magst, kann er sich auch für dich umhören. Schließlich gibt es auch in Bayern Verlage. Dann musst du nicht darauf warten, was aus dem Magazin wird, sondern hast die Dinge selbst in der Hand.«

Hamburg–München.

Die Distanz konnte innerhalb Deutschlands kaum größer sein.

In meinem Inneren kämpften erneut zwei gegensätzliche Empfindungen miteinander: Da war zum einen die Angst davor, Oliver zu verlieren, zum anderen aber auch das plötzliche Aufflackern einer gewissen Zuversicht, weil er offensichtlich für uns beide gemeinsam plante.

Wieso sonst hätte er mir angeboten, sich nach einem Job für mich umzuhören?

Obgleich nicht hundertprozentig überzeugt, hörte ich mich

selbst »Ja, gern« murmeln, während ich einen Fuß vor den anderen setzte. Doch auch beim Abendessen war ich nur zu einem Teil anwesend. Die andere Hälfte war damit beschäftigt, das Pro und Kontra der Erbschaft abzuwägen, da ich bis Ende der Woche eine Entscheidung getroffen haben musste.

Felix hatte mir in seiner Begeisterung dazu geraten, ja zu sagen, doch so einfach war das natürlich nicht.

Und plötzlich wusste ich, dass ich dringend über all das, was mich gerade umtrieb und bedrückte, reden musste – und es gab nur einen Menschen, der dafür in Frage kam: meine Mutter!

»Würde es dir etwas ausmachen, wenn ich schon nach Hause gehe?«, fragte ich, diesem Impuls folgend, während Oliver die Dessertkarte studierte. »Ich habe Kopfschmerzen und muss dringend ins Bett. Vermutlich habe ich meine Erkältung doch noch nicht ganz auskuriert.«

In Wahrheit wollte ich sofort zu Hanne.

Es war erst halb neun. Wenn ich ein Taxi nahm, konnte ich um neun Uhr bei ihr sein.

Oliver klappte die Karte zu, nahm meine Hand, die auf der weißen Leinentischdecke lag, und streichelte sie zärtlich. »Ach deshalb bist du heute so anders als sonst. Aber natürlich, kein Problem. Ich rufe dir ein Taxi, wenn du magst, und zahle. Dann kannst du ganz schnell ins Bett, um dich auszukurieren.«

Ich nickte, froh, nicht auf Widerstand zu stoßen. Nach einem flüchtigen Abschiedskuss auf die Wange hastete ich den Steg hinauf zum großen Busbahnhof am Fähranleger, an dem zwei Minuten später das bestellte Taxi hielt.

»Juliane, Schätzchen, ist etwas passiert?«, fragte meine Mutter besorgt, als ich während der Fahrt telefonisch meinen Besuch ankündigte. Ich kam zwar häufiger so spät, wenn ich noch lange in der Redaktion gearbeitet hatte, aber nur sehr selten spontan.

Ich antwortete: »Nein, alles gut. Ich würde nur gern mit dir über etwas reden, das mich gerade beschäftigt.«

Als ich bei ihr eintraf, hatte meine Mutter bereits Knabbereien auf den Wohnzimmertisch gestellt und eine Flasche Rotwein entkorkt.

»Du magst doch Wein, oder hättest du lieber Tee?«, fragte sie, nachdem sie mich umarmt hatte.

»Ich trinke gern einen Schluck«, antwortete ich und setzte mich ihr gegenüber auf einen gemütlichen Sessel. »Aber nur einen kleinen.«

Meine Mutter schob mir die Schale mit den gesalzenen Pistazien über den Tisch, weil sie wusste, wie sehr ich diese Nüsse liebte. »Also, Schätzchen, worüber möchtest du mit mir sprechen? Ist irgendwas mit deinem Job? Oder mit Oliver?«

Eigentlich hatte ich geplant, sie lediglich wegen der Erbschaft um Rat zu bitten. Doch mit einem Mal hatte ich das Gefühl, dass all diese unerwarteten Ereignisse in meinem Leben zusammenhingen. Und so erzählte ich Hanne, was in den letzten beiden Wochen alles passiert war. Anstatt jedoch wie erwartet Hilfe, Rat und Trost zu bekommen, sah meine Mutter aus, als sei ihr ein Geist erschienen. Sie nestelte erst nervös am Saum ihres dunkelblauen Kleides, dann zupfte sie imaginäre Fussel von ihrer Nylonstrumpfhose.

»Wann erfährst du denn, ob dein Job wirklich in Gefahr ist?«, wollte sie wissen, blickte dabei aber über mich hinweg, als läge die Antwort auf ihre Frage irgendwo in weiter Ferne. Interessant, dass sie als Erstes nach meinem Arbeitsplatz fragte, anstatt zu sagen, wie leid ihr das mit Oliver tat. Dass sie das Thema Ada so gut wie möglich umschiffen würde, war mir klar gewesen, doch heute Abend musste sie endlich mal Farbe bekennen, und sei es nur, um mir zu helfen.

»Ich denke, spätestens in ein paar Wochen«, antwortete ich. »Aber ich gehe davon aus, dass irgendetwas im Busch ist, sonst wären die Unternehmensberater nicht bei uns im Haus und der Verlag hätte Oliver übernommen. Er ist ein Spitzenvertriebler, aber natürlich teuer. Vorhin hat er mir übrigens angeboten, mit ihm gemeinsam nach München zu gehen, weil er sich dort gute Chancen auf einen Job ausrechnet.«

»Du planst doch nicht allen Ernstes eine Zukunft mit einem Mann, der dir verheimlicht hat, dass er verheiratet ist!«, brauste meine Mutter auf. »Ein Mann, der seine Ehefrau hintergeht, dem ist gar nichts heilig, und er wird früher oder später dasselbe mit dir machen. Es gibt immer irgendwo eine Jüngere, Hübschere. Und dann sitzt du am anderen Ende Deutschlands, hast womöglich Kinder und kannst zusehen, wie dein Leben den Bach runtergeht.«

Ich musste mich arg zusammenreißen, Hanne nicht übelzunehmen, dass sie – anstatt mir beizustehen und Mut zu machen – ihre eigenen negativen Erfahrungen auf mich und mein Leben projizierte.

Doch sosehr ich auch versuchte, mir klarzumachen, dass ihre Worte und Gedanken ein klarer Fall von Übertragung waren, wie es in der Psychologie hieß, konnte ich nicht umhin, ihr in Teilen recht zu geben. Oliver hatte bereits seine Frau hintergangen. Wer garantierte mir, dass er mich nicht auch irgendwann satthatte und einem neuen Reiz erlag?

»Ja, ja, ist ja gut!«, entgegnete ich, da meine Mutter so aussah, als würde sie mit ihrer Tirade fortfahren wollen. »Rein theoretisch hast du recht, ich bin ja nicht ganz doof. Aber erstens ist keine Geschichte wie die andere, und zweitens habe ich gar nicht vor, mich auf eine unsichere Sache einzulassen. Du hast mir schließlich nicht umsonst jahrelang eingebleut, wie wichtig es gerade für Frauen ist, auf eigenen Beinen stehen zu können. Vielleicht verkaufe ich Adas Erbe ja auch und investiere den Erlös in meine Selbständigkeit als freie Journalistin. Dann bin ich wenigstens gewappnet, sollte *Herself* verkauft oder dichtgemacht werden.«

»Ach, Blödsinn«, widersprach Hanne erbost. »Wer kauft denn bitte schön so einen bekloppten Leuchtturm auf einer Insel mitten im Nirgendwo? Da halten es doch nur Verrückte wie Ada aus. Wundert mich ja, dass sie überhaupt noch Bargeld hatte und den ganzen Kram nicht dieser … dieser Sekte vermacht hat.«

Sekte?!

Verwirrt ließ ich das Weinglas sinken.

Wovon redete meine Mutter?

10. Kapitel

Gespannt saß ich Marcus Winter gegenüber, der auf seinem Computer nach etwas zu suchen schien. »Liebe Juliane, Sie haben noch ... zehn Tage Resturlaub aus dem vergangenen Jahr«, sagte er schließlich, als er den Kopf hob. »Normalerweise müssen alle Angestellten den Urlaub bis Ende März nehmen, damit er nicht verfällt. Aber ich weiß ja, dass Sie Ihrem Job bei *Herself* zuliebe bislang darauf verzichtet haben. Was halten Sie also davon, ab morgen freizumachen?«

Mein Herz rutschte sofort eine Etage tiefer.

Bedeutete dies etwa wirklich das Ende von *Herself*, wie es alle vermuteten?

»Kann Vivien Sie denn in der Zeit nicht vertreten? Das wäre wirklich gut, denn die Personalabteilung besteht darauf, dass alle Mitarbeiter möglichst schnell ihren Resturlaub nehmen, damit alles seine Ordnung hat.«

Okay, noch war scheinbar nichts beschlossen, und es ging lediglich darum, vertragsgemäß vereinbarte Urlaubstage abzubauen.

»Das kann sie bestimmt, ich frage sie gleich«, antwortete ich, überrumpelt von der Tatsache, dass ich so mir nichts, dir nichts freinehmen sollte. »Außerdem bin ich ja immer online und auf allen Kanälen erreichbar, und meine Assistentin ist in alle Projekte involviert. Das sollte also kein Problem sein.«

Auf dem Gesicht des Verlagsleiters breitete sich ein Lächeln aus. »Fein, dann hätten wir das ja geklärt. Fahren Sie weg, spannen Sie aus, gehen Sie spazieren. Sie wirken in letzter Zeit ein wenig … angeschlagen, wenn ich das so sagen darf. Gönnen Sie sich einen Trip an die Nordsee, da sind Sie doch so gern.«

Und ob ich das tun werde, dachte ich bei mir und beschloss, gleich Jasper anzurufen, um ihn zu fragen, ob er mich morgen wieder abholen und nach Fliederoog bringen konnte.

Ein paar Tage auf der Hallig brachten sicher mehr Klarheit als rein theoretische Grübeleien. Zum Glück hatte Doktor Petersen Verständnis dafür gezeigt, dass ich mich bezüglich der Erbschaft noch nicht entschieden hatte, und gewährte mir zwei Wochen Aufschub.

Zudem konnte ich bei dieser Gelegenheit vielleicht etwas darüber herausfinden, was meine Mutter mit *Sekte* gemeint hatte. Gestern Abend war einfach nichts mehr aus ihr herauszubekommen gewesen, egal, wie sehr ich auch gebohrt hatte.

Am Ende hatte Hanne sich unter dem Vorwand, Kopfschmerzen zu haben, ins Bett verzogen, und ich war frustriert nach Hause gefahren.

»Alles klar, dann sehen wir uns also in knapp zwei Wochen wieder im Verlag«, murmelte ich, in Gedanken schon halb auf Fliederoog, und verabschiedete mich von meinem Chef.

Zum Glück erreichte ich Jasper sofort. Und er freute sich darüber, dass ich mich meldete. Allerdings konnte er mich diesmal nicht selbst abholen, da er für zwei Tage nach Hamburg fuhr, um sich dort einem ärztlichen Check-up zu unterziehen. Doch er bot an, Enrik als seine Vertretung zu schicken, und ich war schon sehr darauf gespannt, Adas legendären Freund *Einspänner* kennenzulernen.

Nachdem ich alles Wichtige im Verlag erledigt und mit

Vivien und meiner Assistentin besprochen hatte, beschloss ich, auch heute wieder früher nach Hause zu gehen, um in Ruhe packen und Lebensmittel für meinen Aufenthalt auf der Hallig einkaufen zu können. Schließlich konnte ich auf Fliederoog nicht mal *eben so* Dinge besorgen, und was das Angebot des Kiek ut bereithielt, wusste ich schlicht und ergreifend nicht.

Als ich abends mit allem fertig war, rief ich erst Meggie, dann Felix und zuletzt meine Mutter an, um ihnen zu sagen, dass ich die nächsten Tage Urlaub auf der Hallig machen und im Zuge dessen entscheiden würde, ob ich Adas Erbe annahm.

Meggie fand das Ganze aufregend und wünschte mir viel Spaß. Felix bedauerte, nicht mitkommen zu können, da ein größerer Job auf ihn wartete. Eine Kneipe auf St. Pauli wurde umgebaut, und er sollte die Tischlerarbeiten übernehmen.

Nur meine Mutter war – wie erwartet – alles andere als begeistert. »Julchen, ist das dein Ernst?«, fragte sie. »Du wirst dir das doch nicht wirklich ans Bein binden? Außerdem habe ich gar kein gutes Gefühl dabei, dass du zehn Tage ganz allein auf dieser kleinen Insel bist.«

Ich verkniff mir die Bemerkung, dass eine Hallig keine Insel war, und atmete stattdessen tief durch. »Aber ich bin doch nicht aus der Welt«, versuchte ich ihre Bedenken zu zerstreuen. »Die Mieter des Bauernhofs wohnen ganz in der Nähe, und außerdem wird Adas Freund Enrik sicher auch ein Auge auf mich haben. Im Übrigen bin ich schon groß.«

Meine Mutter atmete schwer. »Und was, wenn es ausgerechnet in dieser Zeit Land unter gibt? Damit ist nicht zu spaßen! Willst du denn im Fall der Fälle ganz alleine dieses Haus sturmflutsicher machen und dann einsam auf dem Dachboden hocken und dabei zuschauen, wie das Meer seine gierigen Klauen nach der Warft ausstreckt? Im März kann so etwas leicht vorkommen.«

Ich war erstaunt zu hören, dass meine Mutter über diese *kleinen Inseln* im Wattenmeer offensichtlich besser Bescheid wusste, als sie zugeben wollte. Doch jetzt war nicht der richtige Zeitpunkt, um ein Fass aufzumachen und sie mit unserer familiären Vergangenheit zu konfrontieren. An dieses heikle Thema würde ich mich vorsichtig heranpirschen, wenn ich mehr über Ada erfahren und die Tage auf Fliederoog verbracht hatte. Schließlich kannte ich Hanne: Bedrängte man sie zu sehr, begann sie zu mauern – und das brachte mich kein Stückchen weiter.

»Wenn es wirklich eine Sturmflutwarnung geben sollte, komme ich sofort wieder zurück, versprochen«, sagte ich, um sie – aber auch mich selbst – zu beruhigen. »Du kennst mich doch, ich liebe das Meer zwar, aber ich bin auch manchmal eine echte Angsthäsin.«

Mit Schaudern dachte ich an den immer wiederkehrenden Alptraum mit der Riesenwelle, die mich zu verschlingen drohte. Wie würde es sich anfühlen, so allein im Wärterhäuschen auf einer von nur zwei Warften?

Auf den Halligen war im Schnitt fünfmal jährlich Land unter, und ich war überhaupt nicht erpicht auf eine solche Grenzerfahrung.

»Na gut«, gab meine Mutter schließlich klein bei, klang jedoch alles andere als überzeugt. »Aber versprich mir, dass du dein Handy Tag und Nacht anhast und erreichbar bist, ja?«

Ich versprach es und war froh, als ich schließlich auflegen konnte. Die seelischen Narben, die der Unfalltod meines Vaters verursacht hatte, würde meine Mutter ein Leben lang mit sich tragen; zudem hatte sie dauerhaft mit der Angst zu kämpfen, Felix oder mir könne etwas passieren.

So war ich schon als Kind mit ständigen Ermahnungen und Kontrollen aufgewachsen, was mich natürlich entsprechend genervt hatte und mir vor meinen Freundinnen schrecklich peinlich gewesen war. Erst viel später hatte ich gelernt zu begreifen, wie tief die Spuren waren, die Torges Tod und Leos Betrug bei meiner Mutter hinterlassen hatten.

Und so hatte ich daran gearbeitet, geduldiger zu sein, und bemühte mich so gut es ging darum, ihr jegliche Sorge zu nehmen und sie darin zu bestärken, sowohl in mich als auch das Leben mehr Vertrauen zu haben.

Als Nächstes meldete ich mich bei Oliver, um auch ihm zu sagen, dass ich ab morgen verreist sein würde. Allerdings verschwieg ich ihm den wahren Ort meines Aufenthaltes und flunkerte ihm vor, ein paar Tage nach Föhr zu fahren, um mich dort bei langen Spaziergängen am Strand zu erholen. Ob ich überzeugend genug geklungen hatte oder ob Oliver schon im Geiste bei seinem Karibik-Törn war – ich wusste es nicht. Auf alle Fälle fragte er nicht weiter nach, sondern wollte lediglich wissen, ob er noch auf einen Sprung bei mir vorbeischauen und mir auf Wiedersehen sagen könne.

»Das ist im Prinzip eine schöne Idee«, antwortete ich, selbst hin- und hergerissen zwischen dem Wunsch, ihn noch einmal zu sehen, und der Angst davor, ihm Lebewohl zu sagen. »Aber ich hab noch zu tun. Ich muss aufräumen, packen … und … na, du kennst das ja. Wir sehen uns lieber ganz in Ruhe, wenn ihr … also, wenn du wieder von deiner Reise zurück bist. Dann weiß ich bestimmt auch, wie es bei *Herself* weitergeht und ob dein Headhunter sich wegen eines Jobs in München bei mir gemeldet hat.«

Oliver widersprach nicht, was mich wiederum in meiner Entscheidung, ihn heute nicht mehr zu sehen, bestärkte.

Nachdem ich aufgelegt hatte, stand ich eine Weile unschlüssig in meinem Schlafzimmer herum und schaute auf das Doppelbett, in dem Oliver und ich so viele wunderschöne, leidenschaftliche Nächte verbracht hatten. Bei dem Gedanken daran, dass er in den kommenden Wochen das Bett mit seiner Frau teilen würde, zerriss es mir beinahe das Herz.

So lange Zeit gemeinsam auf engstem Raum, das konnte Streit und Frust provozieren – aber auch enger zusammenschweißen. Ich glaubte Oliver, dass er auf dieser Fahrt alles klären wollte und für sich beschlossen hatte, seine Ehe zu beenden, aber auch er konnte noch nicht wissen, welche Wirkung diese lange gemeinsame Reise auf die beiden haben würde.

»Lass den Typen ruhig mal 'ne Weile schmoren, und melde dich nicht bei ihm«, hatte Felix mir geraten, als ich ihm erzählt hatte, wie die Dinge zwischen Oliver und mir zurzeit standen. »Lass ihn ruhig mit seiner langweiligen Alten auf dem Meer rumgondeln und sich nach dir sehnen. Und dann, wenn er so richtig schön weichgekocht ist, zeigst du ihm die kalte Schulter und reagierst einfach nicht auf seine Nachrichten. Glaub mir, Schwesterherz. Das funktioniert!«

So plausibel es auch klang, was Felix mir geraten hatte, so sehr lehnte ich diese Art von Manipulation ab. Oliver sollte sich nach mir sehnen, weil er mich liebte. Weil er mit mir zusammen sein wollte, nicht weil ich Spielchen spielte.

Um nicht verrückt zu werden, weil ich überhaupt keinen Einfluss auf die Dinge hatte, sah ich noch einmal die Sachen in meinem Koffer durch und beschloss, noch eine Wärmflasche und einen Badezusatz mitzunehmen.

Doch halt! Hatte Ada überhaupt eine Wanne?

Ich hatte am Tag der Besichtigung des Wärterhäuschens so vielfältige Eindrücke zu verarbeiten gehabt, dass ich mich gar nicht mehr an dieses Detail erinnern konnte. Doch die kleinen Beutelchen mit nach Schokolade-Cranberry duftendem Badesalz nahmen kaum Platz weg, und so wanderten sie genauso ins Gepäck wie meine Kamera und eine Karte der Hallig, die Jasper mir letztes Mal gegeben hatte.

Als ich den prall gefüllten Koffer betrachtete, der auf meinem Bett lag, kam mir der Song *Leichtes Gepäck* der Band Silbermond in den Kopf. Darin ging es um Ballast, der sich angesammelt hatte. Um Gegenstände, die man kaufte, um eine gewisse innere Leere zu füllen. Das Lied war ein Plädoyer dafür, sich auf die wirklich wichtigen Dinge des Lebens zu konzentrieren.

Ich dachte an die Menschen auf den Halligen, die ihren gesamten Besitz jedes Mal auf den Dachboden bringen mussten, wenn Land unter drohte.

Ich konnte mir gut vorstellen, dass man es sich – allein schon unter diesem Gesichtspunkt – sehr genau überlegte, wie viel man anhäufte und ob das alles nötig war.

Mein Blick fiel auf die zahllosen Ladekabel, die obenauf lagen und gefühlt ein Drittel meines Gepäcks ausmachten: eines für das Smartphone, eines für das Tablet. Eines für die elektrische Zahnbürste, ein weiteres für die Kamera. Und nicht zu vergessen die Powerbank, um die Geräte aufzuladen, wenn keine Steckdose in der Nähe war.

Plötzlich kam mir das Gepäck, das mir vor zwei Stunden beim Packen noch ganz normal erschienen war, reichlich absurd vor.

Früher hatte es auf den Halligen weder Strom noch fließend Wasser gegeben. Und die Menschen waren auch ohne all das klargekommen …

11. Kapitel

»Moin. Sind Sie Frau Wiegand?«

Ein baumlanger, schlaksiger Mann, geschätzt Mitte fünfzig, musterte mich aus grauen Augen. Die Hände hatte er in den Taschen einer ausgebeulten Cordlatzhose verborgen, über der er eine schlammfarbene Jacke trug. Auf dem eierförmigen Kopf saß ein Käppi, das sein Besitzer Enrik, genannt Einspänner, verkehrt herum trug. Die straßenköterbraunen Haare waren von grauen Strähnen durchzogen und zu einem langen, dünnen Zopf gebunden.

»Ja, die bin ich. Und Sie sind bestimmt Enrik Schaefer«, sagte ich und streckte meine Hand aus, um Adas Freund zu begrüßen.

»Jou«, antwortete Enrik, machte jedoch keinerlei Anstalten, die Hände aus den Taschen zu nehmen. Das tat er erst, als er sich ans Steuer setzte – *nachdem* er mich mit einem Kopfnicken in die blau bemalte Lore dirigiert und ungerührt dabei zugesehen hatte, wie ich mühevoll meinen schweren Koffer ins Innere wuchtete. Seine Lore war – im Gegensatz zu der von Jasper – nicht überdacht, dafür aber an den Seiten mit Reifen behängt, die sicher als Puffer dienten. Da es nieselte, war ich froh darüber, dass meine Daunenjacke eine Kapuze hatte. Doch die schützte mich nicht komplett gegen den eisigen Wind, der heute wehte.

Und auch nicht gegen meine wehmütige Stimmung.

»Danke, dass Sie mich abgeholt haben«, startete ich einen neuen Versuch, mich mit Enrik zu unterhalten, allerdings auch diesmal ohne Erfolg. Mein *Fahrer* starrte stur geradeaus auf die Schienen und verzog keine Miene.

Dass die Friesen mitunter wortkarg waren, war allgemein bekannt, aber Enrik schien wirklich besonders menschenscheu zu sein. Und leider auch wenig hilfsbereit.

Als wir am Bahnhof ankamen, brachte er die Lore zum Stehen, kletterte vom Führersitz, tippte kurz an sein Käppi, gab mir einen Schlüsselbund – und ließ mich dann mitsamt Gepäck allein zurück. Komplett vor den Kopf gestoßen, schaute ich ihm dabei zu, wie er sich auf ein Fahrrad schwang und davonradelte, ohne sich auch nur ein einziges Mal nach mir umzudrehen.

Das war jetzt nicht wahr, oder?!

Es dauerte einen Moment, bis ich begriff, dass ich keine andere Möglichkeit hatte, als mitsamt meinem schweren Koffer zu Fuß zu Adas Haus zu gehen, was gut und gerne eine Dreiviertelstunde dauern würde.

Ohne Gepäck ein Klacks.

Aber mit?

In diesem Moment kam eine weitere Lore an.

Überdacht, hellgrün gestrichen, mit hübschen Ornamenten verziert. Auf dem ovalen Schild auf dem Führerhäuschen stand *Der Halligbote – ich lasse Wünsche wahr werden.*

Heraus kletterte ein sympathisch aussehender Mann Ende vierzig, der unverhohlen grinste. »Na, ganz alleine hier? Kann ich helfen? Oder wollen Sie lieber trampen?«

»Wenn Sie mir sagen, wie ich am besten zum Leuchtturmhaus komme, wäre ich Ihnen äußerst dankbar«, antwortete ich hoffnungsvoll.

»Das trifft sich gut, denn da muss ich auch hin. Ich habe ein

Paket für Ada Schobüll abzuliefern. Sind Sie zu Besuch bei der alten Dame, oder suchen Sie ... Hilfe?«

Ich wunderte mich über die Formulierung *oder suchen Sie Hilfe,* beschloss jedoch, nicht weiter nachzufragen, sondern den Halligboten darüber aufzuklären, dass seine Kundin mittlerweile verstorben und ich ihre Enkelin war.

»Oh, mein Gott, das ... das ist ja schrecklich«, murmelte er betroffen. »Das habe ich gar nicht mitbekommen, weil ich mir eine längere Auszeit genommen und bewusst auf Internet und Smartphone verzichtet habe. Ich wusste zwar, dass sie gestürzt war, hatte aber gehofft, dass sie schnell wieder gesund werden würde, so wie sonst auch. Heute ist mein erster Arbeitstag. Und dann das ...« Seine nougatfarbenen Augen nahmen die Farbe von Zartbitterschokolade an. »Mein herzliches Beileid, Frau ...«

»Wiegand. Juliane Wiegand«, entgegnete ich. »Kannten Sie meine Großmutter denn gut?«

Einen Moment lang wirkte der Halligbote wie verloren und schaute in die Ferne. Doch dann besann er sich wieder und gab mir die Hand. »Ich bin Reemt Harksen, und ja, ich kannte Ada und mochte sie sehr. Sie war eine unglaublich tolle Frau, der viele Menschen unendlich viel zu verdanken haben. Sie wird uns allen fehlen. Mein Beileid, das muss sehr schwer für Sie sein.«

Für einen Moment war ich versucht, ihm zu erzählen, dass ich im Grunde erst vor kurzem von der Existenz meiner Großmutter erfahren hatte, erinnerte mich dann jedoch an sein Angebot, mir behilflich zu sein. Plaudern konnten wir später immer noch.

»Wie kommen wir denn jetzt zum Leuchtturm?«, fragte ich und hatte kurz die Vision, Reemts Lore ließe sich auf Kommando in ein Auto verwandeln, das den Weg zur Warft problemlos zurücklegte. Als Kind war ich ein großer Fan von *Robbi, Tobbi und das Fliewatüüt* von Boy Lornsen, dem berühmter Sylter Autor, gewesen und hatte das Buch unzählige Male gelesen.

»Entweder wir verfrachten den Koffer auf den Gepäckträger meines Fahrrads und Sie laufen nebenher, oder Sie setzen sich auf den Gepäckträger und wir legen das schwere Ding in den Bollerwagen, den ich am Rad befestige. Suchen Sie es sich aus.« Reemts Tonfall klang zwar heiter, aber sein Gesicht war todernst. Adas Tod schien ihm wirklich nahezugehen.

Zum Glück hatte sich der Regen mittlerweile gelegt, und die Sonne lugte zaghaft zwischen den Wolken hervor.

»Dann bin ich für die zweite Variante«, sagte ich, froh darüber, eine Jeans zu tragen. Mit einem Rock oder Kleid wäre es kompliziert geworden.

Nachdem das Paket an Ada, weitere Pakete und mein Koffer verstaut waren, fand ich mich auf dem Gepäckträger des Rads wieder, das Reemt Harksen zusammen mit seinem Bollerwagen im *Bahnhof* untergestellt hatte. Beides war wie die Lore mit dem Schriftzug *Halligbote* verziert.

»So, da wären wir«, sagte Reemt nach einer holprigen Fahrt zur Leuchtturm-Warft. Morgen würde ich garantiert schmerzhaft spüren, dass ich nicht auf einem gepolsterten Fahrradsattel gesessen hatte. »Öffnen Sie schon mal die Tür, dann trage ich Ihnen den Koffer ins Haus.«

Begeistert von seiner Hilfsbereitschaft, beschloss ich spontan, ihn zum Dank zu Kaffee und Kuchen einzuladen. Ich hatte beides dabei und brauchte nach der nasskalten Fahrt unbedingt selbst etwas Heißes zu trinken.

Reemt nahm mein Angebot erfreut an und stellte das an Ada adressierte Paket neben den Wohnzimmertisch. »Hier drin duftet es immer noch nach ihr. Ich kann einfach nicht glauben, dass sie nicht mehr da ist und nie wiederkommen wird«, murmelte er beklommen, als er sich auf einen der vier Stühle setzte, mit Blickrichtung Fenster, während ich in der angrenzenden Küche den altmodischen silbernen Teekessel mit Wasser füllen wollte. Doch aus dem Hahn kam ... nichts!

Zunächst dachte ich, ich hätte nicht fest genug am Knauf gedreht oder in die falsche Richtung, aber dann eilte Reemt mir zu Hilfe.

»Na, kommt kein Wasser? Ich nehme mal an, dass jemand den Haupthahn abgedreht hat, weil zurzeit keiner im Haus ist«, mutmaßte er, schob mich sanft beiseite und öffnete die Doppeltür unter der Spüle. »Ah ja, das haben wir gleich.« Und siehe da, schon konnte ich den Kessel füllen – nur um gleich darauf auf das zweite Problem zu stoßen: Ada besaß einen altmodischen Gasherd, und ich hatte ein wenig Angst davor, die Gasflamme mit einem Streichholz zu entfachen.

Es war ohnehin ein merkwürdiges Gefühl, einfach so in einer mir fremden Küche herumzuhantieren.

»Das ist alles eine Frage der Gewohnheit«, sagte Reemt, ohne jede Spur von Sarkasmus oder Überheblichkeit in der Stimme, und zeigte mir, wie man den Herd in Gang brachte.

Ich durfte gar nicht darüber nachdenken, wie lange ich für all das ohne ihn gebraucht hätte. Hoffentlich standen mir nicht noch weitere Abenteuer dieser Art bevor, sobald Reemt wieder weg war.

»Ich habe übrigens nur löslichen Kaffee dabei, und der Zitronenkuchen ist auch nicht selbst gebacken«, erklärte ich entschuldigend, während ich in Adas Hängeschränken nach Tassen suchte und schließlich zwei getöpferte, dunkelblaue Becher zutage förderte und mit Pulver füllte. Dann stellte ich sowohl die abgepackte Kaffeesahne als auch den abgepackten Kuchen auf den Tisch im Wohnzimmer.

»Kein Problem, ich bin nicht besonders anspruchsvoll, was das angeht«, erwiderte Reemt, nahm das Gebäck aus der Verpackung und schnitt es auf, nachdem ich ihm ein Brettchen und ein Messer gegeben hatte.

Während wir in so trauter Eintracht Kaffee tranken, als würden wir tagaus, tagein nichts anderes tun, begann es draußen wie aus Eimern zu schütten.

»Oje, ich hoffe, es klart gleich wieder auf«, sagte ich mit Blick auf den wolkenverhangenen, dunkelgrauen Himmel. »Wo müssen Sie denn als Nächstes hin?«

»Erst nach Oland und dann nach Langeneß«, antwortete Reemt. Ich dachte an den freundlichen Postboten, der in Ottensen die Briefe austrug. Auch der war lange unterwegs, allerdings nur innerhalb eines einzigen Stadtteils und innerhalb bestimmter Straßenzüge.

»Und wo wohnen Sie? Oder bin ich jetzt zu neugierig?«

»Nein, sind Sie nicht. Und wenn, würde ich es Ihnen sagen«, sagte Reemt lächelnd. »In Dagebüll.«

Erstaunt versuchte ich mir vorzustellen, wo man in Dagebüll leben konnte. Für mich war dieser Ort davon bestimmt, dass von dort die Fähren zu den Inseln fuhren – und von dem Leuchtturmhotel, im dem ich gern mit Oliver ein Wochenende verbracht hätte. Der Gedanke an ihn versetzte mir sofort einen Stich, obwohl unsere Geschichte – aus dem Blickwinkel der Hallig Fliederoog – absurderweise mit einem Mal meilenweit entfernt schien, beinahe irreal.

Morgen würden er und seine Frau die Reise antreten, es gab für uns also nur noch heute Abend Gelegenheit zu telefonieren.

Wie würde es dann weitergehen?

»Und wo kommen Sie her?«, fragte Reemt und schaute mich

interessiert an. Seine dunkelblonden Haare waren vom Fahrtwind und dem feuchten Wetter verstrubbelt und wirkten, als seien sie von einer Schicht Meersalz überzogen.

Ich musste schmunzeln, weil ich daran dachte, wie viel Aufwand Felix zuweilen mit Hilfe von Gel und Wachs betrieb, um genau diesen lässigen *Nature Look* zu erzielen.

»Aus Hamburg«, antwortete ich. »Ich bin hier, weil ich entscheiden muss, ob ich das Erbe von Ada annehme. Zum Glück fügt es sich gerade, dass ich Resturlaub vom vergangenen Jahr übrig habe, also bleiben mir neun Tage Zeit, um zu testen, wie es sich auf Flieneroog so lebt und ob ich mir vorstellen kann, das alles hier zu behalten.«

Reemt nickte und stand dann auf, um den Wasserkessel erneut aufzusetzen. »Möchten Sie auch noch einen Kaffee?«, fragte er, und ich sah zu, wie er sich – im Gegensatz zu mir – selbstverständlich in Adas Küche bewegte, die keine Tür hatte, so dass man hineinschauen konnte. »Was wäre denn die Alternative, wenn Sie sich gegen das Haus und den Bauernhof entscheiden?«

»Ada hat verfügt, dass in diesem Fall alles verkauft und der Erlös einer Organisation namens Leuchtfeuer zufließen soll. Der Name sagt mir nichts, und ich habe darüber auch nichts im Internet gefunden. Aber das würde ich natürlich für den Fall, dass ich das Erbe ausschlage, alles mit Hilfe des Notars überprüfen. Schließlich fühle ich mich ihrem letzten Willen gegenüber verpflichtet.«

Reemt räusperte sich und nahm den Kessel vom Herd, als dieser zu pfeifen begann. Dieses Geräusch kannte ich bislang nur aus Spielfilmen, ich selbst war *Generation Wasserkocher*.

»Es wäre schön, wenn das Anwesen und alles, was daran hängt, in der Hand der Familie bliebe«, sagte er schließlich, nachdem er uns beiden Kaffeepulver in die Becher gefüllt und heißes Wasser aufgegossen hatte. »Ada hat so viel für diese Hallig getan, so viel Zeit und Liebe in den Wiederaufbau des Bauernhofs investiert … es wäre wirklich schade, wenn ihr Lebenswerk in fremde Hände fiele. Im schlimmsten Fall kauft irgendein Hotelier den gesamten Besitz auf und wandelt ihn in ein luxuriöses Urlaubsresort um. Ist es das, was Sie wollen?«

Irrte ich mich, oder schwang da ein leiser Vorwurf in Reemts Frage mit?

»Die Inseln und die Halligen müssen ihren Ursprung bewahren und dürfen nicht zu schwimmenden Freizeitparks verkommen«, fuhr Reemt mit scharfer Stimme fort – und ich war mir nicht sicher, ob er wirklich mit mir sprach oder eher zu sich selbst. Dann redete er sich – völlig übergangslos – in Rage: »Es ist wirklich eine Schande, wie sich die Dinge auf den Inseln, speziell auf Sylt entwickelt haben! Auch auf Föhr gibt es bereits ähnliche Tendenzen. Tagestouristen fallen an den Ringelgans-Tagen zu Heerscharen auf den Halligen ein und verschwinden dann wieder, ohne sich weiter darum zu scheren, was sonst aus den Halliglüüd wird.«

»Was erwarten Sie denn von Tagestouristen?«, fragte ich, verwirrt, aber auch ein bisschen überfordert von Reemts heftigem Ausbruch. »Ich weiß, dass das Leben auf den Halligen harte Arbeit bedeutet und wahrlich kein Zuckerschlecken ist. Aber Touristen bringen zumindest Geld. Außerdem ist doch niemand gezwungen, hier zu leben.«

Reemts Gesicht nahm nun eine rötliche Färbung an. »Ich will ja nicht unhöflich sein, erst recht, weil Sie Adas Enkelin sind, aber Sie haben absolut keine Ahnung, wovon Sie da reden. Die Bewohner der Halligen leben seit Generationen hier und laufen nicht weg, wenn es schwierig wird. Sie brauchen keine Wellness-Komfortzone wie ihr Großstädter, und sie machen auch kein großes Gewese um jeden kleinen Mist. Sie wissen noch, was Traditionen und Werte sind und was es bedeutet, sein eigenes Land zu bewirtschaften, Vieh zu züchten und den Widerständen zu trotzen, die das Leben für uns bereithält.«

Nun stieg auch in mir Wut hoch, weil ich mich – stellvertretend für *die Großstädter* – angegriffen und ungerecht beurteilt fühlte. Außerdem war ich nicht gewillt, diese Provokation widerspruchslos hinzunehmen. Schließlich hatte ich Reemt Harksen weder persönlich etwas getan noch behauptet, dass ich Adas Erbe unachtsam verschleudern würde.

»Aber was ist denn mit Ihnen? Sie leben doch auch auf dem Festland und nicht auf einer Hallig! Sie liefern die Post, und dann sind Sie genauso schnell wieder weg wie die von Ihnen so ungeliebten Tagestouristen. Wo ist denn da der Unterschied?«

Reemt stand abrupt auf und brachte seinen Kaffeebecher zur Spüle. Ich hörte, wie das Porzellan scheppernd gegen das Metall krachte, und war froh, dass Adas Becher nicht in tausend Stücke zersprang.

»Ich würde vorschlagen, wir beenden diese unsinnige Diskussion an dieser Stelle«, entgegnete Reemt, »und sprechen uns wieder, wenn Sie mehr als ein paar Stunden auf Flederoog verbracht haben. Ich bin nun mal in dieser Hinsicht ein typischer Nordfriese, der seine Prinzipien hat und weder sich noch seine geliebte Heimat verbiegen lassen möchte. Wir haben uns nicht umsonst den Leitspruch *Lieber tot als Sklave* auf die Fahnen geschrieben. Und wir machen nicht jeden Mist mit, nur weil er Geld bringt. Also, Juliane, ich wünsche Ihnen eine gute Zeit!«

Sprach's – und war verschwunden.

Vollkommen überrumpelt von diesem unangenehmen, absolut unnötigen Zusammenprall, blieb ich ratlos zurück.

Waren denn auf einmal alle Männer irre geworden?

Oder stimmte mit mir etwas nicht?

Mit Reemt Harksen zu tun zu haben glich einer Fahrt mit der Achterbahn.

Und die hatte ich noch nie gemocht …

12. Kapitel

Nach wie vor verstört und wütend, beschloss ich, erst auszupacken und später zum Kiek ut zu spazieren. Dort würde ich einkaufen, im Gasthof einen Tee trinken und damit meine Stimmung wieder ins Lot bringen.

Draußen goss es allerdings immer noch in Strömen, der Wind peitschte die Regentropfen mit solcher Wucht gegen die Fensterscheiben, als würde er mit der Faust dagegenschlagen. Unter anderen Umständen hätte ich dies gemütlich gefunden, doch so allein auf dieser Hallig, in einem einsam gelegenen, mir fremden Haus, gesellte sich zu der Wut ein Gefühl von Traurigkeit. Und ich fühlte mich so verloren wie ein schaukelndes Boot auf dem weiten Ozean.

Wieso war nur alles auf einmal so kompliziert?

Wieso war Oliver jetzt nicht an meiner Seite, um gemeinsam mit mir in Adas Welt einzutauchen und zu überlegen, was aus ihrem Lebenswerk werden sollte?

Entschlossen, gegen die melancholische Stimmung anzukämpfen, die mich niederzuringen drohte, ging ich als Erstes in Adas Schlafzimmer, um es endlich genauer in Augenschein zu nehmen und mich mit ihrer Welt vertraut zu machen.

Auf dem schmalen Bett lag immer noch ihre Bettwäsche – offensichtlich hatte es keiner übers Herz gebracht, sie abzuziehen. Ich hob die weiche Daunendecke hoch und vergrub meine Nase in ihr. Auch in diesem Stoff hing die Duftmischung aus

Patschuli und Amber, die Ada so gern gemocht zu haben schien. Als Nächstes öffnete ich die Truhe, die am Bettrand stand, in der Hoffnung, darin frisches Bettzeug zu finden.

Und so war es auch: Fein säuberlich gebügelt lagen Kissen- und Bettbezüge sowie Laken übereinander. In die Truhe hatte Ada zwei Säckchen mit Lavendel gelegt, so wie es meine Mutter und ich ebenfalls taten. Ich atmete auch diesen Duft tief ein und erinnerte mich daran, dass Strandflieder auch Meerlavendel genannt wurde.

Weil mir diese Farbe schon immer besonders gut gefallen hatte, entschied ich mich für Bettwäsche in einem Blauton, der fliederfarben changierte. Dann legte ich die Garnitur auf den Sessel, schloss die Truhe und begann, sachte die Bettwäsche abzuziehen.

Ob Ada geahnt hatte, dass sie sterben würde, als sie in den Tagen ihrer Krankheit hier gelegen hatte?

War es ihr schwergefallen, loszulassen und dem Leben adieu zu sagen – oder hatte sie darauf gewartet, im Himmel endlich ihren Mann und ihren Sohn in die Arme schließen zu können?

Hatte sie in diesen letzten Stunden an mich gedacht?

Als ich das große Daunenkopfkissen in die Hand nahm, entdeckte ich darunter zwei Ordner. Verblüfft von diesem unerwarteten Fund, setzte ich mich auf die Matratze, die nur noch von einem baumwollenen Schoner bedeckt war. Nachdem ich den ersten der beiden Ordner auf meine Knie gelegt hatte, hob ich vorsichtig den Leinendeckel hoch und stieß als Erstes auf einen Brief – adressiert an mich!

Mit zitternden Händen öffnete ich den verschlossenen Umschlag und entfaltete einen Bogen fliederfarbenes Papier:

Meine liebe Juliane,

es gibt einen Ort, an dem Wünsche wahr werden können. Dieser Ort ist in Dir. Doch die Erfüllung dieser Wünsche ist nicht immer zu Deinem Besten, auch wenn Du das vielleicht denkst. Schau auf Dein Leben zurück, und Du wirst verstehen, was ich meine. Ich wünsche Dir von ganzem Herzen alles Glück dieser Welt, denn Du hast es verdient.
Nun gehe ich schlafen und wache von einem anderen Ort aus über Dich.

In tiefer Liebe,
Deine Großmutter Ada

Ich schluckte. Meine Großmutter hatte also tatsächlich in den letzten Stunden ihres Lebens an mich gedacht und mich nicht nur als Erbin eingesetzt.

Die Worte *und wache von einem anderen Ort aus über Dich* rührten mich zutiefst. Tränen tropften auf den Umschlag, der mit Tinte beschriftet war. Bevor sich das J von Juliane in meiner Trauer auflöste, zog ich ein Tempo aus meiner Hosentasche und tupfte damit das Kuvert ab.

Dann legte ich den Brief mitsamt Umschlag behutsam auf das Nachtkästchen neben dem Bett und betrachtete anschließend die erste Seite in dem dicken Ordner. Sie war, wie alle folgenden, durch Klarsichtfolie geschützt.

Und hier folgte auch schon die nächste Überraschung: Ada hatte – wie ich nach hastigem Umblättern erkennen konnte – jeden einzelnen Artikel aufgehoben oder aus dem Internet ausgedruckt, den ich als Journalistin jemals veröffentlicht hatte. Fassungslos starrte ich auf dieses zweibändige *Gesamtwerk,* das selbst ich nicht so vollständig und fein säuberlich dokumentiert hatte.

Doch woher hatte Ada all diese Artikel?

Und wie war sie an die Blog-Beiträge aus dem Internet gekommen, die ich während meiner Volontariate verfasst hatte? Bislang hatte ich keinen Computer im Haus gesehen.

Nachdenklich erkannte ich, wie sich die Themen, über die ich geschrieben hatte, im Laufe der Zeit verändert hatten. Von engagierten, kritischen Artikeln hatte ich mich, beinahe unmerklich, zu einer Lifestyle-Expertin gewandelt, obwohl dies nie meine Absicht gewesen war.

Mein erster Impuls war, meine Mutter anzurufen und ihr sowohl von diesem Fund als auch von Adas Brief zu erzählen.

Hatte Hanne gewusst, dass meine Großmutter sich all die Jahre über mit mir beschäftigt, sogar jeden meiner beruflichen Schritte verfolgt hatte?

Doch nach einem kurzen Moment des Zögerns entschied ich mich dagegen. Sicher war es besser, all dies in einem persönlichen Gespräch zu klären, wenn ich wieder zu Hause war. Allerdings drängte sich nun erneut die Frage auf, weshalb Ada nie Kontakt zu mir gesucht hatte, vor allem da sie – laut Aussage des Notars – mindestens einmal im Jahr in Hamburg gewesen war.

Als Letztes untersuchte ich den Inhalt der Hüllen des zweiten Ordners, die Ada durch eine blaue Pappe von den Artikeln abgetrennt hatte: Darin befanden sich Polaroids und Abzüge von Fotos, die die Häuser zeigten, in denen ich gewohnt hatte, ebenso wie die Fassaden der Bürogebäude, in denen ich beschäftigt gewesen war.

Wäre ich auf einem der Bilder zu sehen gewesen, hätte ich vermutet, dass diese Fotosammlung das Werk eines Privatdetektivs war. Doch so lag die Vermutung nahe, dass Ada anlässlich ihrer Besuche in Hamburg all die Orte aufgesucht hatte, in denen ich zu dieser Zeit gelebt und gearbeitet hatte.

Und wache von einem anderen Ort aus über Dich …

Das war es!

Meine Großmutter hatte all die Jahre über an meinem Leben teilgenommen und auf mich aufgepasst, ohne dass ich davon gewusst hatte.

Ich bekam eine Gänsehaut, als ich mich an unzählige Momente erinnerte, in denen ich früher geglaubt hatte, jemanden in meiner Nähe zu spüren – eine Art Schutzengel, der es gut mit mir meinte.

Dabei war dies Ada gewesen.

Nicht körperlich präsent, aber in Gedanken und mit dem Herzen offenbar immer bei mir und durch ein unsichtbares Band mit mir verbunden. Ich hob den Blick von diesem Schatz und starrte in die Ferne. Wenn ich es recht bedachte, hatte dieses Gefühl mich vor einigen Wochen verlassen.

Von diesem Tag an hatte ich meinem Glück mit Oliver und meinem Job irgendwie misstraut, auch wenn es zu diesem Zeitpunkt noch keinen wirklichen Anlass für dieses Misstrauen gegeben hatte.

Verrückt!

Komplett verrückt!

Wie in Trance bezog ich das Bett mit der blauen Wäsche und kippte dann das Fenster, um zu lüften, schloss es jedoch sofort wieder, als ein Schwall eiskalter Luft in den Raum drängte, wie ungebetener Besuch. Unwillkürlich fragte ich mich, wie dieses Haus eigentlich beheizt wurde.

Ich schaute mich überall um, fand jedoch nichts außer dem Kachelofen im Wohnzimmer und einem kleinen Ölofen im spartanisch ausgestatteten Badezimmer. Erst in diesem Moment wurde mir bewusst, wie kühl es in dem Häuschen war und dass ich trotz des dicken Pullovers fror.

Unglücklicherweise wusste ich weder, wie man einen Ölofen bediente, noch, ob es hier irgendwo Holz zum Befeuern des Kachelofens gab.

Ruhig, Juliane, ganz ruhig!, versuchte ich, mir selbst Mut zu machen. *Das haben schon andere Menschen vor dir geschafft, und du wirst das auch hinkriegen.* Vielleicht gab es ja im ersten Stock des Häuschens irgendwo elektrische Heizkörper?

In der Hoffnung, oben fündig zu werden, ging ich die Holztreppe hinauf, die vom Flur in die erste Etage führte und unter meinen Schritten ächzte. Hier oben befanden sich drei weitere Zimmer, auf die ich bei meinem ersten Besuch nur einen flüchtigen Blick geworfen hatte.

Das erste war groß und geräumig und schien meinem Großvater gehört zu haben, wie ich mit einem Blick auf die Möbel und all die anderen Gegenstände feststellte, die den Raum wirken ließen, als sei er immer noch bewohnt. Doch auch hier fand ich lediglich einen Ölofen, genau wie in dem angrenzenden kleinen Zimmer, in dem außer einem Bett noch eine antike Frisierkommode, eine Truhe und ein Waschbecken untergebracht waren.

Der dritte Raum, der aussah wie eine Werkstatt, verfügte ebenfalls über einen Kachelofen, allerdings deutlich kleiner als der in der Stuv.

Okay, hier oben war also ebenfalls Fehlanzeige!

Um herauszufinden, ob Ada draußen irgendwo Holz und Öl für die beiden Öfen aufbewahrte, zog ich meine Daunenjacke an und öffnete die Tür, die mir der Sturm sofort aus der Hand riss und gegen die Hauswand donnerte. Verdammt! Was hatte mich dumme Kuh nur auf die Idee gebracht, dermaßen unvorbereitet nach Fliederoog zu fahren?

Mit klappernden Zähnen und tief ins Gesicht gezogener Kapuze stapfte ich um Adas Haus herum und entdeckte einen Schuppen, der zum Glück nicht verschlossen war.

Im dämmrigen Zwielicht suchte ich mit Hilfe der Taschenlampenfunktion meines Handys nach einem Lichtschalter, fand jedoch keinen, was genauso unheimlich war wie die Tatsache, dass der Wind sich förmlich in den Holzschuppen krallte und ich das Gefühl hatte, auf einem schwankenden Schiff zu sein. Wenn sich das Wetter nicht besserte, würde ich Jasper bitten müssen, Einspänner anzumorsen, damit er mich mit der Lore zurück nach Dagebüll brachte. Oder halt! Noch besser: Ich würde selbst nachsehen, wann die nächste Fähre nach Schlüttsiel fuhr.

Nachdem ich mich durch sämtliches Inventar in Adas Schuppen gewühlt hatte, war leider klar, dass zehn Holzscheite und eine halbe Kanne Öl mich nicht besonders weit bringen würden.

Sehnsuchtsvoll dachte ich an heiße Sommertage, an denen es hier bestimmt wunderschön war. Meine Großmutter hatte Gartenmöbel, einen Feuerkorb, einen Sonnenschirm, ja sogar einen schönen Kugelgrill wetterfest in Luftpolsterfolie verpackt.

Ansonsten fand sich neben einem alten Schaukelstuhl, Gartengeräten und anderem Krimskrams ein Fahrrad, dessen Reifen zum Glück prall gefüllt waren, so dass ich damit auf die Marschwarft oder zum Lore-Bahnhof fahren konnte – allerdings nicht, wenn weiterhin so ein starker Sturm herrschte.

Ich beschloss, zumindest die Holzscheite mit ins Haus zu nehmen, vielleicht hielten sie doch länger vor, als ich glaubte.

Wie hatte Ada es nur geschafft, auch noch im hohen Alter so spartanisch zu leben und so viele Dinge in ihrem Alltag allein zu bewältigen, die manchen jungen Städter garantiert zur Verzweiflung gebracht hätten?

Nachdem ich im Haus einen wohltuend heißen Sanddorntee geschlürft und mir dazu eine weitere Scheibe Kuchen gegönnt hatte, erwachte mein Tatendrang aufs Neue. Ich musste auf alle Fälle herausfinden, wann die nächste Möglichkeit bestand, Fliederoog auf eigene Faust zu verlassen. Wenigstens hatte ich Internetempfang über das Smartphone, obwohl das Laden der Seite mit den Fährverbindungen unverhältnismäßig lange dauerte. Doch meine Laune sank sofort ins Bodenlose, als ich sah, dass die Fähre von Schlüttsiel Fliederoog nur mittwochs und samstags ansteuerte. Das bedeutete, dass ich hier noch mindestens einen Tag und zwei kalte Nächte lang festsaß, wenn Einspänner mich nicht mit der Lore zurück aufs Festland brachte.

Mit dem Vorsatz, mir Enrik Schaefers Telefonnummer zu besorgen, wählte ich Jaspers Kurzwahl. Doch leider bekam ich nur »Hier ist die Mailbox von Jasper. Ich rufe zurück!« zu hören.

Sicher würde er sein Telefon erst wieder einschalten, wenn er die Arzttermine hinter sich gebracht hatte, dachte ich und bemerkte mit Schaudern, dass die dunklen Regen- und Sturmwolken nun mit der Dämmerung verschmolzen waren. Da ich mich auf Fliederoog nicht besonders gut auskannte, machte es jetzt natürlich überhaupt keinen Sinn mehr, zum Kiek ut zu fahren. Außerdem war die Frage, ob das Restaurant mit dem Laden überhaupt geöffnet hatte.

Ich googelte den Namen, fand jedoch keine Website. Lediglich einen Hinweis in einem Blogbeitrag über Halligen, dazu eine Telefonnummer.

Als ich diese wählte, ertönte die Stimme einer Frau, die den Text auf dem Anrufbeantworter hörbar unsicher besprochen hatte: »Moin. Wir sind zurzeit nicht da oder haben zu tun. Versuchen Sie es einfach später noch mal.« Eine Nachricht konnte man nicht hinterlassen.

Gerade als ich überlegte, die Lorenzens anzurufen, die auf Adas Bauernhof wohnten, und um Hilfe zu bitten, hörte ich ein Klopfen.

Verwirrt ging ich zur Tür und öffnete sie.

Doch anstelle von Besuch stand auf der Schwelle ein elektrischer Heizlüfter. Daran klebte ein Zettel mit den dahingekritzelten Worten *Damit Sie keinen Gefrierbrand kriegen.*

13. Kapitel

Erleichtert, eine Möglichkeit zum Heizen zu haben, beschloss ich, den Rest des Tages in Adas Schlafzimmer zu verbringen, da dieser Raum am schnellsten warm werden würde. Ich grübelte immer noch darüber nach, wer mein Retter in der Not gewesen sein konnte, denn auf dem Zettel stand keine Unterschrift. Im Grunde kamen nur Reemt, Einspänner und die Lorenzens in Frage.

Mittlerweile war es kuschlig warm, und ich hatte Adas altes Kofferradio angestellt. Aus der Box ertönte klassische Musik, offenbar hatte meine Großmutter diesen Sender am liebsten gehört. Obwohl es erst achtzehn Uhr war, schenkte ich mir ein Glas Rotwein ein. Mit verschränkten Beinen saß ich auf dem Bett, über das ich eine Tagesdecke gebreitet hatte, und trug sowohl meinen gemütlichsten Pullover als auch eine Jog-Pant und Flauschsocken. Ein wenig unwillig spielte ich mit dem Handy herum, denn ich musste sowohl meine Mutter anrufen als auch Oliver. Beide Telefonate würden nicht einfach sein, also trank ich einen weiteren Schluck Wein, um mich zu entspannen, bevor ich mit beiden sprach.

Doch Hanne kam mir zuvor.

»Ist alles okay bei dir?«, fragte sie übergangslos, nachdem ich den Anruf angenommen hatte. Ich kannte diesen leicht gehetzten, besorgten Tonfall und konnte ihn überhaupt nicht leiden, weil er mich stresste. »Bist du gut angekommen, ist alles in

Ordnung mit dem Haus? Wie ist das Wetter auf Fliederoog? Geht es dir gut?«

Die Fragen meiner Mutter prasselten wie Kugelhagel auf mich ein.

»Hallo erst mal. Ja, alles gut bei mir«, antwortete ich, darum bemüht, mir nicht anmerken zu lassen, dass ich einen äußerst schwierigen Start auf der Hallig gehabt hatte. »Das Wetter könnte zwar besser sein, aber ich habe es mir gemütlich gemacht und genieße es, einfach mal tun und lassen zu können, was ich will, ohne von einem Termin zum nächsten zu hetzen. Und du? Was gibt's Neues bei dir?«

Ich hoffte, Hanne mit meiner Gegenfrage ablenken zu können, was mir auch prompt gelang. Sie erzählte von einer Ausstellungseröffnung, zu der sie heute Abend mit einer Freundin gehen wollte, und beschwerte sich darüber, dass Felix nicht erreichbar war.

»Aber du weißt doch, dass er immer mal wieder abtaucht, gerade, wenn er einen Job hat«, versuchte ich Hanne zu beschwichtigen. »Er hilft doch momentan beim Umbau dieser Kneipe auf St. Pauli und wird sicher alle Hände voll zu tun haben. Die wollen in einer Woche wieder aufmachen, das könnte ganz schön knapp werden.«

»Hat Jasper dir denn wenigstens alles im Haus gezeigt? Hast du alles, was du brauchst?«, fuhr meine Mutter fort, ohne weiter auf das Thema Felix einzugehen.

»Ja, das hat er«, schwindelte ich, um sie nicht zu beunruhigen. »Aber sag mal, kennst du Jasper eigentlich persönlich?«

Mehr als ein »Flüchtig« war Hanne nicht zu entlocken, also beließ ich es dabei und lauschte stattdessen ihren Anekdoten aus dem Friseursalon, in dem sie als Empfangsdame arbeitete.

117

Nachdem wir uns voneinander verabschiedet hatten, schloss ich einen kurzen Moment die Augen, um innezuhalten und mich auf das Gespräch mit Oliver einzustimmen.

Momentan hatte ich überhaupt keine Ahnung, was ich sagen sollte. Sollte ich ihm eine gute Reise wünschen?

Viel Glück?

Beides war komplett absurd.

Und beides tat verdammt weh!

Auch wenn mein Kummer über unsere schwierige Situation durch die Ereignisse auf Flieeroog ein wenig in den Hintergrund gerückt war, fühlte ich tief in mir eine Anspannung, die ich gern losgeworden wäre. Es gab Momente, in denen ich mir beinahe wünschte, Oliver ginge wirklich zu seiner Frau zurück. Dann säße ich nicht mehr in dieser elenden Grübel- und Entscheidungsfalle fest und hätte den Schmerz zu akzeptieren.

Was hätte meine Großmutter an meiner Stelle getan?

War sie jemals in einer vergleichbaren Situation gewesen?

Gedankenverloren nahm ich noch einmal ihren Brief, den ich griffbereit auf den Nachttisch gelegt hatte, und las ihre zu Herzen gehenden Zeilen ein weiteres Mal:

Doch die Erfüllung dieser Wünsche ist nicht immer zu Deinem Besten, auch wenn Du das vielleicht denkst.

Weise Worte, an denen viel Wahres dran war.

Konnte es sein, dass das Schicksal etwas ganz anderes mit mir vorhatte und Oliver gar nicht der richtige Mann war, um meine Sehnsucht nach einer intakten Familie und einer dauerhaften Bindung zu erfüllen?

Würde nicht stets – selbst wenn er sich wirklich von Katharina trennte – ein Funke Misstrauen übrig bleiben?

Würde ich dann eifersüchtig seine Schritte überwachen, aus Furcht davor, ich könnte eines Tages selbst die Betrogene sein?

Angesichts dieser grauenvollen Vorstellung begann ich am ganzen Leib zu zittern. Wieso musste nur alles so verdammt kompliziert sein? Erste Tränen rollten über meine kalten Wangen, als eine WhatsApp-Nachricht von Oliver eintraf.

Sorry, ich schaffe es heute nicht mehr, dich anzurufen. Katharina ist früher nach Hamburg gekommen als geplant. Ich versuche aber, von unterwegs aus mit dir in Kontakt zu bleiben. Hab eine schöne Zeit auf Föhr und erhol dich.
Tausend Küsse, dein Oliver

Tausend Küsse?!

So etwas hatte er zuvor noch nie geschrieben.

Insgesamt klang seine Nachricht, als hätte er sich dazu zwingen müssen, sie zu schreiben. Kein Wort von Sehnsucht, Vermissen. Keine Aussicht auf etwas Konkretes.

Ich versuche aber, von unterwegs aus mit dir in Kontakt zu bleiben. Was sollte das denn bitte schön heißen?

Natürlich wusste ich, dass es auf Kreuzfahrten nicht immer leicht war, eine Internetverbindung herzustellen. Aber es gab Landgänge, die Möglichkeit, Briefe zu verschicken.

Postkarten aus einer der Hafenstädte.

Es gab immer einen Weg, wenn man wirklich wollte.

In diesem Moment beschloss ich, Oliver zunächst so gut es ging aus meinem Herzen zu verbannen und mich in den kommenden drei Wochen in erster Linie auf mich selbst zu konzentrieren.

Wie es schien, war ich zurzeit nicht in der Lage, irgendetwas an der Situation zu beschleunigen oder zu verändern.

Bis auf meine innere Haltung dazu.

Wie hatte es doch neulich so schön in einem der Mindstyle-Magazine gestanden?

Ich kann vielleicht die Umstände nicht ändern. Aber ich kann entscheiden, wie ich mit der Situation umgehe, die mich belastet. Will ich ein Opfer bleiben, oder beschließe ich, glücklich zu sein?

Oder wie Meggie immer so schön sagte: »Love it, change it, or leave it.«

In diesem Moment vernahm ich erneut ein Klopfen, aber diesmal an der Fensterscheibe. Reflexartig löschte ich das Licht und blinzelte erschrocken in die Dunkelheit. Dann erblickte ich die Silhouette eines Gesichts, das direkt ins Zimmer schaute. Einem ersten Impuls folgend, wollte ich mich am liebsten unter Adas Decke verkriechen, doch schließlich gewann mein Verstand die Oberhand.

Entschlossen, herauszufinden, was hier vor sich ging, hastete ich in den Flur und öffnete den oberen Teil von Adas Klönschnacktür.

»Moin, tut mir leid, wenn ich Sie erschreckt habe«, vernahm ich eine weibliche Stimme aus dem Halbdunkel. »Ich bin Jaspers Enkelin Marie. Jasper hat mich gebeten, nach Ihnen zu schauen. Eigentlich wollte ich schon früher kommen, aber der Sturm war so stark, dass ich gewartet habe, bis er etwas abflaut.«

»Marie, das ist ja nett. Kommen Sie doch herein«, sagte ich, hocherfreut über diesen unerwarteten Besuch, und öffnete die Tür nun ganz.

In den Flur trat eine wunderhübsche Frau Anfang dreißig, deren dicke, hellblonde Haare zu zwei Zöpfen geflochten waren, die ihr links und rechts bis zu den etwas breiteren Hüften hingen.

»Kann ich Ihnen etwas zu trinken anbieten?«, fragte ich. »Tee, Kaffee? Rotwein?«

»Och, Rotwein wäre nett«, antwortete Marie, hängte ihren Parka an den Garderobenhaken und zog dann die Schultern hoch. »Brrrr, das ist ja lausig kalt hier.«

»Ja, leider«, stimmte ich ihr zu. »Deshalb habe ich mich auch in Adas Zimmer verkrochen. Gehen Sie doch schon mal vor, ich hole inzwischen den Wein und ein bisschen was zu knabbern. Sie kennen ja den Weg, nehme ich an?«

Marie nickte, ging den Flur entlang, und ich folgte wenig später mit einem Tablett, beladen mit Oliven, Käsewürfeln, einem Glas und Crackern. Jaspers Enkelin stellte eine schmale Flasche dazu, auf deren Etikett *Friesengeist* stand.

»Zum Aufwärmen und Ankommen«, erklärte sie augenzwinkernd. »Hat denn bis jetzt alles so weit geklappt?«

Ich fasste die Ereignisse des Tages zusammen und ließ dabei natürlich weder die Begegnung mit Einspänner aus noch die mit Reemt. Marie hatte mir gegenüber auf Adas Lesesessel Platz genommen, ich selbst hatte mich wieder aufs Bett gesetzt.

Erst als ich geendet hatte, umspielte ein Lächeln ihre vollen, wunderschönen Lippen. Marie war komplett ungeschminkt, für eine Städterin wie mich ein ungewohnter Anblick. Helle, gebogene Wimpern bildeten einen Kranz um tiefblaue Augen, in denen ich Jasper wiedererkannte.

»Na, das ja 'n Ding!«, war alles, was sie zunächst zu meiner Geschichte sagte. Dann trank sie einen Schluck Wein, und ich sah, dass ihre Hände zu ihrem eher kräftigen Körperbau passten. Die Nägel waren kurz gehalten und hatten vermutlich noch nie Bekanntschaft mit Lack gemacht.

»Dieser Radiator ist übrigens eine edle Spende von jemandem, der sich nicht zu erkennen geben wollte«, fuhr ich fort und reichte Marie den Zettel. »Ohne den Heizlüfter wäre ich jetzt aufgeschmissen, weil nur noch wenig Holz und Öl da ist.«

Marie fing prompt an zu lachen. »›Damit Sie keinen Gefrierbrand kriegen‹, ich schmeiß mich weg. Dem Humor nach zu
urteilen, stammt der Spruch von einem Friesen. Aber ich kann
Ihnen leider nicht sagen, von wem. Außer, dass er auf der Hallig wohnen muss, weshalb Reemt nicht Ihr Retter in der Not
sein kann.« Sie schnappte sich einen Käsewürfel und sah mich
fragend an. »Sag mal, ist es okay, wenn wir uns duzen?«

»Klar«, sagte ich lächelnd, da ich Maries unkomplizierte Art
sehr sympathisch fand.

»Das Kiek ut verkauft übrigens sowohl Heizöl als auch Holz«,
informierte Marie mich, nachdem sie sich noch eine Olive in
den Mund geschoben hatte. »Komm doch morgen vorbei, hol
dir alles, was du brauchst, und ich zeig dir, wie man den Ölofen
in Gang kriegt, falls du das nicht weißt.«

»Fein«, gab ich erfreut zur Antwort. »Dann brauche ich mir
dafür kein Tutorial herunterzuladen. Die Internetverbindung
hier ist so mies, dass ich vermutlich eh kein Video zu Ende hätte schauen können.«

»Tutorial?«, fragte Marie entsetzt. Ich wollte ihr gerade erklären, was das war, doch sie kam mir zuvor: »Du lässt dir doch
nicht allen Ernstes von irgendeinem selbsternannten YouTube-
Guru die einfachsten Dinge des Lebens beibringen?! Wozu gibt
es denn Nachbarn? Freunde?«

»Du vergisst, dass ich hier noch kaum jemanden kenne bis
auf Einspänner. Und der hat sich vorhin schneller aus dem
Staub gemacht, als ich ›Hiergeblieben!‹ rufen konnte.«

»Dafür kennst du ja jetzt mich«, entgegnete Marie mit brei-
tem Lächeln. Dabei konnte ich sehen, dass eine kleine Ecke
ihres Schneidezahns abgebrochen war, was sehr sexy war. »Allerdings bin ich nicht ständig auf der Hallig. Ich pendle zwischen FlJederoog und Husum.«

»Wieso das?«, fragte ich interessiert. Marie gefiel mir, und ich war neugierig, alles über Jaspers Enkelin zu erfahren.

»Ich arbeite der Familientradition wegen aushilfsweise im Kiek ut und wohne in dieser Zeit im Zimmer über dem Gasthof. Den größten Teil der Woche bin ich aber in Husum, wo ich eine Werkstatt habe. Ich bin Goldschmiedin.«

Mein Blick wanderte an Marie auf und ab, doch sie trug kein bisschen Schmuck. Das einzig Auffällige an ihr war das Motiv eines Piraten mit türkisfarbener Augenklappe, das ihren grauen Hoodie zierte. Ihre Jeans war schlicht, ebenso die derben Stiefel an ihren Füßen.

»Wo ist denn deine Werkstatt? Die würde ich mir bei Gelegenheit gern mal anschauen«, sagte ich. »Ich liebe Schmuck. Allerdings muss er ...«

»... aus Silber sein und eher puristisch«, vervollständigte Marie meinen Satz.

»Woher weißt du das?«, fragte ich überrascht.

»Zu deinem Teint und deiner Haarfarbe passen eher kühle Töne, oder das trendige Roségold. Alles, was schnörkelig ist, würde in Kombination mit deinen Locken überladen wirken.«

»Hey, ich bin beeindruckt«, sagte ich, weil Marie es komplett auf den Punkt gebracht hatte. »Du bist bestimmt gut in deinem Job.«

»Wusstest du, dass Ada in ihrer Jugend ebenfalls eine Ausbildung zur Goldschmiedin gemacht hat?«, fragte Marie, ohne auf mein Kompliment einzugehen. »Sie hatte ein tolles Gespür für Design und war unglaublich kreativ. Und auch ein bisschen verrückt. Aber das mochte ich immer ganz besonders an ihr.«

»Hat sie den Schmuck hier oben im ersten Stock gefertigt?« Marie nickte. »Als ich vorhin nach einer Heizung gesucht habe, hatte ich den Eindruck, dass eines der oberen Zimmer eher zum Arbeiten gedacht war. Ich wollte es mir morgen genauer anschauen.«

»Du weißt nicht viel über deine Großmutter, habe ich recht?« Marie wirkte fast ein wenig bekümmert.

»Im Grunde gar nichts«, gestand ich. »Meine Mutter hat dieses Thema immer abgeblockt, weshalb ich auch so überrascht war, als die Nachricht von Adas Tod und dem Erbe kam. Das ist wirklich traurig, denn ich weiß noch nicht einmal, wie sie aussah.«

»Wie bitte? Echt nicht? Warst du denn noch nicht im Leuchtturm?« Marie schien ehrlich entsetzt, als ich den Kopf schüttelte. »Wenn das so ist, auf, auf! Schnapp dir den Schlüssel. Ich werde dich jetzt mit Ada Schobüll bekannt machen.«

Nur wenig später blickte ich zum ersten Mal in meinem Leben in das Gesicht meiner Großmutter.

Im schneckenförmigen Treppenhaus des Leuchtturms hingen, mit Tesafilm an den weißen Wänden aus Gusseisen befestigt, Dutzende Fotografien, die Ada zusammen mit anderen Menschen zeigten. Und egal, wie alt sie auch gewesen war und wie gut getroffen, ich sah auf jedem Bild eine interessante, attraktive Frau mit einem herzförmigen Muttermal oberhalb des Schlüsselbeins.

Genau an derselben Stelle wie bei mir.

Und ich erkannte, dass ich die Frau in einem Kleid aus grünem Chiffon mit dem knallroten Halstuch und der roten Tasche bereits einmal in meinen Träumen gesehen hatte.

14. Kapitel

Der erste April begann so launisch, wie man es von einem Apriltag erwartete: Im Viertelstundentakt wechselten sich Wolkenbänder, kurze Regenschauer und sonnige Abschnitte ab, der Wind strich immer noch um Adas Haus, war jedoch um einiges sanftmütiger gestimmt als am Tag zuvor.

Die hochstehende Sonne entwickelte jedoch enorme Kraft, und so konnte ich meinen ersten Morgenkaffee auf Fliederoog in einer windgeschützten Ecke hinter dem Haus mit Blick auf die Nordsee genießen. Warm eingepackt in die Daunenjacke, zusätzlich eine Wolldecke um die Hüften gewickelt, saß ich auf einer schlichten Holzbank, im Rücken die Hauswand, unter meinen Füßen zartgrünes Frühlingsgras.

Vor mir lag Adas Garten, hinter dem sich das Meer in den Horizont ergoss. Ein Platz, der sich zugleich fremd und vertraut anfühlte, wie der Blick auf die Fotografien meiner Großmutter – ein nahezu unerklärliches Gefühl.

Ich atmete tief ein und aus und ertränkte die Alpträume und unguten Gefühle der vergangenen Nacht in den Wellen der Nordsee, die sich sanft kräuselte und mal grau, mal grün schimmerte. Wenn ein Wolkenband den Himmel bedeckte, verzog das Meer beleidigt sein Gesicht und verdunkelte sein Antlitz zu dunklem Grau, das an manchen Stellen in Schwarz überzugehen schien.

Keine Ahnung, wie lange ich einfach nur dagesessen und in

die Ferne geschaut hatte. Vielleicht war ich zwischendrin sogar mal weggedöst, ich wusste es nicht. An diesem Ort verwischten sich die Konturen, und ich konnte gut verstehen, dass Ada und Einspänner sich gern hier aufgehalten und gemeinsam geschwiegen hatten.

Wozu auch reden?

An diesem Ort gab es genug zu lauschen.

Der Wind raunte, mal lauter, mal leiser, Seeschwalben stießen aufgeregte Schreie aus und eiferten mit dem Kreischen der Möwen um die Wette. Von irgendwoher ertönte sanftes Glockengeläut, eine Biene nahm summend Kurs auf meine Nase, um kurz vor der Landung abzubiegen und ihren Flug in Richtung Garten fortzusetzen. Schafe weideten auf den saftigen Salzwiesen.

Zum ersten Mal in meinem Leben wusste ich nicht, wie spät es war, und hatte sogar mein Handy im Haus liegen lassen.

Erinnerungen an die Begehung des Leuchtturms stiegen erneut in mir auf und überfluteten mich. Endlich die Frau zu sehen, die meinen Vater – und somit in gewisser Weise auch mich – geboren hatte, war außerordentlich berührend gewesen.

Ich erkannte mich in ihr, trotzdem war sie eine Fremde für mich. Die vielen Fotos im Leuchtturm zeugten davon, dass Ada zahllosen Menschen viel bedeutet haben musste.

Dies zu wissen und zu sehen war unglaublich spannend, schmerzte zugleich aber auch.

Wie konnte es sein, dass so viele den Arm um sie hatten legen dürfen, um gemeinsam mit ihr in die Kamera zu lächeln? Nur ich, ihr eigen Fleisch und Blut, hatte nie ihre Hand halten, nie ihre Stimme hören dürfen.

Niemals ihr Lachen.

Niemals ihr Weinen.

Diese Bilder zu betrachten war, als sähe ich plötzlich einen

Teil von mir, von dem ich immer gewusst hatte, dass er fehlte. Ich hatte das nie so genau benennen oder definieren können. Es war vielmehr ein unbestimmtes Gefühl, eine diffuse Sehnsucht, die ich seit Kindertagen mit mir umhertrug, wie einen leichten Rucksack, der noch gefüllt werden musste.

»Ich möchte so gern alles über diese Frau wissen«, hatte ich Marie zugeflüstert, weil ich mich im Leuchtturm wie in einem Museum fühlte. Oder wie an einer Gedenkstätte von historischer Bedeutung. »Kann Jasper mir dabei helfen?«

»Das wird er, genau wie ich. Aber alles zu seiner Zeit«, hatte Marie leise geantwortet, meine Hand genommen und erst wieder losgelassen, nachdem wir den Leuchtturm verlassen hatten.

Auch jetzt konnte ich noch ihren festen, warmen Händedruck spüren, in dem zugleich Verständnis, Mitgefühl, aber auch etwas Zupackendes lag. Marie schien der Himmel geschickt zu haben – oder Ada, die wusste, dass ich in diesen Tagen Beistand brauchen würde.

Nachdem ich den Kaffee ausgetrunken hatte, öffnete ich die Pforte zu Adas Garten. Natürlich hatte der lange Winter auch hier seine Spuren hinterlassen, dennoch reckten Krokusse, Narzissen und Tulpen keck ihre Blumennasen aus der Erde und lächelten mir fröhlich zu.

Der linke Teil des Gartens war in mehrere Beete unterteilt, die teils mit Stroh bedeckt waren. Sicher hatte Ada hier Gemüse angebaut, um sich selbst versorgen zu können. Der rechte Teil würde sich im späten Frühling in ein Blumenmeer verwandeln, das aus einem bestimmten Blickwinkel in das echte Meer überging. Umsäumt war das kleine Paradies von einem für die Region typischen Friesenwall.

Und über allem spannte sich der weite Himmel der Unendlichkeit.

Bemüht, auf keine der Pflanzen zu treten, deren Blattgrün von allen Seiten auf die Holzbohlen wucherte, ging ich ans Ende des Gartens, um von dort aus aufs Meer zu schauen. Die Warft endete ein ganzes Stück hinter dem Garten und ging dann in flaches Marschland über.

Ich wusste nicht, wie viele Meter tatsächlich zwischen Adas Haus und der Nordsee lagen, aber es schienen mir aus dieser Perspektive nicht besonders viele zu sein.

Allerdings täuschte kaum etwas mehr die Sinne als die freie Natur und das Meer, das – je nach Lichteinfall – mal weit weg, mal näher da zu sein schien. Bislang hatte keine der Sturmfluten Adas Haus zerstört, selbst die schweren Stürme Xaver und Christian hatten die Bewohner der Halligen zwar in Angst und Schrecken versetzt, letztlich zum Glück aber nicht ganz so viel Schaden angerichtet wie befürchtet.

Einige Fotos im Leuchtturm zeigten die Wiesen vor Adas Haus, übersät mit Strandflieder in den herrlichsten Pastelltönen.

Wie gern würde ich dieses Schauspiel mal in echt sehen!, schoss es mir durch den Kopf.

Doch die Blütezeit des Halligflieders begann erst Ende Juli, Anfang August, also in vier Monaten.

Ich versuchte mir vorzustellen, was in dieser Zeit alles geschehen würde.

Sollte ich Adas Erbe wirklich veräußern, würde ich niemals erfahren, wie der Sommer auf Fliederoog sich anfühlte, wie er duftete, wie er schmeckte.

Ich würde weder sehen, was aus Adas Blumengarten wurde, noch würde ich wissen, ob ihr selbst angebautes Gemüse genauso lecker und aromatisch war wie jenes vom Markt in Ottensen.

Tief in mir verspürte ich die Sehnsucht danach, einfach hierzubleiben und damit meiner Großmutter nahe zu sein.

Doch gleichzeitig wusste ich auch, dass es Irrsinn wäre, diesem Gedankengang auch nur eine Sekunde lang nachzugeben, weil er zu nichts führte.

Wer sollte sich um all das hier kümmern, wenn ich weiterhin in Hamburg wohnte und beinahe rund um die Uhr arbeitete? Ich würde schließlich kaum mehr als ein paarmal im Jahr nach Fliederoog fahren können.

Außerdem gab es zwei weitere ungeklärte Komponenten in meinem Leben: meine problematische Liebe zu Oliver und die Sorge um meinen Job. Es wäre naiv zu glauben, dass er sicher war, schließlich standen die Vorzeichen gerade äußerst schlecht. Nur wie konnte es sein, dass alles, was mir wichtig war und Halt gegeben hatte, auf einmal aus den Fugen geriet?

Wie gern hätte ich jetzt den Rat von jemandem bekommen, der mehr Weitsicht besaß als ich. Der nicht so persönlich in diese Familiengeschichte verstrickt war wie meine Mutter.

Waren die vielen Menschen, die ich auf den Fotografien gesehen hatte, zu Ada gekommen, weil sie eine weise Ratgeberin gewesen war? Hatte sie über hellsichtige Fähigkeiten verfügt?

Hatte sie eine Kristallkugel befragt oder Tarot-Karten gelegt?

Auf welche Weise hatte sie den Menschen geholfen, die ihre Dankbarkeit in Form von Briefen und Geschenken ausgedrückt hatten, die meine Großmutter in einer Vitrine im Erdgeschoss des Leuchtturms aufbewahrte?

Ich dachte an den Text auf dem Schild, das rechts von der Eingangstür des Turms befestigt war:

Seit Beginn der Schifffahrt endeten die abenteuerlichen Reisen für viele tapfere Seefahrer mit dem Tod. Dies änderte sich, als 1906 dieser Turm gebaut und 1908 das Leuchtfeuer in Betrieb genommen wurde. Es ist die Aufgabe eines Leuchtturms, den

Weg zu weisen und Umherirrende vor dem Untergang zu bewahren. So, wie ich es mir zur Aufgabe gemacht habe, umherirrenden Seelen den richtigen Weg zu weisen.
Ada Schobüll

»Hallo, Ada, ich bin auch eine umherirrende Seele«, murmelte ich. »Ich brauche jetzt deine Hilfe. Bitte gib mir ein Zeichen, was ich mit deinem Besitz anfangen soll. Ich wünsche mir so sehr, das Richtige zu tun, weiß aber gerade nicht, welchen Weg ich einschlagen soll.«

Plötzlich ertönte über meinem Kopf lautes Getöse.

Mit klopfendem Herzen schaute ich in den Himmel und erblickte einen Schwarm Vögel mit schiefergrauem Gefieder und weißen Halsbändern. Ihre Rufe klangen wie »Ack« oder »Ek«, und sie bewegten ihre breiten Schwingen elegant und majestätisch.

Ich schirmte meine Augen gegen die Sonne ab und erkannte, dass es so weit war; die ersten Ringelgänse nahmen Kurs auf die Halligen, um sich dort in den kommenden Wochen die Bäuche mit dem saftigen Seegras der Salzwiesen und anderen Meerespflanzen vollzuschlagen, um später für ihren langen Flug in die arktischen Brutgebiete genährt zu sein.

Fasziniert schaute ich den schönen Tieren eine Weile hinterher und beobachtete, wie eines nach dem anderen in den Wattwiesen landete und zu fressen begann.

Sie sind Zugvögel auf der Durchreise, dachte ich versonnen. *Sie sind, wie ich mich momentan fühle.*

Mit dem großen Unterschied, dass sie ihr Reiseziel kannten …

15. Kapitel

Als ich zurück ins Haus ging, weil es zu nieseln begann, klingelte das Telefon.

Verwundert schaute ich mich um, denn das Läuten stammte definitiv nicht von meinem Handy. *Wer das wohl ist?*, fragte ich mich und nahm den Hörer des altmodischen Apparats mit Wählscheibe hoch, um den Anruf entgegenzunehmen.

»Moin, hier ist Nadine Lorenzen. Ich wollte nur mal fragen, wie es Ihnen so geht und ob Sie vielleicht Lust haben, heute zu uns zum Abendessen zu kommen. Mein Mann und ich würden uns freuen.«

Ich sagte begeistert zu, und so verabredeten wir uns für achtzehn Uhr. In Hamburg wäre ich nie so früh essen gegangen; weil Adas Mieter aber kleine Kinder hatten und es auf Fliederoog um spätestens neunzehn Uhr dunkel wurde, passte alles bestens. Zudem war ich froh, wenigstens einen Abend lang der Grübelfalle zu entkommen und mich ein bisschen ablenken zu können.

Da der Regen inzwischen wieder nachgelassen hatte, beschloss ich, zum Kiek ut zu radeln.

Also holte ich Adas Fahrrad aus dem Schuppen und stellte dabei fest, dass der Sattel genau auf der richtigen Höhe saß; offenbar war meine Großmutter tatsächlich ähnlich klein gewesen wie ich, ganz wie Felix vermutet hatte. Auf dem Gepäckträger war ein Fahrradkorb befestigt, perfekt geeignet zum Einkaufen.

Alles zu seiner Zeit, hatte Marie auf meine Bitte hin gesagt, mir dabei zu helfen, mehr über sie zu erfahren.

Das klang äußerst geheimnisvoll.

Und auch ein bisschen seltsam!

Ich war gespannt zu hören, was die Lorenzens heute Abend über sie zu berichten haben würden.

Als ich die Marschwarft erreicht hatte, fand ich mich zum Glück gut zurecht, obwohl mein Orientierungssinn gleich null war. Mein erster Besuch mit Jasper und Felix war gerade jetzt sehr präsent, und ich vermisste meinen Bruder schmerzlich. Seine lockere, fröhliche Art hätte bestimmt so manchen melancholischen Moment erhellt, und sein Lachen hätte trübe Gedankenwolken schnell hinweggefegt. Wenn ich auf dem Weg jemandem begegnete oder auf einen Halligbewohner traf, der in seinem Garten arbeitete, grüßte ich mit einem freundlichen »Moin«, erntete allerdings größtenteils nur irritierte, teils verhaltene Blicke. Kaum einer grüßte zurück.

Sicher war man es auf Fliederoog nicht gewohnt, Fremde zu sehen, besonders außerhalb der Saison. Ich versuchte, mich von der reservierten Art der *Halliglüüd* nicht verunsichern zu lassen, weil ich wusste, dass ich im Kiek ut gleich auf ein mir wohlgesinntes Wesen treffen würde: Marie.

»Moin, da bist du ja«, begrüßte sie mich mit warmem Lächeln und trat hinter dem Kassentresen hervor, wo sie gerade dabei gewesen war, Papiere zu sortieren. »Gut geschlafen? Die erste Nacht auf einer Hallig ist bestimmt eine aufregende Sache, oder?«

Außer mir war nur eine alte Dame im Laden, die mich zunächst neugierig musterte, sich jedoch sofort umdrehte, als ich ihr freundlich zunickte.

»Sie war ein bisschen gewöhnungsbedürftig, das stimmt

schon«, antwortete ich und erwiderte Maries Umarmung. Heute hatte sie ihre schweren Haare zu einem Topknot aufgetürmt, trug ein bisschen Mascara und filigrane goldene Ohrringe in Form von Sternen. Mit ein bisschen mehr Make-up und hipper Kleidung hätte sie das Zeug zu einem Model, Typ nordische Walküre, dachte ich, verwarf den Gedanken aber sofort wieder. Auf der Hallig spielte das Aussehen keine große Rolle, und ich ermahnte mich, weniger schnell zu werten und zu urteilen, sondern die Dinge einfach so sein zu lassen, wie sie waren.

»Du hattest doch hoffentlich keine Angst?«, fragte Marie, sichtlich besorgt um mein Wohlergehen. »Auf Fliederoog ist es im Gegensatz zur Stadt stockduster, das ist sicher eine große Umstellung für dich.«

Irrte ich mich, oder pirschte sich die Dame immer näher an uns heran? Mit dem Rücken zu uns stehend, tat sie so, als würde sie eifrig das Angebot in den Regalen studieren. Dabei arbeitete sie sich Zentimeter für Zentimeter weiter in unsere Richtung vor. Allerdings ohne auch nur irgendetwas in ihren Einkaufskorb zu legen, den sie um ihr schmales Handgelenk trug.

»Ach, das kenne ich von den Nordfriesischen Inseln«, entgegnete ich. »Warst du schon mal nach Einbruch der Dunkelheit in Oldsum unterwegs? Da hast du ganz schlechte Karten, weil es kaum Laternen gibt. Deshalb trage ich auch immer mein Handy bei mir und zusätzlich eine kleine Taschenlampe, die ich an meinem Schlüsselbund befestigt habe.«

»Du kennst dich also auf den Inseln aus?«, fragte Marie, ehrlich interessiert. »Das ist ja schon mal eine ganz gute Voraussetzung, um Adas Erbe anzutreten.«

In diesem Moment ließ die Lauscherin eine Dose fallen, die daraufhin mit lautem Klackern quer über den Holzboden rollte, direkt vor meine Füße.

»Ups, die gehört wohl Ihnen«, sagte ich, nachdem ich die Konservenbüchse aufgehoben hatte. Dann reichte ich sie der Dame. Mehr als ein gepresstes »Danke« brachte sie allerdings nicht hervor und vermied auch dabei jeglichen Blickkontakt mit mir.

»Darf ich vorstellen, Wiete, das ist Juliane Wiegand, Adas Enkelin. Juliane, das ist Wiete Bruhns, die ehemalige Hallig-Lehrerin. Sie hat übrigens auch deinen Vater unterrichtet.«

»Gott hab ihn selig«, murmelte Wiete, würdigte mich allerdings immer noch keines Blickes. Hätte sie sich bekreuzigt und mich mit Weihwasser bespritzt, hätte mich das nicht weiter verwundert.

»Na, dann kennt ihr beiden euch ja jetzt«, sagte Marie so trocken, dass ich an mich halten musste, um nicht laut loszulachen. Erst Einspänner, dann Reemt und nun Wiete Bruhns. Eine Ansammlung von eigenartigen Leuten, die allesamt nicht besonders davon angetan zu sein schienen, dass ich hier auf Fliederoog aufgekreuzt war.

»Und, Juliane? Brauchst du nur was zum Heizen, oder kann ich dir sonst noch was Gutes tun? Holz und Öl bringt dir übrigens nachher jemand vorbei. Wenn ich das richtig verstanden habe, bist du ja noch ein paar Tage hier und brauchst eine ganze Menge, nicht wahr?«

Ich nickte erfreut und begann dann, das Angebot des Kiek ut in Augenschein zu nehmen, das einfach, aber gut sortiert war. Im Grunde gab es hier alles, aber von jedem Produkt nur ein, maximal zwei Sorten. Eine echte Wohltat, wie ich feststellte. Auf diese Weise musste man nicht stundenlang vor komplett überfüllten Regalen stehen und sich zwischen Hunderten Sorten Reis, Nudeln, Joghurt und Tee entscheiden, um womöglich am Ende doch die falsche Wahl zu treffen. Wie oft war es mir schon passiert, dass ich in der Hektik aus Versehen nach der falschen Milch gegriffen und plötzlich eine Variante mit Soja im Kühlschrank stehen hatte, die ich gar nicht haben wollte.

»So schnell habe ich noch nie meine Besorgungen erledigt«, sagte ich zu Marie, die die Preise meiner Einkäufe in die Kasse tippte. Wiete Bruhns hatte den Laden mittlerweile verlassen. Ohne etwas zu kaufen und ohne jeden Gruß.

»Tja, hier hat so manches durchaus Vorteile«, antwortete Marie grinsend und packte meine Einkäufe in eine Papiertüte. »Und? Was hast du heute noch Schönes vor?«

Ich erzählte, dass ich abends bei den Lorenzens zum Essen eingeladen war, und Marie berichtete, dass sie mit der morgigen Fähre über Schlüttsiel zurück nach Husum fahren würde.

»Und wer kümmert sich in der Zeit um den Laden?«, fragte ich, ein wenig betrübt von der Vorstellung, dass sie ab morgen nicht mehr auf Fliederoog sein würde.

»Das macht Nadine. Sie arbeitet hier die meiste Zeit, weil ich ja nur sporadisch auf der Hallig bin. Nachdem die Lorenzens nach Fliederoog gezogen sind, ist ihr irgendwann die Decke auf den Kopf gefallen, und sie hat gefragt, ob sie ab und zu bei uns aushelfen kann. Als klar war, dass mein Großvater aus gesundheitlichen Gründen nach Husum zieht, hat sie die Stelle dann ganz übernommen. Wobei, was heißt schon ganz? Wir halten es hier mit den Öffnungszeiten ja eher locker, je nach Bedarf. Die meisten bestellen das, was sie brauchen, ohnehin online und lassen es sich dann von Reemt anliefern.« Marie kam hinter der Kasse hervor und stellte sich neben mich. »Würde mich übrigens freuen, wenn wir beide in Kontakt bleiben. Ich war schon ewig nicht mehr in Hamburg und hätte große Lust, dort mal wieder so richtig nett auszugehen.«

»Gute Idee«, antwortete ich. »Wir haben ja unsere Handy-nummern. Meld dich einfach, wenn du weißt, wann du kommen kannst. Ich habe ein Gästezimmer, in dem du jederzeit herzlich willkommen bist.« Mit diesen Worten verabschiedeten wir uns voneinander.

Nachdem ich meine Einkäufe im Fahrradkorb verstaut hatte, schwang ich mich auf den Sattel. Wehmütig dachte ich daran, dass Maries Besuch in den kommenden Wochen kein tête-à-tête mit Oliver stören würde und ich unsere kostbare gemeinsame Zeit demnächst nicht mehr wie eine Löwin würde verteidigen müssen.

Und vielleicht ja sogar nie mehr?

Diese Vorstellung raubte mir einen Moment die Luft zum Atmen, genau wie der scharfe Wind, der plötzlich wieder heftig blies und gegen den ich beim Fahren ankämpfen musste. Um möglichst wenig Angriffsfläche zu bieten, trat ich in gebückter Haltung kraftvoll in die Pedale und stellte mir dabei vor, dass Oliver womöglich gerade in diesem Moment mit Katharina schlief. In meinem Bauch begann es augenblicklich zu rumoren und zu schäumen. Ohnmächtige Wut machte sich in mir breit, und ich hatte nicht übel Lust, Oliver genau die Ohrfeige zu verpassen, die ich ihm gerne gegeben hätte, als er mir gesagt hatte, dass er verheiratet war.

Mit einem Mal erschien mir diese ganze Ich-nutze-die-Zeit-um-mich-von-meiner-Frau-zu-trennen-Geschichte so absurd und verlogen, dass ich mich dafür schämte, auch nur eine Sekunde lang an ein mögliches Happy End geglaubt und Verständnis für seine Situation gehabt zu haben.

Wieso hatte ich dumme Gans ihm nicht ein Ultimatum gestellt?

Warum hatte ich nicht gesagt: »Mach sofort reinen Tisch

mit Katharina und blas den Urlaub ab, oder du setzt keinen Fuß mehr über meine Türschwelle!«?

Warum verhielt ich mich in dieser Sache wie ein Lamm, das sich widerstandslos auf die Schlachtbank führen ließ?

Keine Ahnung, ob es an dem Wind lag, der meinen Zorn weiter anstachelte, oder ob dies der Moment war, in dem Ada mir ein Zeichen schickte, doch ich spürte mit jeder Faser meines Herzens das Bedürfnis, die Sache mit Oliver zu beenden. Das Schäumen in meinem Bauch musste aufhören, genau wie dieses unsinnige Grübeln und Sich-ausgeliefert-Fühlen.

Und das auf jeden Fall noch heute.

Es war mir egal, dass man so etwas nicht schriftlich tat, denn schließlich blieb mir gerade keine andere Wahl.

Nicht ich war diejenige, die sich auf eine Kreuzfahrt geschlichen hatte wie ein Dieb in der Nacht, sondern Oliver.

Es war allerhöchste Zeit, endlich an mich zu denken und daran, was mir guttat.

Weil ich es mir wert sein musste.

Am späten Nachmittag war alles erledigt, was getan werden musste: Ich hatte Oliver eine Mail geschrieben und sie nach mehrmaligem Durchlesen abgeschickt. Mit pochendem Herzen und Tränen in den Augen, aber mit der Gewissheit, genau das Richtige zu tun.

Das Schäumen in meinem Bauch wurde weniger.

Auch mein Pulsschlag beruhigte sich allmählich.

Keine zehn Minuten später lieferte ein schüchtern wirkender, aber freundlicher Junge das Holz und stapelte es im Schuppen auf, wofür ich ihm ein großzügiges Trinkgeld gab. Er hatte ebenfalls drei Kannen mit Öl auf seinem Bollerwagen und gab mir einen Zettel, auf dem Marie notiert hatte, wie viel man davon in den Ofen füllte.

Als er weg war, heizte ich den Kachelofen an, setzte Teewasser auf und schaute mich, während das Wasser kochte, in Adas Bücherregalen im Wohnzimmer nach Lesestoff um, der zu meiner momentanen Stimmung passte. Dabei stellte ich fest, dass sie offensichtlich ein Faible für Sachbücher zum Thema Esoterik und Mystik gehabt hatte. Themen wie »Engels-Notruf«, Astrologie, Runen und Orakel reihten sich an Bücher über Tarot, Feen, Lebenshilfe, indische Weisheiten und Achtsamkeit.

Ein handgebundenes Buch mit dem Titel *Das geheime Wissen der Wunschmeditation* erregte meine besondere Aufmerksamkeit.

Ich zog es heraus und sah zu, wie mir ein Zettel in einer langsamen Pirouetten-Bewegung direkt vor die Füße segelte.

Neugierig hob ich ihn auf, setzte mich damit an den Tisch und begann zu lesen:

Glück im Unglück – Unglück im Glück
(Parabel aus China)

Ein alter Bauer hatte nur ein Pferd, um seinen Acker zu bestellen. Eines Tages entwischte das Pferd aus dem Stall und war auf Nimmerwiedersehen verschwunden. Die besorgten Nachbarn und die Familie bedauerten den alten Mann. Doch dieser zuckte nur mit den Achseln und sagte: »Glück oder Unglück? Wer weiß schon, was es wirklich ist.«
Eine Woche später brachte ein Fremder dem Bauern das entflohene Pferd zurück. Als er sah, dass der alte Mann nur dieses eine hatte, bot er ihm an, ihm zwei zu schenken, denn er selbst hatte keinen Stall mehr, um diese unterzubringen.

Die Nachbarn und die Familie gratulierten dem Bauern zu diesem Geschenk. Doch dieser sagte nur: »Glück oder Unglück? Wer weiß schon, was es wirklich ist.«

Als der Sohn des Bauern versuchte, eines der neuen Pferde zu striegeln, schlug es so aus, dass es dem Sohn das Bein brach und er daraufhin nicht bei der Feldarbeit helfen konnte. Die Nachbarn und die Familien wähnten den Bauern schon vom Unglück verfolgt. Doch auch diesmal sagte er nur: »Glück oder Unglück? Wer weiß schon, was es wirklich ist.«

Eine Woche später kam die Einberufung in den Kriegsdienst, doch der Sohn des Bauern durfte wegen seiner Verletzung zu Hause bleiben.

16. Kapitel

»Sind Sie mit dem Rad gekommen oder zu Fuß?«, fragte Thomas Lorenzen und nahm mir im Flur die Daunenjacke ab.

Ich antwortete »Zu Fuß« und begrüßte Emily, die fünfjährige Tochter des Ehepaars aus Husum. Das zartgliedrige Mädchen mit dem dunklen Lockenkopf versteckte sich schüchtern hinter den langen Beinen ihres Vaters, lugte aber neugierig dazwischen hervor. Ich beschloss, sie nicht weiter zu drängen. Kinder musste man von selbst kommen lassen, das wusste ich nur allzu gut von Meggies Zwillingen.

Aus der Bauernküche zog der Duft von gebratenem Fisch ins Haus, und ich bekam augenblicklich Hunger. Bislang hatte ich mich auf Fliederoog hauptsächlich von Brot, Käse, Kuchen und einer Dosensuppe ernährt, was ich unbedingt ändern musste.

»Kommen Sie doch mit ins Esszimmer, meine Frau ist gleich so weit«, sagte Thomas Lorenzen und ging voraus in den gemütlichen Raum, den ich bereits von meinem Besuch mit Jasper und Felix kannte.

Im Gegensatz zu Adas Haus war die Fassade des Bauernhofs rot geklinkert, jedoch ebenfalls reetgedeckt. Alle Räume wurden von schweren Holzbalken durchzogen, die den hohen Giebel stützten. Es gab in diesem Langhaus mit den vielen Zimmern keinen ersten Stock, lediglich kleine Abseiten im Dachgebälk, die die Familie als Dachboden nutzte. An den Hof grenzten zwei Ställe, in denen drei Kühe, die Hühner und landwirtschaftliches Gerät untergebracht waren.

Während Adas Haus lieblich und puppenstubenhaft war, strahlte dieser Hof etwas Bodenständiges, Erdiges aus. Allerdings passte sein Name Deichtraum in meinen Augen nicht so recht.

Bei dieser Bezeichnung dachte ich weniger an gackernde Hühner und Kühe, die gemolken werden mussten, als vielmehr an etwas Luftiges, Leichtes. An Hängematten, die zwischen den Stämmen von Zitterpappeln befestigt waren, deren Blätter im Sonnenlicht silbern glitzerten und im Sommerwind leise raschelten. An Tage voller Glück, Sonne und Leichtigkeit.

»Bitte setzen Sie sich«, sagte Thomas, den ich auf Ende vierzig schätzte und der mich mit seiner sympathischen Art sofort für sich eingenommen hatte. Er deutete auf die vier Stühle, die um den rustikalen Holztisch standen. Der Fußboden war mit gebranntem Terrakotta gefliest, an einigen Stellen lagen Läufer aus hellem Sisal aus. »Möchten Sie Wein oder lieber Saft?« Ich schaute auf die bauchige Glaskaraffe, in der stilles Wasser mit zwei Scheiben Zitrone war, und entschied mich für Wein zum Wasser.

»Ah, da sind Sie ja!«, rief Nadine Lorenzen, eine Schüssel mit dampfenden, goldgelben Kartoffeln balancierend, die ihr Mann ihr abnahm und auf einen Untersetzer in der Mitte des Esstisches stellte. Dann gab sie mir die Hand und lächelte. »Schön, dass Sie es einrichten konnten. Ich hoffe, Sie mögen Scholle?«

»Sehr gern sogar«, antwortete ich und setzte mich. Emily, eben noch schüchtern, kletterte auf den Stuhl neben mir.

»Damit hat sich die Frage, wo meine Frau und ich sitzen, ja wohl erübrigt«, kommentierte Thomas schmunzelnd, während Nadine wieder in die Küche eilte.

Als Nächstes servierte die zierliche, blonde Enddreißigerin Gurkensalat und eine Platte mit gebratener Scholle sowie krossen Speckwürfeln, die sie in ein Extraschälchen gefüllt hatte. Für ihre kleine Tochter gab es Fischstäbchen.

»Wo ist denn das Baby?«, fragte ich, weil mir einfiel, dass Emily noch ein Geschwisterchen hatte. Leider hatte ich seinen Namen vergessen.

»Lasse liegt oben und schläft. Und ich hoffe sehr, dass das auch so bleibt«, erklärte Nadine, nahm ein Babyphone aus der Tasche ihrer dunkelblauen Strickjacke und legte es neben ihren Teller. Thomas verteilte währenddessen den Fisch. Er war – ebenso wie seine Frau und Tochter – leger und bequem gekleidet. Ich reichte erst die Glasschüssel mit dem Salat herum, dann die Terrine mit den Kartoffeln.

»Und? Wie gefällt es Ihnen auf Fliederoog?«, fragte Nadine mit interessiertem Blick aus tiefgrünen Augen. Sie war eine wunderbare Köchin, wie ich bereits nach dem ersten Bissen feststellte. Die Kartoffeln hatte sie zuvor in Butter geschwenkt, mit grobem Meersalz und einem Hauch Knoblauch abgeschmeckt sowie mit frischer Petersilie vermengt. Ich hatte das Gefühl, noch nie im Leben so köstliche Salzkartoffeln gegessen zu haben.

»Bis jetzt sehr gut«, antwortete ich. »Ich bin zwar erst seit gestern Mittag hier, habe dafür aber schon jede Menge erlebt.« Ich schilderte kurz die Geschichte mit dem Radiator, aber auch meinen Besuch im Kiek ut. Reemt und Einspänner ließ ich diesmal unerwähnt, da ich nicht wusste, wie die Lorenzens zu den beiden standen. »Neben der unvergleichlichen Natur ist natürlich das Schönste, nach und nach in die Lebenswelt meiner Großmutter einzutauchen, auch wenn ich noch lange nicht alles gesehen habe. Ich war bisher weder auf der Spitze des

Leuchtturms, noch habe ich die Zimmer genauer inspiziert – dazu war es bislang einfach zu kalt. Doch jetzt, wo ich Holz und Öl habe, werde ich mich definitiv genauer umschauen.«

In diesem Moment blitzte das Bild des Pakets, das Reemt geliefert hatte, in meinem Kopf auf.

Das hatte ich ja vollkommen vergessen!

»Ich stelle es mir ziemlich eigenartig vor, im Haus von jemandem zu wohnen, den man gar nicht kannte, der zudem tot ist, und dann auch noch so eine wichtige Entscheidung treffen zu müssen«, entgegnete Nadine. »Soweit ich weiß, hatten Sie gar keinen Kontakt zu Ihrer Großmutter?«

Ich schüttelte den Kopf und gab mich dem Genuss des Gurkensalats hin, der mit einem Dressing aus süßsaurer Sahne, feingehackten Eiern und frischem Dill angerichtet war.

Vielleicht sollte ich doch mal kochen lernen?

»Hat …«, begann Thomas mit unerwartet ernster Miene und auf einmal sichtlich nervös. »… hat Ada denn beim Notar irgendetwas bezüglich unserer Miete verfügt? Oder hat Jasper Bendix etwas zu diesem Thema gesagt?«

Nadine wechselte einen bedeutungsvollen Blick mit ihrem Mann, den ich nicht deuten konnte. Emily zermanschte unterdessen gut gelaunt die Fischstäbchen, pulte die Panade ab und stopfte sie mit den Fingern in ihren süßen Mund.

»Thomas möchte gern wissen, ob Ihnen bekannt ist, wie viel Miete wir hier zahlen, und ob das auch für Sie in Ordnung ist«, sprang Nadine ihm bei.

»Ehrlich gesagt, nein«, antwortete ich und legte das Besteck beiseite. »Was ist denn mit der Miete?«

Mit einem Mal hatte ich das Gefühl, dass diese Einladung kein rein nachbarschaftlicher Willkommensgruß war, sondern einen ganz anderen Hintergrund hatte.

»Wir zahlen hier nur sehr wenig, weil … weil Ihre Großmutter uns helfen wollte, als ich in einer Notsituation war, und weil sie ein großes Herz hatte.«

Ich versuchte, diese Information sacken zu lassen, um angemessen reagieren zu können.

»Um es genau zu sagen: Wir zahlen hier nur zweihundertfünfzig Euro im Monat«, beendete Thomas mein innerliches Rätselraten. »Und wir müssten natürlich möglichst bald wissen, ob das auch in Ihrem Sinne ist. Andernfalls sind wir gezwungen, uns etwas Neues zu suchen, obwohl unser Vertrag noch drei Jahre läuft.«

»Zweihundertfünfzig?«, wiederholte ich ungläubig, während es in meinem Kopf ratterte. »Für den ganzen Bauernhof samt Ställen?«

Die beiden nickten schweigend. Sie fühlten sich sichtlich unwohl in ihrer Haut.

»Nun, das … das ist ja nicht gerade viel«, sagte ich, bemüht, die richtigen Worte zu finden. »Wem gehören denn eigentlich die Tiere?«

»Ada«, antworteten die Lorenzens wie aus einem Mund.

»Ihre Großmutter hat von uns frische Milch, Eier, Äpfel und Kirschen aus dem Obstgarten bekommen. Außerdem haben mein Mann und ich ihr bei Arbeiten im Haus geholfen oder im Garten, weil ihr vieles nicht mehr so leicht von der Hand ging. Das hätten wir allerdings auch so getan, denn so macht man das nun mal auf den Halligen: Man steht sich gegenseitig bei und hat ein Auge auf den anderen. Keine Ahnung, wer Ihnen den Heizlüfter vor die Tür gestellt hat, aber das ist auch so eine nette Geste, die typisch für das Leben auf Flieberoog ist.«

Ich dachte an die reservierte, ja beinahe feindselige Haltung, mit der ich heute überwiegend konfrontiert worden war.

Dann galt diese Ablehnung also doch mir als Person und nicht der Tatsache, dass ich hier fremd war.

»Um Ihre Frage zu beantworten«, sagte ich, bestrebt, jetzt nicht den Faden zu verlieren. »Ich kann Ihnen augenblicklich leider weder sagen, ob ich das Erbe annehmen werde, noch, ob ich es mir finanziell leisten kann, Sie hier weiter so günstig wohnen zu lassen, selbst wenn ich das Anwesen übernehme. Allerdings muss ich meine Entscheidung bis Anfang nächster Woche treffen und dem Notar mitteilen. Können Sie sich noch so lange gedulden?«

Nadine seufzte und schaute ihren Mann traurig an. »Ja, das ist völlig in Ordnung, auch wenn das für uns eine schwierige Situation ist. Seit Ada nicht mehr lebt, überlegen wir hin und her, ob wir hierbleiben oder wieder zurück aufs Festland gehen sollen. Für die Kinder ist das hier allerdings ein Paradies, das wir nur ungern aufgeben wollen. Emily kann im Freien spielen, wenn sie aus dem Kindergarten zurück ist, und sie hat auch schon einen Platz in der Halligschule, weil sie nach dem Sommer eingeschult wird. Ich kann Lasse die ganze Zeit bei mir haben, wenn ich auf dem Hof herumwerkle, und Thomas passt auf ihn auf, wenn ich im Kiek ut arbeite oder für den Gasthof backe.«

»Sie backen für den Gasthof?«, fragte ich verwundert. Als ich Marie im Kiek ut besucht hatte, war er geschlossen gewesen, und sie hatte mir erzählt, dass er außerhalb der Saison nur zu besonderen Anlässen oder nach Vereinbarung öffnete.

»Ja, und manchmal koche ich auch für Feiern«, antwortete Nadine. Ein stolzes Lächeln überzog ihr hübsches Gesicht. »Ich bin gelernte Köchin und beschäftige mich am allerliebsten mit Kräutern, Gemüse und Obst. Deshalb liebe ich diesen Hof ja auch so sehr. Ada und ich haben manchmal zusammen neue

Rezepte ausprobiert. Toll, was sie in ihrem Garten alles angebaut hat, sogar Heilkräuter.«

»Und was machen Sie beruflich, wenn ich fragen darf?«,
wandte ich mich nun an Thomas. Um mir ein genaueres Bild
von der Situation der Lorenzens zu machen, musste ich mehr
über sie wissen.

»Ich habe Agrarwissenschaften und BWL studiert und war
lange im Management eines Lebensmittelkonzerns tätig«, erzählte er. »Bis ich irgendwann total davon angewidert war, wie
heutzutage Lebensmittel produziert, je regelrecht vergiftet werden. Das war auf Dauer moralisch nicht tragbar, genauso wie
die ständige Überbelastung. In den ersten beiden Jahren habe
ich so gut wie nichts von Emily mitbekommen und auch meine
Frau kaum gesehen, worunter unsere Ehe erheblich gelitten
hat. Als ich einen Hörsturz bekam und chronische Magenpro-
bleme, habe ich die Reißleine gezogen und bin für sechs Wochen in eine Klinik gegangen, die sich auf psychosomatische
Erkrankungen spezialisiert hat. Danach war klar, dass ich irgendetwas ändern musste, wenn ich nicht alles, was mir lieb
und teuer war, aufs Spiel setzen wollte.«

Gerührt sah ich zu, wie Nadine liebevoll den Handrücken
ihres Mannes streichelte, selbst Emily hörte auf, mit ihrem Essen zu spielen.

»Und wie haben Sie Ada kennengelernt?«, fragte ich, neugierig zu erfahren, wie die Wege der drei sich gekreuzt hatten.

»Durch Jasper Bendix«, antwortete Nadine. »Er und seine Enkelin haben in Husum den Vortrag einer MBSR-Trainerin besucht. Wir waren auch da, weil Thomas nach einer anderen Möglichkeit der Stressbewältigung gesucht hat, und kamen so mit
Jasper und Marie ins Gespräch. Thomas wollte – typisch Mann! –
eine Art Crashkurs, um schnell wieder fit zu sein und unser neues

Leben anzupacken, obwohl wir zu diesem Zeitpunkt keinen blassen Schimmer hatten, wie es überhaupt aussehen sollte.«

»MBSR?«, unterbrach ich Nadine. »Ich habe den Begriff zwar schon mal irgendwo gehört, kann aber gerade nichts damit anfangen.«

»Das ist eine Technik der achtsamkeitsbasierten Stressreduktion«, erklärte Thomas. »Innerhalb eines achtwöchigen Kurses bekommt man das notwendige Handwerkszeug beigebracht, um entspannter mit möglichen Belastungen des täglichen Lebens umgehen zu können. Eine äußerst effiziente Methode, die mir sehr geholfen hat, wieder auf die Beine zu kommen. Die Trainerin, Kathrin Burmester, ist übrigens eine gute Freundin von Ada und Jasper und hat als eine der ersten in Deutschland Meditation und Yoga unterrichtet und sich auf ayurvedische Ernährung spezialisiert. Eine äußert kluge und beeindruckende Frau, genau wie Ihre Großmutter.«

»Und wo unterrichtet diese Dame?«, fragte ich, weil dieses MBSR zum einen interessant klang und ich zum anderen froh war zu wissen, dass es noch jemanden gab, der mir etwas über Ada erzählen konnte.

»In Friedrichstadt, wo sie auch lebt«, antwortete Nadine anstelle ihres Mannes und wischte gleichzeitig ihrer Tochter die Hände mit einer Serviette ab. Ich war erstaunt, dass Emily so lange ruhig am Tisch gesessen hatte, ohne großes Trara, wie ich es von Lotta und Pippa gewohnt war. »Ich kann Ihnen gern ihre Telefonnummer geben, wenn Sie mögen.«

In diesem Moment schien es Emily allerdings doch zu viel zu sein, denn sie rutschte vom Stuhl und zupfte am Ärmel meines Pullovers. »Wollen wir Verstecken spielen?«, fragte sie und schaute mich dabei so intensiv mit ihren großen, dunklen Kulleraugen an, dass ich nicht widerstehen konnte.

»Machen Sie das aber nur, wenn Sie wirklich wollen«, kommentierte Nadine den Vorschlag ihrer Tochter schmunzelnd. »Zum Nachtisch gibt es übrigens Schokoladenpudding. Dann können wir weiter über Ada plaudern. Ohne ihre Idee, hierherzuziehen und ein vollkommen neues Leben anzufangen, ginge es uns bestimmt nicht so gut wie heute.«

»Das klingt alles super«, antwortete ich, schloss die Augen und begann, bis zehn zu zählen.

Als ich sie wieder öffnete, war Emily schon längst über alle Berge …

17. Kapitel

Mildes Sonnenlicht verlieh Fliederoog einen ganz besonderen Zauber, wie ich feststellte, als ich am Samstagvormittag vor die Tür trat.

In der vergangenen Nacht hatte ich deutlich besser geschlafen als in der davor, obwohl ich mit vielen Gedanken und unbeantworteten Fragen im Kopf zu Bett gegangen war und nur schwer hatte abschalten können. Die drängendste Frage galt natürlich Oliver, der sich bislang nicht zu meiner E-Mail geäußert hatte.

Ob es daran lag, dass er noch gar keine Chance gehabt hatte, sie zu lesen, oder daran, dass er sie nicht beantworten konnte oder wollte, wusste ich natürlich nicht.

Was ich jedoch wusste, war, dass sich meine Entscheidung, so schmerzhaft sie auch war, immer noch richtig anfühlte. Sollte das Schicksal eine gemeinsame Zukunft für uns vorgesehen haben, würde es sie auch geben, davon war ich fest überzeugt.

Dennoch zuckte ich bei jedem Signalton einer SMS oder WhatsApp-Nachricht zusammen wie ein Teenager, der darauf wartete, dass sein Schwarm endlich schrieb. Ausgerechnet jetzt meldeten sich natürlich Felix (*Na, wie isses, Frau Leuchtturmbesitzerin?*), Meggie (*Wann bist du eigentlich wieder in Hamburg, ich plane einen Mädelsabend!*), Marie (*Bin auf der Fähre. Hab einen schönen Samstag.*), sogar entfernte Bekannte hatten sich ausgerechnet diesen Tag ausgesucht, um von sich hören zu lassen.

Irgendwann beschloss ich, mich alldem zu entziehen, indem ich das Handy ausschaltete und in Ruhe einen Kaffee vor dem Haus trank. Heute war es deutlich wärmer als gestern, keine noch so kleine Wolke ließ sich am blitzblauen Frühlingshimmel blicken.

Der perfekte Zeitpunkt, um endlich auf den Leuchtturm zu steigen, dachte ich und freute mich darauf, an einem klaren Tag wie diesem von ganz weit oben auf die Nachbarhalligen und die umliegenden Inseln schauen zu können.

Ob Ada ein Fernglas besaß?

Nachdem ich meinen Kaffee getrunken und eine Scheibe Brot gegessen hatte, durchsuchte ich Adas Schubladen und wurde tatsächlich fündig. Bewaffnet mit dem Fernglas, meiner Sonnenbrille und einer Flasche Wasser, betrat ich zum ersten Mal allein den Leuchtturm – das Herzstück von Adas Reich.

Bereits im Vorraum überkam mich ein Gefühl, das der Empfindung ähnelte, wenn ich eine Kirche betrat. Ich verspürte Ehrfurcht, Demut und etwas, das sich anfühlte wie *Heiligkeit*.

Dies war nicht nur ein Leuchtturm, sondern ein ganz besonderer Ort, der Respekt und Aufmerksamkeit verdiente.

Mein Aufstieg durch das schneckenförmige Treppenhaus mit den weißlackierten, gusseisernen Platten wurde begleitet von den Blicken der Menschen, die auf den Fotos an den Wänden abgebildet waren; wie die gemalten Augen der Alten Meister, die dem Betrachter durch den Ausstellungsraum zu folgen schienen, schauten sie auch mir hinterher.

Obwohl ich zunächst schwungvoll gestartet war, geriet ich schon nach wenigen Stufen immer wieder aus der Puste, musste Pause machen und einen Schluck Wasser trinken, bevor ich weiter hinaufgehen konnte. Dabei erwiesen sich die Plattformen der Stockwerke als ebenso hilfreich wie die Möglichkeit, sich am hölzernen Handlauf entlanghangeln zu können, der mir auch mental ein Gefühl von Sicherheit gab. Auch jetzt konnte ich nicht anders, als meiner Großmutter grenzenlose Bewunderung zu zollen. Diesen Aufstieg beinahe täglich zu bewerkstelligen, noch dazu im hohen Alter, war äußerst beeindruckend.

Mit brennenden Oberschenkeln und hochrotem Kopf erreichte ich nach einer gefühlten Ewigkeit das vorletzte Stockwerk des Turms, der sich umso mehr verjüngte, je weiter ich nach oben kam. Der Blick aus dem Bullauge war bereits auf dieser Höhe atemberaubend, denn er gab einem das Gefühl, nach den Wattewolken greifen und sie vom Himmel pflücken zu können.

In der obersten Etage stand ein alter Schreibtisch, auf dem Utensilien lagen, die früher, als das Leuchtfeuer noch in Betrieb gewesen war, bestimmt zur Wartung und Sicherung gehört hatten, sowie ein altmodisches Fernglas. Die äußere Plattform erreichte man, indem man die schwere Eisentür öffnete, die nebst Schlüssel und Schloss zusätzlich mit drei Eisenriegeln gesichert war.

Nachdem ich die Schwelle übertreten hatte, stand ich auf einer Art Balkon, der den unteren Teil der Spitze umrundete und durch dessen Löcher im Eisenboden man in die Tiefe schauen konnte. Wie gut, dass ich nicht unter Höhenangst litt! Dennoch stellte ich mich nicht direkt ans Geländer, sondern lehnte mich zunächst an die Turmwand.

Die schützende Wand im Rücken, das Säuseln des Windes in den Ohren und die Sonnenbrille auf der Nase, versuchte ich nach und nach zu erfassen, wo ich war – und in welch besonderer, ja geradezu unwirklicher Situation.

Das war es, wovon ich schon als Kind geträumt hatte, das spürte ich ganz deutlich!

Je länger ich auf dem Gitterboden stand, desto sicherer fühlte ich mich. Und mit einem Mal war ich wie im Rausch: Zu meinen Füßen lag eine wundersame Spielzeugwelt, und ich thronte über ihr wie eine stolze Königin, die wohlwollend auf ihr Volk hinunterblickte.

Die beiden Warften wirkten aus dieser Entfernung wie Sahnetupfen auf einer Schokoladentorte, Adas Haus sah wie ein Spielzeughäuschen aus, genau wie der Bauernhof der Lorenzens.

Erst jetzt erkannte ich, wo Einspänner wohnen musste, nämlich am Ende der Warft, rechts von Adas Haus.

Auf der Marschwarft spielte sich im Gegensatz zur Leuchtturmwarft deutlich mehr Leben ab. Es gab mehr Häuser, und ich konnte mit Hilfe des Fernglases einige Halligbewohner erkennen, die herumwuselten wie Ameisen.

Irgendwann löste ich meinen Blick vom Boden und schaute geradeaus. Vor meinen Augen entfaltete sich eine nahezu magische Pracht: eine Weite, wie ich sie noch nie zuvor in meinem Leben gesehen hatte. Der Himmel war durchzogen von zarten Federwolken, die am Turm vorübersegelten, kristallinen Fäden von Zuckerwatte gleich.

Wie beim Blick aus einem Flugzeugfenster schien all dies zum Greifen nah. Als eine Möwe laut kreischend an mir vorbeiflog, konnte ich ihren Flügelschlag spüren.

Der Wind malte währenddessen immer wieder neue Bilder in das wogende Seegras der Salzwiesen. Die Luft hier oben war dünner als unten, aber durchströmt vom würzigen Wohlgeruch der Nordsee, dem schönsten Duft der Welt.

Es muss traumhaft sein, in einer sternklaren Nacht hier oben zu stehen und in den Himmel zu schauen, dachte ich und bekam angesichts der bloßen Vorstellung Gänsehaut.

Gab es eigentlich Orte, an die man gehörte, an die man gebunden war, weil es das Schicksal so vorherbestimmt hatte?

Konnte es sein, dass ich hier meinen Platz gefunden hatte, ohne jemals konkret nach ihm gesucht zu haben?

Mein ganzes bisheriges Leben rauschte an mir vorbei und schien mir zuzuraunen: *Du bist angekommen, Juliane, hier gehörst du her. Nun beginnt ein neuer Abschnitt, der dich glücklich machen wird.*

Du musst nur den Mut haben, diesen Weg zu gehen.

Deine Großmutter möchte, dass du ihren Platz einnimmst und ihr Werk weiterführst, deshalb hat sie dich zu ihrer Erbin bestimmt. Zögere nicht mehr, sondern nimm dieses unerwartete Geschenk an – es ist das Beste, was dir in deinem Leben passieren wird.

Mit dem beglückenden Gefühl, etwas völlig Bahnbrechendes zu tun, wählte ich die Nummer der Lorenzens, als ich wieder zurück in Adas Haus war.

»Könnten Sie sich vorstellen, künftig als Gegenleistung für die niedrige Miete regelmäßig nach dem Haus meiner Großmutter zu sehen, den Garten zu bewirtschaften und sich auch sonst um alles zu kümmern, was getan werden muss, während ich in Hamburg bin?«, fragte ich und lächelte zufrieden in mich hinein, als ich Nadines Jubelschrei hörte.

»Aber natürlich könnten wir das«, antwortete sie atemlos. »Thomas und ich wollten Ihnen gestern Abend genau dasselbe vorschlagen, fanden es aber besser, dass Sie von selbst auf diese Idee kommen.«

»Das heißt, Sie werden das Erbe annehmen, und wir können auf Fliederoog bleiben?«, hörte ich plötzlich Thomas' Stimme, der seiner Frau offensichtlich den Hörer entrissen hatte.

»Ja, das heißt es«, bekräftigte ich. »Ich schreibe dem Notar sofort eine Mail, damit er Bescheid weiß und die nötigen Schritte in die Wege leiten kann. Ich freue mich, eine so nette Familie wie Sie als Mieter zu haben.«

Als ich dies sagte, spürte ich, dass meine Entscheidung nicht das Ergebnis einer spontanen Laune war, sondern der tiefen Gewissheit entsprang, das Richtige zu tun.

Meine Mutter würde ausflippen, wenn sie das hörte – und Felix auch. Aber im Gegensatz zu Hanne würde mein Bruder gutheißen, was ich tat, sich gemeinsam mit mir freuen und das Ganze als riesengroßes Abenteuer sehen.

Doch das Allerwichtigste war, dass ich mich sicher fühlte und eine Entscheidung des Herzens getroffen hatte.

18. Kapitel

Als würde der Himmel meine Entscheidung, Adas Erbe anzunehmen, ebenfalls begrüßen, schien auch an diesem Sonntag die Sonne.

Beschwingt von der Aussicht, ein zweites Zuhause zu haben, hatte ich am Samstag Adas Haus auf den Kopf gestellt, Staub gewischt, hie und da etwas umgestellt und mir damit Zentimeter für Zentimeter mein neues Heim erobert.

Nachdem ich gemütlich gefrühstückt hatte, kochte ich mir noch einen Tee und öffnete endlich das Paket, das für meine Großmutter gedacht gewesen war.

Nachdem ich den Absender – die Buchhandlung Liesegang aus Husum – gelesen und den Karton aufgeschlitzt hatte, erwartete mich erneut eine Überraschung. Der Inhalt war als Geschenk verpackt, obendrauf lag ein an mich adressierter Umschlag. Verwundert zog ich eine hübsche Karte mit einem Leuchtturm als Motiv heraus und sah, dass Ada den Inhalt des Pakets für mich bestimmt hatte:

Du findest darin alles, was Du für Deinen Start auf Fliederoog brauchst.

In tiefer Liebe, Ada

Ein Anflug von Wehmut überkam mich, als ich die Verpackung öffnete und sah, welche Titel Ada für mich ausgewählt hatte: ein Ratgeber fürs Gärtnern, ein Kochbuch mit norddeutschen Rezepten, ein Buch über die Halligen, eines über die Tier- und Pflanzenwelt der Nordsee, eines über die Grundlagen der Bewirtschaftung eines Bauernhofs. Und zuletzt das Buch *Einfach Leben* des vietnamesischen Mönchs und Zen-Meisters Thich Nhat Hanh.

Ich blätterte mal in dem einen, mal in dem anderen Titel und dachte darüber nach, wie seltsam es war, dass ich das Paket erst geöffnet hatte, nachdem meine Entscheidung gefallen war, Flinderoog als meine zweite Heimat anzunehmen.

War das wieder eine Fügung des Schicksals?

Während ich Seite um Seite studierte, klingelte mein Handy, am Apparat war eine hörbar aufgelöste Marie. »Opa hatte einen Herzanfall und liegt jetzt auf der kardiologischen Station in Husum. Er hat mich gebeten, dich zu fragen, ob du kommen kannst. Ich habe schon mit Einspänner gesprochen, er würde dich mit der Lore nach Dagebüll bringen, von da hole ich dich mit dem Auto ab.«

Es dauerte einen Moment, bis das, was Marie gerade gesagt hatte, wirklich zu mir durchgedrungen war.

Ein Herzanfall? Wie schrecklich!

»Aber natürlich komme ich«, sagte ich, als ich meine Sprache wiedergefunden hatte. »Ich kann mich in einer Stunde am Lore-Bahnhof mit Enrik treffen. Du brauchst mich auch nicht abzuholen, weil mein Auto in Dagebüll steht. Richte Jasper bitte schon mal liebe Grüße aus, er soll ganz schnell wieder gesund werden, ja?«

Marie weinte, als sie versprach, Einspänner zu informieren, und bedankte sich dafür, dass ich kommen wollte. Nachdem ich aufgelegt hatte, packte ich eilig einige Sachen in eine größere Tasche, da ich vermutlich über Nacht in Husum bleiben würde. Nachdem ich alles verschlossen und verriegelt hatte, flüsterte ich Adas Haus zu »Ich freue mich auf unser Wiedersehen« und schwang mich dann aufs Fahrrad, um zum Lore-Bahnhof zu fahren. Enrik Schaefer war schon da, als ich ankam und das Rad zu den anderen stellte, die dort parkten.

Ich begrüßte ihn mit einem schlichten »Moin«.

Das musste genügen, schließlich hatte er mich bei unserer letzten Begegnung ganz schön im Regen stehenlassen.

Auch diesmal tippte Einspänner sich nur ans Käppi und sah genauso aus wie bei meiner Ankunft auf Fliederoog. Besaß er nur diese eine Latzhose, oder hatte er zwei identische Paar?

Wie vor ein paar Tagen wechselten wir auch heute die Fahrt über kein Wort, doch diesmal machte ich mir nichts daraus. Stattdessen freute ich mich darüber, dass die Lore offen war. Es lag ein Hauch von Frühling in der Luft, und ich genoss es, die wärmenden Strahlen der Aprilsonne auf meiner Haut zu spüren, auch wenn der Anlass meiner Fahrt alles andere als erfreulich war.

Die Salzwiesen waren getrocknet und erstrahlten in einem beinahe unwirklichen Grün. Hätte ich ein Foto davon für den *Herself*-Instagram-Account gemacht, hätte ich es exakt so posten können, ohne den Farbfilter zu benutzen.

Als wir Dagebüll erreichten, kam es mir so vor, als hätte ich nur mal eben geschnipst – und schon waren wir auf dem Festland.

»Alles Gute für Jasper«, sagte Enrik und tippte sich erneut an seine Kappe. »Sagen Sie ihm: Einen echten Friesenjung haut so schnell nichts um!«

Ich versprach, den Gruß auszurichten, und wunderte mich

über Einspänners plötzlich aufgeflammte Empathie. Andererseits waren Jasper und er mit Sicherheit seit Jahren befreundet, und irgendwo musste auch Enrik Gefühle haben, das bewies seine Liebe zu der Wienerin Theres.

Gedankenverloren ging ich zum Parkplatz und stieg ins Auto.

Auch die Fahrt nach Husum erschien mir kurz. Körperlich war ich anwesend und auf die Fahrt konzentriert, doch mein Herz war schwer angesichts der Tatsache, dass Jasper krank war.

»Schön, dass du da bist.«

Marie fiel mir so schwungvoll um den Hals, als sei ich eine Freundin, die sie schmerzlich vermisst hatte. »Meine Eltern sind zurzeit beruflich in den USA und können nicht so schnell von da weg. Alleine stehe ich das hier aber nicht durch. Jasper weiß, dass du kommst, und freut sich.«

Ich folgte ihr den Flur hinunter, in dem es roch wie in allen Krankenhäusern: steril, nach Desinfektionsmittel, ein bisschen nach Bohnerwachs und Zitrone. Krankenschwestern hasteten an uns vorbei, ebenso wie Besucher mit Blumen in der Hand, quengelnde Kinder, die lieber draußen spielen wollten, als hier zu sein.

Und dann betraten wir das Krankenzimmer, in dem Jasper lag. Ich schrak heftig zusammen, als ich ihn sah. Der Mann, der mir Fliederoog gezeigt hatte und so lässig aufgetreten war, hatte einem unwirklich kleinen, schmalen Jasper mit eingefallenen Wangen Platz gemacht. Als Marie am Telefon von einem Herzanfall gesprochen hatte, war ich davon ausgegangen, dass es nichts Lebensbedrohliches war. Doch nun wurde mir klar, dass Jaspers Leben auf Messers Schneide stand.

»Juliane, wie schön«, flüsterte er, und ich konnte sehen, dass er Mühe hatte, die Augenlider zu heben. Er winkte mich mit der Hand, an der keine Kanüle befestigt war, zu sich, während Marie ihm ein Glas Wasser einschenkte.

Ich beugte mich zu ihm herab, begrüßte ihn und streichelte dabei sanft über seine Stirn. Eigentlich stand mir so eine intime Geste nicht zu, doch ich konnte nicht anders: Er war Adas langjähriger Freund, und es ging ihm schlecht.

Ich hatte nicht die Chance gehabt, die Hand meiner Großmutter zu halten, als sie der Welt Lebewohl sagte, aber ich würde Jasper beistehen.

»Gibst du mir das Päckchen?«, wisperte er und nickte Marie zu, die daraufhin sofort die Schublade des Nachtschranks öffnete und eine schmale blaue Holzkiste herausnahm, die sie auf Jaspers Bettdecke legte. »Das hier ist für dich«, sagte er und schaute mir dabei tief in die Augen. »Ich habe gewartet, bis du da bist, nun kann ich endlich in Frieden gehen …«

Es zerriss mir das Herz, ihn diese Worte sagen zu hören. Mit zitternden Fingern ergriff ich seine Hand. »Ich habe mich entschlossen, Adas Erbe anzunehmen. Und ich soll dir von Einspänner sagen, dass alles wieder gut wird«, murmelte ich, während Tränen meine Wangen hinabrollten und schließlich vom Kinn auf Jaspers Hand tropften.

Ein Lächeln erhellte sein Gesicht, dann flüsterte er etwas, das wie »Jetzt ist es gut« klang.

Für einen Moment stand die Welt still. Alle Geräusche um mich verstummten, mein Blick war nur noch auf den alten Mann vor mir gerichtet, der friedlich die Augen geschlossen und diese Erde für immer verlassen hatte. Ich fühlte mich wie betäubt und kam erst wieder zu mir, als ich Maries Arme um meinen Hals spürte.

»Er ist tot … oh, mein Gott, er ist wirklich tot«, flüsterte sie mit tränenerstickter Stimme. »Aber die Ärzte haben doch gesagt, er würde wieder gesund werden, wenn er morgen operiert wird ... sie ... sie hatten ihn doch so weit stabilisiert.«

Ich sprach nicht laut aus, was ich dachte.

Jasper wollte bei seiner verstorbenen Frau Joke sein – und bei meiner Großmutter. Er hatte mit dem Sterben ganz offensichtlich gewartet, bis ich mich dafür entschieden hatte, ihr Erbe anzunehmen. Und ich war wirklich froh, dass ich meine Entscheidung unabhängig von seiner hohen Erwartung getroffen hatte.

»Ich gehe mal eben hinaus, um den Schwestern Bescheid zu geben«, sagte ich, nachdem ich mich ein bisschen gefangen hatte, führte Marie zu einem der Besucherstühle und drückte sie sanft auf die Sitzfläche. »Bin gleich wieder da.«

Völlig benommen trat ich auf den Flur des Krankenhauses.

»Kann ich Ihnen helfen?«, fragte ein junges Mädchen, offensichtlich Schwesternschülerin.

Ich schilderte kurz, was geschehen war, und von da an nahmen die Dinge ihren Lauf.

Keine Ahnung, was genau in den folgenden Stunden passiert war. Als wir später in Maries Wohnung auf der Couch saßen, konnte ich mich kaum noch an etwas erinnern.

Nur an den Schmerz, der mich erfasst hatte, als ich begriff, dass Jasper tot war.

Wie oft hatte ich Situationen wie diese in Filmen gesehen, hatte davon in Büchern gelesen. Doch nichts davon hatte mich darauf vorbereiten können, wie es sich anfühlte, wenn dies tatsächlich geschah.

Ich dachte an meine Mutter, die noch so jung gewesen war, als sie vom Unfalltod meines Vaters erfahren hatte. Und der durch die Trennung von Leo ein zweites Mal tiefer Schmerz zugefügt worden war.

Konnte man so etwas jemals verwinden?

»Meinst du, du kannst ein bisschen was essen?«, fragte ich, weil Marie innerhalb kürzester Zeit das dritte Glas Rotwein trank. »Ich könnte nachsehen, was du im Kühlschrank hast, oder etwas bestellen.«

Weil Marie nicht antwortete, sondern weiter stumpf vor sich hin starrte, durchstöberte ich auf eigene Faust die Bestände in ihrer Küche. Ich fand ein Glas Gewürzgurken, ein paar Cracker und gesalzene Erdnüsse. Nicht viel, aber immerhin ein bisschen was. Als ich zurück ins Wohnzimmer kam, lag die blaue Holzschachtel, die ich in all dem Trubel vergessen hatte, auf dem Couchtisch.

»Mach sie auf«, forderte Marie in einem so bestimmten Tonfall, dass ich die Kiste folgsam öffnete.

Darin lagen, gebettet auf samtigem Stoff, vier breite Silberringe. Auf den zweiten Blick erkannte ich auf jedem eine Gravur – einzelne Buchstaben, die Initialen glichen. Unter den Ringen lag ein zusammengefalteter Zettel. Zögernd griff ich danach und las mit klopfendem Herzen die Worte, die der Handschrift nach eindeutig meine Großmutter geschrieben haben musste:

Liebe Juliane,

diese vier Ringe sind weit mehr als Ringe. Sie gehörten einst Menschen, die zusammen mit sieben anderen dafür gesorgt haben, dass unser Wirken in die Welt hinausgetragen wird. Ich hoffe sehr, dass die Ringe wieder ihrer Bestimmung zugeführt werden, damit unser Werk erhalten bleibt. Und ich hoffe, dass dann auch Du gefunden hast, wonach Du suchst.

19. Kapitel

»Oh mein Gott, oh mein Gott, das klingt ja, wie im Film!« Meine Freundin Meggie starrte mich ungläubig an, als ich ihr schilderte, was in den vergangenen Tagen geschehen war. »Bist du dir sicher, dass du wirklich nur die paar Tage weg warst und nicht ein halbes Jahr in irgendeinem abgedrehten Paralleluniversum verbracht hast? Die ganze Geschichte klingt total gaga. Und erinnert ein bisschen an *Herr der Ringe*.«

Nachdem ich seit diesem Mittwochvormittag wieder zurück in Hamburg war, musste ich als Erstes Meggie sehen und ihr erzählen, wie viele verrückte und unglaubliche Wendungen mein Leben innerhalb kürzester Zeit genommen hatte. Meine Mutter und Felix würde ich morgen Abend darüber informieren, was passiert war.

»Und was machst du jetzt mit dem Erbe? Und diesen seltsamen Ringen? Und ... hat sich Oliver auf deine Mail gemeldet?«

Ich schüttelte den Kopf und biss in ein Stück knuspriges Ciabatta, das ich zuvor in Olivenöl mit grobem Meersalz und einem Zweig Rosmarin gedippt hatte. Meggie und ich aßen einmal im Monat bei unserem Lieblingsitaliener in Eimsbüttel und machten uns dort stets einen richtig schönen Mädelsabend. Der ging meist bis in die Puppen, weil Harald sich um die Zwillinge kümmerte und wir endlich Zeit hatten, ganz in Ruhe zu quatschen. Doch obwohl wir hier im Laufe der Jahre viele Erlebnisse geteilt, uns gegenseitig in Geheimnisse eingeweiht und alles erzählt hatten, was uns wichtig war – ich konnte mich nicht daran erinnern, dass es jemals um so viele existenzielle Themen auf einmal gegangen war.

»Um als Erstes deine Frage nach Oliver zu beantworten«, hob ich an und brach ein Stück von dem Ciabatta ab. »Nein, ich habe nichts von ihm gehört. Nicht eine einzige Silbe. Und das Schlimme ist, dass ich nicht weiß, ob es daran liegt, dass er meine Mail nicht bekommen hat, oder ob er sich einfach vor einer Antwort drückt.« Ich legte das Ciabattastück zurück in den Korb und schluckte gegen den Kloß an, der plötzlich in meiner Kehle aufgestiegen war. »Mann, das tut so verdammt weh!«

»Das ist echt scheiße«, sagte Meggie unverblümt. Und ich konnte ihr nur zustimmen. »Ruf ihn doch mal an, oder schick zumindest eine SMS. Nur für den Fall, dass es an Bord gerade kein Internet gibt und er deine Nachricht tatsächlich nicht bekommen hat. Du musst einfach wissen, was Sache ist, damit du beginnen kannst, dich von ihm zu lösen. Denn das geht nur, wenn ihr Klarheit habt und beide gemeinsam einen Schlussstrich unter die Sache zieht.«

»Aber das hab ich doch schon längst gemacht«, murmelte ich bedrückt. »Sein Handy war eingeschaltet, es klingelte bestimmt zehnmal durch, dann sprang die Mailbox an. Allerdings habe ich nicht draufgesprochen. Er sieht ja schließlich, dass ich angerufen habe, und kann sich denken, dass es wichtig war.«

Auch wenn mein Liebeskummer durch all die Aufregung um das Erbe, Fliederoog und Jaspers Tod ein wenig in den Hintergrund gedrängt worden war – als ich nun mit Meggie darüber sprach, versetzte es mir einen weiteren schmerzhaften Stich, mir einzugestehen, dass Oliver sich tot stellte. Es tat furchtbar weh zu akzeptieren, dass aus unserem sechsmonatigen *Wir* innerhalb kürzester Zeit ein *Ich* geworden war und Oliver seinen eigenen Stiefel durchzog.

»Oder meinst du, er rührt sich nur nicht, weil du sein Ego verletzt hast?«, fragte Meggie und schenkte sich Rotwein nach. »Männer reagieren in solchen Fällen oft merkwürdig.«

»Oder feige«, sagte ich.

»Das meinte ich mit *merkwürdig*.«

Obwohl mir überhaupt nicht zum Lachen zumute war, prustete ich los, und Meggie stimmte mit ein.

»Alles in Ordnung bei euch?«, fragte die Patrona, die herbeigeeilt kam, als ich mich beim Lachen verschluckte und zu husten begann.

»Tutto bene«, antwortete Meggie an meiner Stelle, stand auf und klopfte mir auf den Rücken. »Jule hat nur gerade Ärger mit einem Mann.«

Die Patrona rollte mit den Augen, stemmte die Hände in die runden Hüften und sagte: »Dio mio! Hör auf zu husten, cara. Männer darf man nicht zu ernst nehmen. Sie sind kleine Jungs in viel zu großen Schuhen. Die stecken wir Frauen locker in die Tasche. Also, was kann ich euch Gutes tun? Dolce nach dem Hauptgang auf Kosten des Hauses?«

»Da sagen wir nicht nein, oder?«, erwiderte Meggie, während ich mein Glas Wasser in einem Zug austrank. »Wer weiß, wie oft wir hier noch so schön zusammensitzen können, jetzt, wo Jule bald auf eine Hallig zieht.«

»Eine … Allig?!« Die Patrona wirkte sichtlich irritiert. »Bist du nicht mehr gern in Ottensen?«

Ich versuchte ihr mit wenigen Worten zu erklären, was es mit der Hallig auf sich hatte, und schon bekam die Besitzerin des L'Incontro da Cosimo große Augen.

»Klingt ein bisschen wie die Liparischen Inseln«, sagte sie

mit einem schwärmerischen Ausdruck in ihrem schönen Gesicht. »Ich liebe Stromboli, aber ich möchte nicht da leben müssen. Zu einsam. Ist das wirklich dein Ernst, cara? Willst du ganz auf diese Insel ziehen?«

Die Patrona über den Unterschied zwischen einer Hallig und einer Insel aufzuklären machte wenig Sinn, zumal sie gerade von ihrer Nichte, die ebenfalls hier arbeitete, gerufen wurde. Also beließen wir es dabei, die Frage unbeantwortet zu lassen, und aßen mit Genuss unsere Vorspeise, ohne noch einmal den Namen Oliver zu erwähnen. Meggie kannte mich gut genug, um zu wissen, dass ich das Thema erst wieder ansprechen würde, wenn ich einen Ratschlag oder Trost brauchte.

»So, und was ist das jetzt für eine abgefahrene Geschichte mit diesen Ringen?«, fragte sie, nachdem wir beide unseren Insalata mista gegessen hatten. »Habe ich richtig verstanden, dass dieser Schmuck verschiedenen Leuten gehört haben muss und es insgesamt elf Ringe gibt, wie es auf dem Zettel in der Kiste stand? Und die anscheinend eine bestimmte Bedeutung haben? Was sagt Marie denn zu alldem?«

»Leider nicht viel«, antwortete ich. »Erstens steht sie noch immer unter Schock, weil sie Jasper sehr geliebt und ein besonders enges Verhältnis zu ihm gehabt hat. Außerdem muss sie fast alles, was seine Beerdigung und die anschließende Trauerfeier betrifft, alleine organisieren.«

»Hast du die Ringe zufällig dabei?«, fragte Meggie mit neugierigem Glitzern in den Augen. Sie liebte Geheimnisse aller Art und konnte äußerst hartnäckig sein, wenn man etwas vor ihr verbergen wollte – oder sie keine befriedigende Antwort auf eine Frage erhielt. Darin ähnelte sie ihren Zwillingstöchtern, die stets so lange *Warum?* fragten, bis die Eltern entnervt aufgaben und Lotta und Pippa jedes kleinste Detail erklärten, auch wenn sie oft noch zu jung dafür waren.

»Rein zufällig ja«, sagte ich schmunzelnd, holte die blaue Kiste aus meiner Handtasche und stellte sie vor Meggie auf den Tisch.

»Ein E, ein U, ein T und ein F«, las Meggie vor und probierte den kleinsten Ring mit dem Buchstaben T. »Ich bin ja eigentlich ganz gut beim Scrabbeln. Also, welches Wort kann man aus den vier Buchstaben bilden?« Mit diesen Worten nahm sie den silbernen Ring mit der zarten Gravur wieder ab und legte ihn zu den drei anderen. »Hm, man könnte UTE daraus machen, aber dann bleibt das F übrig.«

»Oder TUEF«, entgegnete ich, »aber TÜV schreibt sich anders.«

»Außerdem bräuchten wir, um dieses Rätsel zu lösen, alle elf Ringe, wenn ich dich richtig verstanden habe, oder?«

Ich nickte.

»Zu dumm, dass Jasper tot ist und auf diese Weise alle Informationen sprichwörtlich mit ins Grab genommen hat. Bitte versteh mich nicht falsch, es tut mir natürlich leid, dass er gestorben ist, aber er hätte dir bestimmt eine Menge über deine Großmutter erzählen können, genau wie über die Ringe. Du musst wirklich versuchen, Marie darüber auszuquetschen, sobald sie das Schlimmste überstanden hat. Oder wissen diese seltsamen Typen auf der Hallig was Näheres? Wie hießen die noch?«

»Der Halligbote heißt Reemt Harksen und der Ziegenzüchter Enrik Schaefer«, antwortete ich. »Aber ich schätze, das kann ich knicken. Beide sind nicht besonders gut auf mich zu sprechen. Der eine, weil er wohl generell mundfaul und unhöflich ist, der andere, weil wir uns schon innerhalb der ersten Stunde unseres Kennenlernens in die Wolle bekommen haben.«

Während ich sprach, tippte Meggie auf ihrem Smartphone herum, was mich nicht weiter irritierte, da sie mit Harald stets in Verbindung stand, wenn sie unterwegs war.

»Rrrrr, das ist ja ein heißer Typ«, sagte sie unvermittelt und reichte mir das Handy über den Tisch. »Du solltest dich besser gut mit ihm stellen, der ist ja ein echtes Sahneschnittchen.«

Ich betrachtete die Bilder, die Google über den Halligboten zu bieten hatte. Ja, Reemt Harksen war attraktiv, aber auch ein bisschen durchgeknallt, wie ich am eigenen Leib hatte erfahren müssen. Meggie nahm mir das Handy wieder ab und scrollte weiter durch die Bildergalerie.

»Hey, schau mal, das ist ja ein Ding! Der trägt einen silbernen Ring«, sagte sie plötzlich und reichte mir das Telefon erneut. »Kannst du erkennen, ob da auch eine Gravur drauf ist? Meine Lesebrille chillt daheim auf dem Sofa.«

Ich vergrößerte das Foto, so weit es ging. Es zeigte Reemt, wie er mit verschränkten Armen vor der Lore stand.

»Unglaublich! Wenn ich das richtig sehe, ist der Ring tatsächlich graviert. Allerdings müsste ich eine Lupe haben, um ganz sicherzugehen.«

»Oder du fragst ihn einfach«, schlug Meggie vor. »Er mochte deine Großmutter doch, also wird er dir sicher gern mehr über sie und diesen geheimen Ringträger-Bund erzählen. Vielleicht hattet ihr beide nur einen schlechten Tag, als ihr aufeinandergetroffen seid, und könnt eure Beziehung auf diese Weise neu starten.«

Beziehung?! Neu starten?!

Nun, das sicher nicht. Aber fragen würde ich Reemt nach dem Ring, allein schon, weil er momentan der Einzige zu sein schien, der etwas über Ada wusste. Zumindest, solange Marie noch in der akuten Trauerphase war.

»Ihr werdet euch sicher häufiger sehen, wenn du auf Fliederoog bist …«, fuhr Meggie fort und hatte plötzlich diesen schwärmerischen Ausdruck im Gesicht, den sonst nur Romantic Comedys oder Hochzeitsfeiern bei ihr hervorriefen. »Vielleicht ist es ja genau so, wie deine Großmutter es in dem Brief an dich geschrieben hat: Nicht alle Wünsche sollten in Erfüllung gehen, weil das meiste gar nicht gut für einen ist.«

»Gehe ich recht in der Annahme, dass du dir da gerade etwas zurechtkonstruierst, frei nach dem Motto: Oliver war der Falsche, aber nun hat das Schicksal mich zu Reemt geführt?«, fragte ich Meggie mit gerunzelter Stirn. »Nein, nein, meine Liebe, vergiss es. Das ist die Art von Küchenpsychologie, wie du sie zuhauf in Zeitschriften findest. Meiner Meinung nach dient diese Theorie nur dazu, einen darüber hinwegzutäuschen, dass es nun mal verdammt weh tut, wenn etwas nicht klappt, das man sich sehnlichst erhofft hat.

»Aber dann hat man zumindest eine Perspektive«, hielt Meggie dagegen und zog eine Schnute. »Alles andere wäre nur Frust. Und das will doch auch keiner. Das Leben ist schon kompliziert genug.«

»Auch wieder wahr«, stimmte ich zu und hob das Glas. »Also, auf uns. Und auf die Zukunft. Was auch immer sie bringen mag.«

20. Kapitel

Nachdem ich am Nachmittag bei Doktor Petersen die nötigen Schritte in die Wege geleitet hatte, besiegelten wir mein künftiges Erbe mit einem Kaffee.

»Und? Was werden Sie jetzt mit allem anfangen?«, fragte Adas Notar und erhob seine Tasse.

Ich verschluckte mich beinahe beim Trinken, als ich an seiner Hand einen breiten, silbernen Ring mit dem Buchstaben U als Gravur blitzen sah. Der war mir bei unserem ersten Treffen gar nicht aufgefallen.

»Ich habe die Lorenzens beauftragt, sich als Gegenleistung für die geringe Miete um das Haus, den Leuchtturm und vor allem um den Garten zu kümmern, wenn ich nicht da bin. Aber ich werde natürlich versuchen, so oft wie möglich nach Fliederoog zu fahren, genau wie mein Bruder«, antwortete ich, in Gedanken bei den Ringen. *E, U, T, F – und nun also noch ein U.* »Und meine beste Freundin freut sich auch schon darauf, mit ihrer Familie ein paar Tage Urlaub auf der Hallig zu machen, genau wie ich selbst. Im Sommer ist es dort bestimmt traumhaft schön.«

»Ja, vor allem zur Zeit der Strandfliederblüte«, stimmte Doktor Petersen zu, während ich fieberhaft überlegte, wie ich ihn am besten auf den Ring ansprechen konnte. »Doch bevor ich es vergesse. Sie hatten mich ja gefragt, ob mit dem Mietvertrag der Lorenzens alles in Ordnung ist, und ich kann das nur

bestätigen, denn ich habe ihn selbst aufgesetzt«, fuhr er fort.
»Es würde mich freuen, wenn die Familie weiter auf dem Bauernhof wohnen kann und die Kinder später auf der Hallig zur Schule gehen. Schließlich gibt es heutzutage genug Abwanderung von den Inseln und Halligen. Kaum einer will sich mehr diese harte Arbeit antun, sich den Naturgewalten aussetzen und die Einsamkeit ertragen.«

Ich beschloss, gar nichts auf seine Bemerkung zu sagen, sondern übergangslos aufs Ganze zu gehen. »Dürfte ich Sie fragen, woher Sie diesen Ring haben und wofür der Buchstabe U steht? Ich habe nach dem Tod von Jasper Bendix eine Holzkiste bekommen, in der vier ähnliche Ringe liegen, zusammen mit einem Zettel von meiner Großmutter. Wissen Sie Näheres darüber?«

Doktor Petersen fuhr über den Ring, den er an der linken Hand trug, als wolle er ihn polieren – oder aber verdecken. »Ich habe schon gehört, dass Jasper verstorben ist«, antwortete er mit deutlich leiserer, beinahe brüchiger Stimme. »Nach und nach gehen sie alle, das ist so traurig. Aber auch das ist der Lauf der Welt.« Dann schien er sich wieder zu fangen. »Entschuldigen Sie bitte, ich rede wie ein alter, sentimentaler Mann. Heute geht es um Sie, meine Liebe, und um die Zukunft. Um das Leben. Ich wünschte, ich könnte Ihnen etwas zu den Ringen sagen, aber ich fürchte, ich bin nicht dazu befugt. Diese … Dinge … folgen ihren eigenen … nun ja … Gesetzmäßigkeiten. Momentan sind Sie selbst der Schlüssel zu allem.« Doktor Petersen wich meinem fragenden Blick aus. Dann räusperte er sich und wandte sich mir wieder zu. »Wenn ich Ihnen einen guten Rat geben darf: Sprechen Sie mit Ihrer Mutter. Dann wird sich alles Weitere finden und fügen.«

Meine Mutter.

Immer wieder meine Mutter und ihr eisernes Schweigen.

Es war zum Verrücktwerden!

»Melden Sie sich jederzeit, wenn Sie Hilfe brauchen oder einen Rat. Ich habe mich um Adas Belange gekümmert und würde dies gern, solange ich kann, auch für Sie tun.«

»Danke, ich weiß das sehr zu schätzen«, sagte ich höflich, auch wenn mich Doktor Petersens ausweichende Antwort frustrierte. »Schicken Sie mir bitte die Rechnung an meine Hamburger Adresse?

Doktor Petersen schüttelte den Kopf. »Nein, mein Kind, von Ihnen nehme ich kein Geld. Das gehört alles zu … unseren Prinzipien.« Ehe ich nachhaken konnte, was er mit dieser seltsamen Bemerkung meinte, sah er mich fragend an. »Sehen wir uns bei Jaspers Beerdigung?«

»Ja, das tun wir wohl«, antwortete ich traurig. »Haben Sie nochmals vielen Dank für alles, vor allem für Ihre Geduld. Aber ich kann Ihr großzügiges Angebot auf gar keinen Fall annehmen. Schließlich ist es Ihr Beruf, Angelegenheiten wie diese zu regeln.«

Schalk blitzte in den Augen des Notars auf. »Und wenn ich Ihnen sage, dass Ihre Großmutter bereits die Gebühren bezahlt hat?«

In diesem Moment wusste ich nicht, was ich glauben sollte.

War Doktor Petersen gewitzt und basierte seine – angebliche – Großzügigkeit tatsächlich darauf, dass Ada bereits im Vorfeld alles Finanzielle geregelt hatte? Oder schob er diese Begründung nur vor, weil er tatsächlich kein Geld von mir nehmen wollte?

»Dann sage ich, wir sehen uns kommende Woche in Husum«, antwortete ich, stand vom Stuhl auf und ließ mich vom Notar zur Tür bringen, die er mir formvollendet öffnete. »Aber wo wir gerade bei diesem Thema sind. Wissen Sie rein zufällig, wieso ich zwar zu Adas Erbin bestimmt wurde, aber nicht zur Seebestattung eingeladen war?«

Doktor Petersen seufzte tief. »Weil Sie Ihre Großmutter nicht als jemanden kennenlernen sollten, der als Asche in einer Urne liegt. Das hatte Ada extra so verfügt.«

Als ich draußen war, atmete ich tief durch.

Mir blieb nur noch eine Stunde bis zum gemeinsamen Abendessen bei meiner Mutter, und ich war gerade sehr betrübt, aber auch berührt von der einfühlsamen Rücksichtsmaßnahme Adas. Alles, was ich bislang über sie gehört oder erfahren hatte, war durchweg positiv. Wieso also war meine Mutter so voller Hass auf sie?

Was hatte Ada ihr getan?

Doktor Petersens Bemerkung machte deutlich klar, dass es allerhöchste Zeit wurde, endlich Licht in das Dunkel unserer Familiengeheimnisse zu bringen. Doch das würde anstrengend werden und ganz bestimmt nicht ohne Streit abgehen.

Also beschloss ich, die verbleibende Zeit bis zum Abendessen zu nutzen, um eine Weile an der Binnenalster spazieren zu gehen, wenn ich schon einmal hier in der Nähe war. In Gedanken versunken, ging ich am Thalia Theater vorbei und dann weiter geradeaus Richtung Alster.

Hier waren zwei Restaurantschiffe festgemacht, deren Terrassen an diesem ungewöhnlich sonnigen Spätnachmittag gut besucht waren. Die einen aßen bereits zu Abend, die anderen hatten noch Kaffee und Kuchen vor sich stehen, wie ich sehen konnte. Um die Boote zogen Schwäne stolz ihre Kreise, ab Mai würde die Alsterfontäne ihren Betrieb aufnehmen und eine Wassersäule in Höhe von sechzig Metern in die Luft spritzen. In der Adventszeit wurde sie durch einen Weihnachtsbaum ersetzt, der mit seinem Glitzerfunkeln die Nacht erhellte.

Weihnachten, mein allerliebstes Fest, auf das ich mich jedes Jahr aufs Neue freute. Mit einem Mal hatte ich ein Bild vor Augen, wie wir als Familie gemeinsam in Adas Stuv um einen Tannenbaum versammelt saßen und auf meine verstorbene Großmutter anstießen. Ohne Geheimnisse, ohne unbeantwortete Fragen, ohne Hass. Gemeinsam mit Meggie und ihrer Familie, ebenso wie mit Marie und den Lorenzens.

Vor gar nicht allzu langer Zeit hätte ich idyllische Wunschbilder wie dieses durch Oliver und ein gemeinsames Kind ergänzt. In der Realität hingegen war es uns noch nicht einmal gelungen, zum Adventskaffee zu meiner Mutter zu gehen, geschweige denn Heiligabend zusammen zu verbringen, da Oliver in jeder freien Minute bei seiner »kranken Mutter« gewesen war.

Ich schob die negativen Gefühle, die dieser Gedanke unwillkürlich in mir hervorrief, mit aller Macht beiseite und lenkte meinen Blick stattdessen auf das Wasser der Binnenalster, die in der tiefstehenden Nachmittagssonne beinah glitzerte wie die Wellen der Nordsee.

»Mein armer Schatz«, sagte meine Mutter und drückte mich zur Begrüßung an die Brust wie ein verloren geglaubtes Kind. »Nicht nur, dass du all den Ärger mit dem Erbe hast, nun musstest du auch noch mit ansehen, wie Jasper gestorben ist. Ich habe dir doch geraten, dich aus alldem herauszuhalten. Dieser Zweig der Familie bringt nichts als Ärger und Unglück.«

Hinter Hanne stand Felix, der eine Grimasse schnitt und mit den Augen rollte. Dabei sah er so hinreißend charmant aus, dass ich meinen aufkommenden Ärger über die Bemerkung meiner Mutter unterdrückte, mich von ihr löste und meinem Bruder um den Hals fiel.

»Na, Frau Leuchtturmwärterin, wie isses?«, fragte er. »Alles im Lack?«

Ich antwortete: »Alles im Lack, ich habe vorhin unterschrieben.« Aus dem Augenwinkel konnte ich den fragenden Blick meiner Mutter sehen, beschloss aber, alle wichtigen und strittigen Themen erst später anzusprechen.

»Wenn ihr wollt, können wir gleich essen«, sagte Hanne wie aufs Stichwort und dirigierte uns ins Esszimmer, wo sie, wie immer, liebevoll gedeckt hatte. Auf dem runden Tisch aus antikem Holz stand ein riesiger Strauß weißer Tulpen. Die Leinendecke und die Sets waren frisch gestärkt, die Gläser poliert. Alles hatte seine Ordnung und war an Perfektion kaum zu überbieten. »Heute gibt es als Vorspeise Vitello tonnato und als Hauptgang Pasta mit Trüffelöl, frischem Salbei und Kirschtomaten«, erklärte sie. »Ich hoffe, ihr mögt das.«

»Bis auf die Tatsache, dass du weißt, dass wir beide kein Fleisch essen, ist alles bestens«, antwortete Felix an meiner Stelle.

Hanne schrak sichtlich zusammen und tat mir in diesem Moment leid.

»Wie wäre es, wenn ich uns ein bisschen Brot aus der Küche hole und wir das in die Thunfischsoße tunken? Schmeckt bestimmt lecker«, schlug ich vor, um die Stimmung nicht schon in den ersten Minuten zu vermiesen.

»Wenn du meinst«, murmelte meine Mutter.

Das Gespräch nach diesem verunglückten Einstieg wieder in Gang zu bringen war nicht ganz einfach, und so fragte ich zunächst Felix nach den Fortschritten beim Umbau der Kneipe und meine Mutter, was sie in den vergangenen Tagen erlebt hatte.

Nachdem wir eine ganze Weile unfallfrei Small Talk betrieben und zu Ende gegessen hatten, trug ich schließlich das Geschirr ab, füllte die Essensreste in Schüsseln um und verstaute alles im Kühlschrank. Felix räumte währenddessen die Spülmaschine ein, Hanne saß allein im Esszimmer und trank Wein.

»Ich habe keinen Plan, wie ich Mama beibringen soll, dass ich Adas Erbe angenommen habe«, flüsterte ich hinter der angelehnten Küchentür. »Und ich muss sie nach gewissen Dingen aus unserer familiären Vergangenheit fragen, wenn ich herausfinden will, was es mit diesen Ringen auf sich hat.« Felix wusste bereits von dem mysteriösen Schmuck, weil ich am Vormittag mit ihm telefoniert und ihm davon erzählt hatte.

»Ich helf dir gern beim Detektivspielen«, antwortete er mit einem Augenzwinkern und gab mir dann einen sanften Knuff in die Seite. »Und hey, mach dir nicht dauernd so einen Kopf um Mama. Sie steht sich mit vielem selbst im Weg, und du kannst nicht auf alles Rücksicht nehmen. Du bist erwachsen und gehst deinen eigenen Weg, ob es ihr nun passt oder nicht.«

»Und wann bringst du ihr bei, dass Leo bald Vater wird und du einen kleinen Halbbruder bekommst?«, fragte ich zurück, weil Felix mir vorhin die neuesten Neuigkeiten aus dem Leben meines Stiefvaters gesteckt hatte.

»Eins zu null für dich«, gab Felix grinsend zurück und rieb sich am Ohrläppchen. »Okay, wer von uns beiden steigt zuerst in den ... haha lustig ... Ring?«

»Melde mich freiwillig«, sagte ich, da ich genau wusste, dass der Abend in einer Katastrophe enden würde, wenn meine Mutter erfuhr, dass ihr Ex-Mann zum zweiten Mal Vater wurde.

»Kannst schon mal vorgehen und für gute Stimmung sorgen, ich komme gleich nach.«

Nachdem Felix weg war, kochte ich Espresso für uns drei, den wir stets als Abschluss eines gemeinsamen Abendessens tranken, und füllte ihn anschließend in die vorgewärmten Tässchen. Dann stellte ich Sahne, Zucker sowie ein Schälchen voll Amarettini aufs Tablett und balancierte alles ins Wohnzimmer, wo Felix und Hanne bereits auf der Couch saßen.

»Hier kommt der Wachmacher«, verkündete ich betont gut gelaunt, obwohl mir mittlerweile recht mulmig zumute war. »Und vielleicht sollte ich auch gleich einen Verdauungsschnaps holen, denn ich habe soeben bei Doktor Petersen unterschrieben und bin somit hochoffiziell die alleinige Erbin von Adas Anwesen.«

Eigentlich hatte ich vorsichtiger, subtiler vorgehen wollen. Doch wie sie oft entströmten die Worte, die mir auf der Seele lagen, schneller meinen Lippen, als ich sie zu Ende denken konnte. Ein fataler Fehler.

»Das hast du nicht wirklich getan?«, presste meine Mutter zwischen den schmalen Lippen hervor und verschmolz mit der weißen Wand hinter ihr. »Aber das ist doch Irrsinn! Ich dachte, die Tage auf der Hallig hätten dich zur Besinnung gebracht.«

Meine Augen suchten Felix' Blick, mit der Bitte um Beistand.

»Hey, das ist doch ein Grund zum Feiern, nicht um Trübsal zu blasen. Wir können im Sommer alle gemeinsam Urlaub auf Fliederoog machen, das wird super!«, fing er den Ball auf und spielte ihn fröhlich lächelnd ins Spielfeld meiner Mutter. Doch da lag er komplett verkehrt.

»Ich hatte wirklich gehofft, dass nach Adas Tod endlich Schluss ist mit all diesem Mist«, zischte sie und war kaum mehr wiederzuerkennen. »Und jetzt sag mir bitte nicht, dass sie auch noch einen dieser bekloppten Ringe und Zaubersprüche an dich weitergegeben hat.«

Kaum hatte sie diesen Satz gesagt, schlug meine Mutter sich erschrocken auf den Mund.

Ringe?!

Na, sieh mal einer an! Hanne wusste also wirklich mehr, als sie zugab.

Nun gab es auch für mich kein Halten mehr.

»Jasper hat mir kurz vor seinem Tod eine Holzkiste mit vier silbernen Ringen gegeben. Und ich habe vorhin am Finger von Doktor Petersen einen weiteren Ring dieser Art gesehen. Auf meine Frage, was es mit diesen Schmuckstücken auf sich habe, meinte er lediglich, er sei nicht befugt, mir dies zu sagen, und ich solle mit dir darüber sprechen.«

Felix blickte mit weit aufgerissenen Augen zwischen uns beiden hin und her. In diesem Moment glich er eher einem aufgeregten Schuljungen als einem erwachsenen Mann von achtundzwanzig Jahren.

»Also, Mama, was weißt du über diese Ringe, und wieso wirst du so aggressiv, sobald ich Adas Namen erwähne? Diese Frau scheint großartige Dinge getan zu haben. Der Leuchtturm ist voller Fotos, Dankesbriefe und Geschenke von Menschen, denen sie auf irgendeine Weise geholfen zu haben scheint.«

Nun erstarrte meine Mutter komplett zur Salzsäule. »Ja, ja, einen auf heilig machen, nachdem sie zuvor so viel Leid verursacht hat. Das kann ich mir gut vorstellen. Mir wird schlecht, wenn ich nur daran denke. Und ich habe nicht die geringste Lust, darüber zu sprechen. Alles, was ich dazu zu sagen habe, ist, dass du einen großen Fehler gemacht hast. Verkauf das Anwesen, von mir aus zu einem Schleuderpreis, aber lass die Finger von dieser ganzen schrecklichen Geschichte! Spül die fürchterlichen Ringe das Klo hinunter und kümmere dich stattdessen lieber um dein Leben hier in Hamburg. Ich habe heute im Wirtschaftsteil des Hamburger Abendblatts gelesen, dass der Verlag angeblich plant, *Herself* dichtzumachen. Dein Job scheint also futsch zu sein, und einen Mann hast du jetzt auch nicht mehr. Ich denke, du hast momentan ganz andere Probleme als diese Hallig.«

Peng! Das saß!

Die Bemerkung meiner Mutter war so dermaßen kalt und lieblos und so weit von dem entfernt, wie ich sie sonst kannte, dass es mir schier den Atem raubte und ich mich fragte, wer sie wirklich war.

»Komm, Jule, ich denke, es ist besser, wenn wir beide jetzt gehen«, sagte Felix, nun wieder ganz erwachsen. »Ich würde vorschlagen, du reagierst dich erst mal ab, Mama, und dann sprechen wir weiter.«

Bevor ich protestieren oder irgendetwas dazu sagen konnte, hatte Felix mich auch schon vom Sofa hochgezogen.

Kurz darauf standen wir vor der Haustür, wo mein Bruder sich eine Zigarette anzündete, und seufzten beide tief.

»Wow, das nenne ich mal einen echt gelungenen Abend«, sagte ich, hysterisch kichernd. Und Felix stimmte mit ein.

In dieser Nacht träumte ich seit langem mal wieder von der Riesenwelle, die mich verschlang …

21. Kapitel

»Danke, dass Sie heute vor dem offiziellen Meeting noch kurz Zeit für mich haben«, sagte ich zu Marcus Winter, den ich gleich am Tag nach dem verunglückten Besuch bei meiner Mutter angerufen und um einen Termin für Anfang der Woche gebeten hatte. Denn natürlich beunruhigte mich der Artikel in der Tageszeitung, genau wie all die anderen Kollegen, mit denen ich mittlerweile gesprochen hatte.

»Aber das ist doch selbstverständlich, Frau Wiegand«, antwortete der Verlagsleiter von *Herself*. »Glauben Sie mir, wir sind alle sehr schockiert über diesen Artikel, der Firmeninterna verfrüht ans Licht gebracht und damit für jede Menge Wirbel gesorgt hat. Nur leider sind die Dinge, wie sie sind. Die gesamte Redaktion wird geschlossen, weil trotz monatelanger Suche kein neuer Investor gefunden wurde. Es tut mir sehr leid, vor allem um Sie, da Sie eine äußerst fähige Ressortleiterin sind. Ich hoffe, Sie finden bald einen neuen Job.«

Der letzte Satz traf mich wie ein Faustschlag.

Ich hoffe, Sie finden bald einen neuen Job.

Acht banale Worte, die mein bisheriges Leben völlig aus den Fugen geraten ließen.

»Vielen Dank für Ihre offenen Worte«, entgegnete ich, darum bemüht, nach außen so gefasst wie möglich zu wirken. Ich wollte mir vor meinem Chef auf gar keinen Fall die Blöße geben, Schwäche zu zeigen oder gar Angst. In dieser Branche tat man erfahrungsgemäß gut daran, ein Pokerface aufzusetzen, egal was passierte, um *marktfähig* zu bleiben. Um zu demonstrieren, dass Probleme Herausforderungen waren, keine unüberwindlichen Hindernisse. »Es … es werden sich ganz bestimmt neue Möglichkeiten eröffnen …«

»Aber vermutlich nicht in Hamburg«, erwiderte Marcus Winter seufzend. »Dazu kenne ich die Marktsituation zu gut.« Dann schaute er auf die Uhr. »Tut mir leid, das Gespräch beenden zu müssen, aber wir müssen jetzt los, das Meeting beginnt. Geben Sie mir Bescheid, wenn es für Sie in Betracht kommt, sich örtlich zu verändern, ich habe deutschlandweit gute Kontakte und empfehle Sie gern weiter.«

Punkt elf Uhr hefteten sich im Konferenzraum Dutzende Augenpaare auf Marcus Winter, dessen ernste Miene alle Anwesenden verängstigte. Keiner trank etwas oder biss lustvoll in einen der Bagles oder Schokoladencroissants, wie es sonst bei Besprechungen üblich war.

Ich selbst hatte das Gefühl zu ersticken, die Luft im Raum war auf einmal seltsam dünn.

Zehn Minuten später redeten alle durcheinander und bombardierten ihn mit Fragen, auf die es im Grunde nur eine Antwort gab: totale Katastrophe!

Der Verlagsleiter machte ein zerknirschtes Gesicht, denn auch er konnte keinem der Mitarbeiter wirklich Hoffnung machen.

In den vergangenen Jahren hatten viele meiner Journalistenkollegen ihre Festanstellung verloren und schlugen sich inzwischen mehr schlecht als recht als freie Redakteure durch, schrieben Bücher oder nahmen andere Jobs an, um sich und ihre Familien über die Runden zu bringen.

Blogger traten an ihre Stelle, fast alles war kostenlos im Netz zu bekommen, kaum einer nahm sich mehr Zeit, in Ruhe zu lesen. Um nicht komplett vor dem Aus zu stehen, falls mir einmal gekündigt werden sollte, hatte ich zwar irgendwann mal mit befreundeten Kolleginnen beschlossen, als Plan B ein Journalisten-Büro zu gründen, von dem aus wir Einzelleistungen wie Text-, Bild- und Schlussredaktion anbieten wollten. Doch zwei der vier Redakteurinnen hatten mittlerweile auf einen anderen Beruf umgesattelt, eine war schwanger geworden, und die vierte war seit einem Jahr auf Reisen, um *sich selbst zu finden* und über diese Erfahrung später ein Buch zu schreiben.

»Wollen wir zusammen Mittag essen?«, fragte Vivien, nachdem die Versammlung sich aufgelöst hatte. »Aber bitte irgendwo draußen, hier drinnen halte ich es nämlich keine Minute länger aus, sonst wird mir schlecht.«

Da ich ebenfalls mit ihr sprechen wollte, schlug ich vor, auf die Cap San Diego zu gehen und uns in die Kombüse zu setzen. Das Wetter war an diesem Montag ähnlich trüb wie zuletzt, als ich mit Felix dort war, aber diesmal würde ich garantiert keinen Bissen hinunterbringen, denn mir war ebenfalls übel und schwindelig.

Wenig später saßen wir vor zwei Bechern dampfendem Tee.

Heute konnten uns nicht einmal Kalles gutgelaunte Sprüche aufheitern.

»Und was machen wir jetzt?«, fragte Vivien düster.

»Ich habe keinen blassen Schimmer. Irgendwie glaube ich immer noch, dass das alles gar nicht wirklich passiert, sondern nur ein böser Traum ist«, antwortete ich. »Mit der Abfindung und dem Arbeitslosengeld können wir zwar sicher ein paar Monate überbrücken, aber das ändert auch nichts daran, dass die Marktlage im Moment grauenvoll ist. Wärst du denn bereit, in eine andere Stadt zu ziehen oder zu pendeln?«

Vivien schüttelte den Kopf. »Auf gar keinen Fall. Mein Freund und ich planen gerade, eine Familie zu gründen und zu heiraten. Ich denke, ich setze die Pille früher ab als geplant und hoffe, dass sich unser Wunsch erfüllt und wir bald Eltern werden. Zum Glück hat wenigstens Tom einen krisensicheren und gutbezahlten Job. Aber ich hätte den Zeitpunkt trotzdem gern selbst bestimmt und bin genauso vor den Kopf geschlagen wie du.«

Obwohl ich Vivien ihr privates Glück von Herzen gönnte, kroch Neid in mir hoch.

Knapp vier Wochen war es her, seit ich zuletzt hier gesessen hatte und der Meinung gewesen war, meine Welt sei in Ordnung.

Doch seitdem hatte ich Oliver verloren, ein Anwesen auf einer Hallig geerbt, hatte ernsthaften Streit mit meiner Mutter und war nun auch noch bald arbeitslos. Mein Leben war komplett aus den Fugen geraten, es gab niemanden, der mir Halt gab, mich in den Arm nahm, mich tröstete und mir Mut zusprach. Vivien hatte einen Mann, der sie liebte und sie auffangen konnte.

Ich hingegen hatte niemanden, der nachts meine Hand hielt, wenn mich Alpträume und Existenzängste plagten.

Wie hatte es bloß so weit kommen können?

Was hatte ich getan, um vom Leben eine solche Ohrfeige verpasst zu bekommen? Der einzige Lichtblick – im wahrsten Sinne des Wortes – war Adas Erbschaft.

»Ich habe übrigens das Erbe angenommen«, sagte ich leise, weil ich meine Entscheidung selbst immer noch nicht ganz fassen konnte, worauf Vivien erstaunt die Augen aufriss und mich ungläubig anstarrte. »Wenn alle Stricke reißen, habe ich zur Not wenigstens ein Haus mit eigenem Garten und Mieteinnahmen in Höhe von zweihundertfünfzig Euro. Dann kann ich immerhin kostenfrei wohnen, mein eigenes Gemüse anbauen und bekomme frische Milch, Eier und Obst vom Bauernhof, der ebenfalls mir gehört.«

»Hey, das ist ja super!«, rief Vivien spontan, legte dann jedoch ihre Stirn in Falten. »Aber du solltest das Anwesen verkaufen und dir mit dem Geld etwas Eigenes aufbauen. So ein Leben auf der Hallig, das wäre auf Dauer garantiert nichts für dich.« Ich sah Vivien fragend an. »Komm schon, Juliane, du bist eine Großstadtpflanze, wie sie im Buche steht, und eine Karrierefrau. Was willst du denn den ganzen Tag auf so einem öden Eiland machen? Den Tomaten beim Wachsen zuschauen?«

»Vielleicht ist das ja gar keine so blöde Idee«, murmelte ich nachdenklich. »Ich könnte mich zumindest so lange nach Fliederoog zurückziehen, bis ich weiß, was ich in Zukunft mit meinem Leben anfangen will. Dann hätte ich endlich die Muße, die ich mir schon so lange wünsche, und könnte die Dinge mal aus einer anderen Perspektive betrachten. Ein bisschen zur Ruhe kommen und die Seele baumeln lassen. Für eine Weile aus diesem Hamsterrad aussteigen, das einem manchmal die Sicht auf die Dinge vernebelt.«

»Aber da lernst du doch keine Männer kennen!«, entgegnete Vivien. »Ich finde, es wird allmählich Zeit, dass du ein Liebesleben hast. Willst du denn ewig alleine bleiben?«

Diese Frage traf mich, zumal ich sie noch nicht einmal ehrlich beantworten konnte. Schließlich wusste Vivien nichts von meiner Liaison mit Oliver, denn ich hatte stets tapfer der Versuchung widerstanden, sie in mein Geheimnis einzuweihen. Also antwortete ich vage: »Natürlich wünsche ich mir eine Beziehung, ich bin ja nicht aus Stein. Allerdings mache ich mir auch keine Illusionen darüber, was mich als Frau mit fast vierzig erwartet. Leider sind die guten Männer meist in festen Händen, und ich bin kein Typ fürs Online-Dating. Das überlasse ich lieber Felix. Doch das ist ehrlich gesagt gerade alles zweitrangig. In erster Linie muss ich mir überlegen, wovon ich künftig meine Miete bezahlen und wovon ich leben soll. Tausend Euro im Monat sind nun mal kein Pappenstiel, ganz zu schweigen von den anderen laufenden Kosten wie Versicherungen, Strom und dem ganzen Handyquatsch.«

Kaum hatte ich diesen Satz ausgesprochen, wurde mir augenblicklich wieder übel. Inklusive der Miete lagen meine monatlichen Fixkosten bei eintausendsiebenhundert Euro, waren also sehr hoch. Am besten war es wohl, mich so schnell wie möglich nach einer günstigeren Wohnung umzuschauen und die jetzige zu kündigen.

»Könntest du dir denn vorstellen, dich selbständig zu machen?«, fragte Vivien. »Oder ist dir das zu riskant?«

»Eigentlich habe ich keine Lust dazu, wenn ich ehrlich sein soll«, antwortete ich. »Diesen ganzen Mist habe ich schon so oft mitgemacht, und ich weiß, welch schlechte Honorare zurzeit für freie Redakteure gezahlt werden. Ich glaube, ich überlege mir lieber, womit ich sonst auf Dauer mein Geld verdienen kann. Andererseits kann ich nun mal am besten schreiben. Für alles andere fehlt mir irgendwie das Talent.«

»Mir leider auch«, sagte Vivien und stieß einen Stoßseufzer aus.

Nachdem wir beide wieder zurück in der Redaktion waren, begann ich, meinen Schreibtisch auszuräumen und den Inhalt in Kartons zu packen, die die Geschäftsleitung uns Mitarbeitern ironischerweise spendiert hatte. Stück für Stück wanderte alles, was zu meiner Arbeit gehört hatte, in eine Kiste, ein geradezu surreales Gefühl.

Ob Oliver schon wusste, dass *Herself* eingestellt worden war?

Als Letztes nahm ich den Topf mit der traumschönen Orchidee zur Hand, die künftig anstelle des Büros eines der Fensterbretter meiner Wohnung zieren würde. Innerhalb einer halben Stunde wirkte der Raum so, als hätte ich hier niemals Zeit damit zugebracht, unser Magazin zum Erfolg zu führen. Am zwanzigsten April würde die letzte Ausgabe erscheinen und *Herself* damit Geschichte sein.

Bald schon würde sich kein Mensch mehr an die Zeitschrift erinnern, in die unser Team so viel Energie, Liebe und Herzblut gesteckt hatte.

Bevor das Taxi kam, verabschiedete ich mich von meinen Kollegen, allen voran natürlich von Vivien und Marcus Winter. Meine Assistentin war heute krank, die würde ich in den nächsten Tagen anrufen. Wir verabredeten eine interne Abschiedsfeier, um deren Organisation sich Vivien kümmern würde. All diese Tätigkeiten verrichtete ich, als würde ich von einem Autopiloten gesteuert.

Mechanisch, professionell, nahezu ohne Emotion.

Und dann stand ich vor der Tür des Verlagsgebäudes und besaß noch nicht einmal mehr einen Mitarbeiterausweis.

Auch auf der Cap San Diego würde ich künftig den regulären Museumseintritt zahlen müssen, wenn ich in die Kombüse wollte.

»Tja, Frau Wiegand, das war's dann wohl!«, sagte ich zu mir selbst. »Zwei Jahre Schufterei, und nun stehst du da und hast keinen blassen Schimmer, wie es weitergeht. Dein Kerl schippert irgendwo in der Karibik herum und macht sich ein schönes Leben, deine Mutter ist gerade stinksauer auf dich, obwohl du gar keine Schuld daran hast, und deine Wohnung kannst du dir auch nicht mehr leisten. Glückwunsch, läuft ja alles super!«

Im Film hätte es in diesem Moment zu regnen begonnen, und ein Auto wäre durch eine tiefe Pfütze gefahren, deren Wasser mich von oben bis unten nass gespritzt hätte.

Doch in meinem Leben war Regen scheinbar zu banal für diese Situation, denn auf einmal landete etwas Warmes, Weiches auf meinem Kopf und tropfte an mir herunter. Ich fasste mir ins Haar und hatte eine weiße, leicht klebrige Flüssigkeit an meinen Fingern.

Hohnlachend flog eine Möwe in Richtung Elbe davon.

Und ich war froh, als endlich das Taxi kam.

22. Kapitel

Nach all den Turbulenzen der vergangenen Tage und Wochen musste ich an diesem Freitag Mitte April etwas tun, das mir sehr schwerfiel: Jasper Bendix das letzte Geleit geben, Seite an Seite mit Marie und ihrer Familie.

Auf dem Friedhof des sogenannten Kirchleins am Meer, im an Husum angrenzenden Stadtteil Schobüll, hatten sich zahllose Menschen versammelt, um Adas verstorbenem Freund die letzte Ehre zu erweisen und am Trauergottesdienst teilzunehmen.

Zur anschließenden Trauerfeier in der Hackensbüller Gaststätte Zum Krug, in der schon Theodor Storm getafelt hatte, waren nur wenige Gäste geladen, die später im engsten Kreis Abschied nehmen würden.

»Mama, Papa, das ist Juliane Wiegand, Adas Enkelin«, sagte Marie, die heute ein schwarzes, schlichtes Kleid trug und ein schwarzes Band in den geflochtenen Zopf geschlungen hatte, der auf ihrem Rücken baumelte wie ein dickes Tau.

Ich begrüßte Maries Eltern, die erst am Vorabend aus den USA zurückgekehrt waren, und sprach ihnen mein Beileid aus.

Jasper war der Vater von Inken, Maries Mutter, gewesen, die ihrer Tochter sehr ähnlich sah. Um weitere Worte zu wechseln, blieb keine Zeit, denn ich traf auf Doktor Petersen, der ebenfalls ganz in Schwarz gekleidet war und sichtlich trauerte. Nachdem ich mich einen Moment mit ihm unterhalten hatte,

erblickte ich in der Nähe des Eingangs der frühgotischen Backsteinkirche überraschenderweise Reemt Harksen. Er wirkte ein
wenig verloren, und so beschloss ich, zu ihm zu gehen.

Vielleicht war dieser traurige Anlass eine Gelegenheit, den
unnützen Streit zwischen uns beizulegen.

Also sagte ich »Schön, Sie zu sehen« und bemerkte, dass ich
mich tatsächlich darüber freute.

»Schön, *Sie* zu sehen«, erwiderte Reemt lächelnd meinen
Gruß.

Der Halligbote gab heute ein vollkommen anderes Bild ab
als bei unserer ersten Begegnung: Er trug einen gutgeschnitte-
nen, anthrazitfarbenen Anzug, polierte Schuhe, ein weißes
Hemd und eine schwarze Krawatte. Seine Haare waren deutlich glatter als bei unserer letzten Begegnung, und er war frisch
rasiert. Mir hatte er zwar als Typ Naturbursche gefallen, doch
auch dieser Look stand ihm ausgesprochen gut.

»Ich hätte nicht gedacht, dass Sie auch kommen.«

»Es ist einiges passiert seit unserem vollkommen unnötigen
Zusammenprall«, entgegnete ich. »Ich war dabei, als Jasper
starb, und wollte natürlich auch gern dabei sein, wenn er
bestattet wird ... äh, ich meine ... das klingt ja, als ob ich an
einem tollen Event teilnehmen würde ... o Gott, was rede ich
da nur für einen Blödsinn?«

Reemt Harksen lächelte schief. »Mein Eindruck ist, dass Jaspers Tod Sie sehr mitnimmt, genau wie mich. Von daher haben
Sie alles Recht der Welt, heute ein bisschen neben der Spur zu
sein und Unsinn zu reden.«

Ich bemühte mich, den leicht provokanten Unterton in seiner Stimme zu überhören, denn hier war weder Ort noch Zeit,
um sich erneut zu streiten.

»Geht es Ihnen denn sonst gut? Ich habe von den Lorenzens

gehört, dass Sie Adas Anwesen behalten und die Familie weiterhin günstig auf dem Bauernhof wohnen lassen – was ich beides sehr schön finde.«

Aha, daher wehte also der Wind!

Reemt Harksen war mir gegenüber nur so milde gestimmt, weil ich in seinen Augen genau das getan hatte, was seinen Vorstellungen vom *korrekten* Halligleben entsprach. Ich fühlte mich augenblicklich wie eine Schülerin, die unerwartet von ihrem Lehrer gelobt wurde.

»Ich glaube, wir müssen jetzt«, sagte Reemt mit sanfter Stimme und fasste mich leicht am Arm. »Darf ich Sie nach vorne begleiten?«

Ein wenig überrumpelt von dieser Geste nickte ich und ließ mich von ihm zu Familie Bendix bringen, die sich inzwischen zusammen mit Doktor Petersen, aber auch Enrik Schaefer, den ich vorher gar nicht gesehen hatte, vor der Grabstelle versammelt hatte.

Jasper wurde neben seiner Frau in einem Familiengrab beigesetzt, wie ich der Inschrift des Granitsteins entnehmen konnte. Nachdem der Pastor einige Worte gesprochen hatte, trat Marie ans offene Grab, warf einen Zweig lavendelfarbenen Flieder hinein und begann, das plattdeutsche Volkslied *Dat du min Leevsten büst* zu singen, allerdings mit verändertem Text. Ihre warme, dunkle Altstimme traf mich mitten ins Herz, und ich begann hemmungslos zu weinen. Es war, als würden sich all der Kummer und all die Ereignisse der vergangenen vier Wochen zu einem wahren Sturzbach vereinigen, obwohl ich geglaubt hatte, keine einzige Träne mehr übrig zu haben.

Reemt drückte mir ein Taschentuch in die Hand und legte den Arm um mich, wieder eine irritierende, aber äußerst tröstliche Geste.

Nachdem auch alle anderen Familienmitglieder, Freunde und alten Weggefährten einen letzten Gruß ins Grab geworfen hatten, wurde der Familie kondoliert. Die Grabstätte selbst würde erst später verschlossen und mit Blumen und Kränzen geschmückt werden.

»Nun isser fort«, sagte Einspänner, der sich zu uns gesellte, betrübt. Auch er sah heute anders aus als sonst und trug nebst schwarzer Latzhose ein schwarzes Käppi.

»Ja, das isser«, stimmte Reemt zu. »Doch dafür kann er jetzt im Himmel gemeinsam mit Joke, seinem Freund Börge und Ada ein Fest feiern, wie er es geliebt hat.«

Und obwohl er versuchte, sich den Anschein zu geben, gefasst zu sein, sah ich Tränen in den Winkeln seiner tiefbraunen Augen glitzern. Scheinbar verstohlen wischte Reemt sich übers Gesicht, und in diesem Moment sah ich ihn: den sechsten Silberring.

Ich kniff die Augen zusammen, um den Buchstaben zu entziffern, und war mir ziemlich sicher, ein R zu lesen.

E, U, T, F, U, R, zählte mein Gehirn die Buchstaben auf.

Spontan formte sich der Begriff FUTURE in meinem Kopf, was natürlich Unsinn war, denn ich würde erst wissen, um welches Wort es sich handelte, wenn ich alle elf Buchstaben kannte.

Kurz darauf stolperte ich über den nächsten, den ich an der Hand von Kathrin Burmester, der MBSR-Trainerin aus Friedrichstadt, entdeckte, die ebenfalls mit Jasper befreundet gewesen war und ein enges Verhältnis zur Familie Bendix pflegte.

Marie machte uns beide miteinander bekannt.

»Ich habe schon durch die Familie Lorenzen von Ihnen gehört«, sagte ich und gab der alten Dame die Hand. »Mein Beileid.«

Kathrin Burmester wirkte im ersten Moment ein wenig verwirrt, doch dann erklärte Marie ihr, wieso ich auf der Beerdigung war und welche Verbindung ich zu dem Verstorbenen hatte.

»Dann sind Sie also Ada Schobülls Enkelin«, sagte sie – und erst jetzt fiel mir auf, dass der Friedhof, auf dem wir waren, den Namen Schobüller Friedhof trug. »Sie sehen ihr tatsächlich ein wenig ähnlich, vor allem durch dieses Muttermal. Gefällt es Ihnen denn auf Fliederoog?«

»Ich finde es wundervoll dort«, antwortete ich mit dem wohligen Gefühl, dass dies tatsächlich stimmte. »Mein Start war zwar ein bisschen holprig, aber ich kann gut verstehen, weshalb Ada so gern dort gelebt hat. Die Natur ist wirklich unvergleichlich schön, das Haus zauberhaft und der Leuchtturm ... nun, ich habe schon als Kind ein Faible für Leuchttürme gehabt, und jetzt besitze ich selbst einen.« Frau Burmester schenkte mir ein warmes Lächeln. »Sie leben ja in Friedrichstadt, wie ich hörte. Da soll es ebenfalls traumhaft sein.« Während ich dies sagte, fokussierten meine Augen den silbernen Ring, doch leider konnte ich den Buchstaben nicht richtig erkennen.

»Das stimmt. Aber es klingt, als würden Sie die Stadt selbst nicht kennen.« Ich nickte. »Dann besuchen Sie mich doch dort einmal«, schlug Kathrin Burmester vor. »Ich würde mich freuen.«

Mit diesen Worten kramte sie in ihrer Handtasche nach dem Portemonnaie, aus dem sie schließlich eine Visitenkarte holte und mir reichte. Meine Augen verfolgten geradezu besessen die Bewegung der Hand, an der sie den Silberring trug.

Vielleicht sollte ich einen Krimi schreiben und damit reich werden, schoss es mir durch den Kopf.

War das ein H? Oder doch ein anderer Buchstabe?

Zu meinem Ärger konnte ich es nicht erkennen, so sehr ich

mich auch bemühte. Also nahm ich dankend die Karte entgegen und sagte: »Das wäre toll. Da ich momentan Zeit habe, würde ich gern schon bald auf Ihr nettes Angebot zurückkommen. Außerdem interessiere ich mich sehr für Ihren MBSR-Kurs, von dem mir Herr Lorenzen so vorgeschwärmt hat.«

»Dann melden Sie sich einfach, wenn es Ihnen am besten passt«, fing Kathrin Burmester den Ball auf. »Und dann trinken wir gemütlich einen Tee, plaudern ein bisschen, und Sie haben mit etwas Glück sogar die Möglichkeit, an einem Vortrag teilzunehmen, in dem ich über den Kurs informiere, der in wenigen Wochen neu startet. Klingt das gut für Sie?«

Ich hätte natürlich jedem Vorschlag zugestimmt, also nickte ich erfreut. Dabei hatte ich gar nicht bemerkt, dass Reemt neben mir aufgetaucht war.

»Darf ich Ihnen Juliane kurz entführen?«, fragte er. »Es dauert auch nur eine Minute.«

Ich hätte am liebsten gesagt »Wieso fragen Sie das Frau Burmester und nicht mich?«, unterließ es aber, weil ich nicht schon wieder Stress mit Reemt haben wollte.

»Bitte entschuldigen Sie, dass ich Ihre Unterhaltung unterbreche, aber ich wollte mich verabschieden und fragen, wann Sie das nächste Mal auf Fliederoog sind.«

»Sind Sie denn nicht zur Trauerfeier im Krug eingeladen?«, fragte ich verwundert.

»Doch, das bin ich«, antwortete Reemt. »Aber ich habe heute noch andere dringende Verpflichtungen, deshalb muss ich jetzt leider wieder weg.«

»Momentan kann ich gar nicht sagen, wann ich das nächste Mal auf die Hallig komme. Ich gebe Ihnen aber gern Bescheid, wenn es Ihnen so wichtig ist. Mögen Sie mir Ihre Handynummer geben?«

Nachdem ich seine Nummer gespeichert hatte, kam Marie, um uns zur Trauerfeier zu bitten.

Ich schaute Reemt noch eine Weile hinterher, als er mit schnellen Schritten davonging, in Richtung des Parkplatzes, der direkt am Meer lag.

Ein seltsamer Typ, anders konnte ich es nicht sagen.

Er hatte etwas an sich, das mich zugleich neugierig machte, aber auch verstörte.

Doch wie auch immer, es nützte nichts: Ich brauchte ihn, um herauszufinden, was es mit den elf Ringen auf sich hatte.

Teil 2

Wenn sich in einer Familie auch nur eine Person in Achtsamkeit übt, so wird die ganze Familie achtsamer. Die Achtsamkeit des einen Menschen erinnert und ermutigt die ganze Familie, in Achtsamkeit zu leben.

23. Kapitel

Zweieinhalb Monate waren seit der Kündigung und Jaspers Beerdigung vergangen.

Zehn Wochen, in denen ich in erster Linie damit beschäftigt gewesen war zu versuchen, mein Leben neu zu ordnen, Möglichkeiten auszuloten, Pläne zu schmieden und sie wieder zu verwerfen.

Wochen, in denen ich einem permanenten, äußerst anstrengenden Wechselbad der Gefühle unterworfen war: Zarte Hoffnungsschimmer wurden von Gewitterwolken meiner Seele erstickt. Dunkle Nächte durch einen darauffolgenden schönen Tag erhellt.

Es gab Tage, an denen ich mich zwingen musste aufzustehen, und Tage, an denen ich fest daran glaubte, dass es einen Weg aus dieser Krise geben würde.

Und nun startete ich – sprichwörtlich – zu neuen Ufern, indem ich gemeinsam mit meinem Bruder nach Fliederoog fuhr.

»Na, was ist das für ein Gefühl, alle Brücken hinter dir abgebrochen zu haben?«, fragte Felix, der neben mir an Deck der Fähre stand.

»Ich habe ja nicht alle abgebrochen«, korrigierte ich ihn, während ich überlegte, ob das wirklich stimmte.

»Aber gewaltig angeknackst«, erwiderte mein Bruder grinsend, während der Juliwind seine rotblonden Locken zerzauste. Seit April waren seine Haare noch länger geworden, und so sah

Felix mittlerweile aus wie eine Mischung aus Rockstar und Hippie. »Lass mich nur mal eben fürs Protokoll zusammenfassen, was du in den letzten Wochen alles getrieben hast: dich so heillos mit unserer Mutter überworfen, dass sie kein Wort mehr mit dir redet und mit mir auch nur noch das Nötigste. Deine Wohnung für drei Monate untervermietet und zwei lukrative Job-Angebote in München und Berlin ausgeschlagen. Nicht zu vergessen deine Entscheidung, bis mindestens Ende September auf einer einsamen Hallig zu leben und dir zu überlegen, was du mit deinem weiteren Leben anfangen willst.«

»Und – noch viel wichtiger! – Oliver endgültig den Laufpass gegeben«, ergänzte ich und dachte daran zurück, wie er vor zwei Wochen wie ein begossener Pudel bei mir aufgetaucht war, weil der Versuch, seine Ehe wiederzubeleben, endgültig gescheitert war.

Auch wenn meine Worte nach Triumph klangen, wussten wir beide, welchen Preis mich diese Trennung gekostet, welchen Schmerz sie mir zugefügt und wie sehr sie mir den Boden unter den Füßen weggezogen hatte. Die Wunde war noch immer nicht ganz verheilt und drohte jederzeit erneut aufzubrechen.

»Hey, Sis, ich bin stolz auf dich, hab ich dir das eigentlich schon gesagt?«

»Nur ungefähr hundertmal«, gab ich schmunzelnd zurück und streckte mein Gesicht der Sommersonne entgegen. Heute war einer der *guten* Tage, und ich wollte ihn genießen, denn ich war einen langen Weg gegangen und hatte wichtige Entscheidungen getroffen. In diesem Augenblick fühlte sich alles richtig an. Ich verspürte eine Freiheit, wie ich sie noch nie zuvor in meinem streng durchgetakteten, von Plänen und Zielen bestimmten Leben erfahren hatte. Allerdings wusste ich auch, wie zerbrechlich all dies war und wie leicht ich immer noch in eine düstere, hoffnungslose Stimmung abrutschte.

»Aber wann hätte ich auch all das machen sollen, wenn nicht jetzt?«, fuhr ich fort und sprach dabei in erster Linie mit mir selbst. »Ich werde nächstes Jahr vierzig. Später hätte ich bestimmt nicht den Mut gefunden, mein Leben derart umzukrempeln, weil mir das Risiko einfach zu groß gewesen wäre.«

»Und dir dann die endgültige berufliche und partnerschaftliche Verschrottung droht, ich weiß«, erwiderte Felix grinsend. »Bloß seltsam, dass dir die Arbeitgeber und Männer gerade die Bude einrennen.«

Ich verpasste meinem Bruder einen Knuff und dachte an die letzte große Auseinandersetzung mit Hanne, als ich ihr die Entscheidung mitgeteilt hatte, mir für drei Monate eine Auszeit auf Fliederoog zu nehmen.

Unser Streit war grauenvoll gewesen und verfolgte mich in schlaflosen Nächten. Dass die Hallig ein rotes Tuch für sie war, wusste ich ja. Dass ich den Aufenthalt dort jedoch zwei möglichen Festanstellungen vorzog, ließ sie endgültig verzweifeln. Und mich ließ es verzweifeln, dass meine Mutter, die mich liebte, mir in dieser schweren Zeit keine Stütze war, sondern das genaue Gegenteil!

»Berlin wäre sogar noch halbwegs nah an Hamburg«, hatte sie unter Tränen gesagt. »Du hättest deine Wohnung behalten und an den Wochenenden hier sein können.«

Natürlich hatte sie damit recht.

Doch diesmal hatte irgendetwas in mir dagegen rebelliert, wieder einmal aus lauter Angst vor der Zukunft sofort Nägel mit Köpfen zu machen. Schließlich hatte ich, seit ich denken konnte, immer für alles hart gearbeitet und gekämpft: Ich hatte schon als Schülerin gejobbt, mir nach dem Abi keine Auszeit gegönnt und immer zielstrebig daran gearbeitet, meine berufliche Laufbahn auf die richtige Schiene zu setzen.

Dass ich dabei mitunter in die falsche Richtung abgebogen war, war mir erst klargeworden, als ich nun zum ersten Mal in meinem Leben ein Angebot gründlich überprüft und all seine Konsequenzen durchdacht hatte. Dabei war ich sowohl von Felix als auch überraschenderweise von Meggie unterstützt worden. »Süße, du hast jetzt die einmalige Chance, noch mal komplett von vorne anzufangen und die Weichen neu zu stellen«, hatte sie gesagt, als ich sie um Rat wegen des Jobs als Ressortleiterin eines Frauenmagazins für den Bereich Beauty in Berlin gebeten hatte. »Wenn Redaktionen dich haben wollen, obwohl du zuvor geglaubt hast, dass das nicht der Fall sein würde, dann wird das auch im Herbst noch so sein. Momentan hast du deine Abfindung, die du dir mehr als verdient hast. Genieß den Sommer auf Fliederoog, und gönn dir diese drei Monate! Schau mich an. Mein Leben besteht aus so vielen Aufgaben und Verpflichtungen, dass ich keinen Schritt machen kann, ohne ihn zu planen und mit meiner Familie abzustimmen. Ich bin ehrlich gesagt auch reif für die Insel.«

»Juhu, da sind wir!«, riss Felix' Stimme mich aus meinen Gedanken an all die Themen, die ich auf dem Festland zurückgelassen hatte. »Willkommen auf Fliederoog, Frau Leuchtturmbesitzerin.«

Als wir die Fähre verließen, fühlte es sich zum ersten Mal ein bisschen an wie *Heimkommen*.

Und diesmal gab es auch kein Problem damit, zu Adas Haus zu gelangen. Wir stapelten unser Gepäck in Adas Bollerwagen, der, genau wie ihr Fahrrad, im Lore-Bahnhof untergestellt war.

Marie hatte Felix netterweise ein Herrenrad besorgt und es neben Adas geparkt. Alles war bestens vorbereitet.

Keine halbe Stunde später öffnete ich die Tür zu *meinem Reich*, das sich von Mal zu Mal mehr anfühlte wie ein zweites Zuhause.

»Du hast einiges verändert, seit ich das letzte Mal hier war, oder?«, fragte Felix und schaute sich in der Stuv um.

»Ich habe nur Adas ... nennen wir es mal ... Altar abgebaut und den indischen Teppich durch einen mit friesischem Muster ersetzt«, antwortete ich. »Ich mochte die Kombination mit dem Mobiliar nicht so gern. Du wohnst übrigens oben in Börges altem Zimmer, das ich vor zwei Wochen ebenfalls ein bisschen umgemodelt habe. Es gibt zwar ein offizielles Gästezimmer im ersten Stock, aber das ist viel zu klein für dich.«

Felix sprintete die Treppe nach oben, die unter seinen schweren Schritten deutlich mehr ächzte als unter meinen.

In den vergangenen Wochen war ich diese Stufen viele, viele Male auf und ab gegangen, da ich immer wieder für ein paar Tage nach Fliederoog gekommen war, um das ein oder andere zu erledigen, mich mit den Lorenzens zu besprechen oder einfach nur, um ungestört nachdenken zu können.

Zum Glück war seit Ende April offiziell Saison auf den Halligen, so dass die Fähre täglich fuhr und ich nicht länger abhängig von Enrik Schaefer und seiner Lore war.

»Was hältst du davon, auszupacken, während ich uns einen Salat mache?«, schlug ich vor, nachdem Felix wieder nach unten gekommen war, begeistert von Börges Zimmer. »Wenn du fertig bist, können wir die Gartenmöbel aus dem Schuppen holen und auf die Terrasse stellen.« Bislang hatte ich mir lediglich eine Liege geschnappt, wenn ich mich sonnen wollte, da es sich für eine Person und für ein paar Tage Aufenthalt nicht gelohnt hatte, das gesamte Mobiliar aufzubauen.

»Wie wär's, wenn wir das zuerst machen?«, entgegnete Felix. »Meinetwegen kann der Salat noch warten. Ich würde mich lieber mit einem Kaffee und einem Croissant auf die Liege hauen und in den Himmel gucken, wenn wir mit allem fertig sind. Carpe diem und so, you know?!«

»Klingt gut«, sagte ich grinsend. »Also dann, nix wie los.«

Nachdem wir alles ausgeräumt hatten, was Adas Schuppen so beherbergte, machte ich mich auf die Suche nach einem Gartenschlauch, mit dem wir die Möbel abspritzen konnten, um sie von der feinen Staubschicht zu befreien, die sich im Laufe der Zeit daraufgelegt hatte.

Felix holte währenddessen den Kugelgrill aus dem Karton und stieß einen bewundernden Pfiff aus. »Ada hatte wirklich Geschmack, das muss man ihr lassen. Das ist Eins-a-Qualität. Vielleicht sollte ich es mal mit Angeln versuchen, dann könnte ich uns heute Abend frischen Nordseefisch auf den Grill hauen.«

»Hm … ich weiß nicht so recht«, widersprach ich. »Wollen wir es nicht für den Anfang mit den Veggie-Würstchen, Maiskolben und Gemüsespießen versuchen? In Wahrheit willst du doch gar keine armen Fische töten.«

Für den Start auf Flieeroog hatten wir extra eine Kühltasche und einen Seesack voller Vorräte mitgebracht.

Alles Weitere würden wir dann im Kiek ut kaufen.

»Das stimmt natürlich«, antwortete Felix. »Also machen wir es auf die klassische Art. Aber mit Fackeln, Windlichtern und allem Drum und Dran. Heute Abend will ich das volle Programm, um den Beginn deiner Auszeit und meinen Urlaub zu feiern.«

»Geht klar«, sagte ich. »Koch uns doch schon mal einen Kaffee, während ich hier weiter nach dem Schlauch suche. Ah, da drin könnte einer sein.« Ich war auf eine große Holzkiste mit Gartenutensilien gestoßen, zwischen denen sich ein zusammengerollter Schlauch befand, der noch in Folie eingeschweißt war. Als ich ihn herausnahm, um ihn von seiner Verpackung zu befreien, erblickte ich darunter einen Umschlag – adressiert an mich.

Schauer überliefen meinen Körper, und ich wischte mir über die Augenlider, um sicherzugehen, dass ich keinem Trugbild aufsaß.

Doch da stand ganz klar und deutlich der Name Juliane Wiegand auf dem Kuvert. Ich öffnete es und nahm einen Brief heraus, den meine Großmutter unterschrieben hatte:

Liebe Juliane,

wenn Du diesen Brief gefunden hast, bist Du schon dabei, Dich mit meinem Haus und meinem Garten vertraut zu machen, das freut mich sehr. Bitte achte gut auf meine Blumen und Pflanzen, sie sind wie meine Kinder. Insbesondere die Heilkräuter haben schon vielen Menschen Gutes getan. Genieße mein kleines Paradies.

In Liebe, Ada

Fassungslos schaute ich auf die handgeschriebenen Zeilen. Es schien, als hätte Ada genau gespürt, wie ich mich entscheiden würde, sonst hätte sie mir wohl kaum das Buchpaket aus Husum schicken lassen oder diesen Brief verfasst.

Ob es hier noch weitere Botschaften dieser Art gab?

Veranstaltete meine Großmutter vom Himmel aus so eine Art Schnitzeljagd mit mir?

»Na, was hast du denn da? Einen Liebesbrief von diesem merkwürdigen Halligboten? Oder von Einspänner? Den würde ich übrigens gern mal kennenlernen«, sagte mein Bruder, der gerade mit einem Tablett wiedergekommen war, auf dem zwei dampfende Becher Kaffee standen sowie ein Teller mit einem Croissant und zwei Franzbrötchen aus einer Hamburger Bäckerei. Letztere würde ich schwer vermissen, da es dieses Gebäck meines Wissens nur in Hamburg gab.

»Schon wieder ein Brief von Ada«, murmelte ich und reichte ihn Felix. »Ich bin mir gerade nicht sicher, ob ich mich manipuliert fühlen oder gerührt sein soll.«

»Tja, das ist in der Tat seltsam«, entgegnete Felix, schnappte sich einen der Becher und las, während er trank, Adas Botschaft. »Meinst du, es gibt hier im Haus womöglich noch weitere Schreiben dieser Art? Vielleicht sogar solche, die zu den fehlenden Ringen führen?«

Felix war, seit ich ihm von den elf Ringen erzählt hatte, fasziniert von dem Gedanken daran, dieses Geheimnis zu lüften. Ich selbst hatte in den letzten Wochen allerdings kaum etwas in dieser Hinsicht unternommen, weil ich zum einen zu sehr mit mir selbst beschäftigt gewesen und zum anderen Kathrin Burmester kurzfristig erkrankt war, nachdem wir endlich einen Termin für ein Treffen in Friedrichstadt vereinbart hatten.

»Lass uns doch einfach in den nächsten Tagen das gesamte Haus auf den Kopf stellen. Bestimmt finden wir da noch irgendetwas.« Abenteuerlust funkelte in Felix' Augen, und ich dachte: *Was soll's, warum eigentlich nicht?*

Schließlich hatten wir keine weitere Aufgabe, als es uns gutgehen zu lassen und die Tage auf Flederoog zu genießen. Bevor uns irgendwann langweilig wurde, war es sicher spannender,

Detektiv zu spielen, auch wenn ich mich momentan kaum mehr daran erinnern konnte, wie sich Langeweile eigentlich anfühlte.

Dieses Gefühl kannte ich allerhöchstens aus meiner frühen Kindheit, wenn bereits vier Wochen Sommerferien hinter mir lagen und ich glaubte, bereits jedes Spiel gespielt, jede Runde im Schwimmbad gedreht, jedes Buch gelesen und jede Kassette gehört zu haben. Schon erstaunlich, wie sich das Zeitempfinden im Laufe des Lebens veränderte.

Je älter ich wurde, desto mehr beschlich mich das Gefühl, dass es irgendwo einen Zeitdieb gab, der klammheimlich eine oder mehrere Stunden von meinem Tageskontingent stahl.

Umso wichtiger war es, jede kostbare Minute zu genießen.

»Erde an Sis, bist du noch da?«, fragte Felix und schnipste direkt vor meiner Nase mit dem Finger. »Ich habe dich etwas gefragt.«

»'tschuldigung«, sagte ich und zuckte tatsächlich schuldbewusst zusammen. »Ja, lass uns das gern machen, aber bitte bei schlechtem Wetter. Momentan bin ich viel zu versessen darauf, auf der Terrasse in der Sonne zu brutzeln und die Seele baumeln zu lassen. Ich spann mal eben den Sonnenschirm auf und hol uns Sonnenmilch. Du kannst ja währenddessen die Möbel abbrausen.«

Ich nahm Adas Brief an mich und legte ihn in meinem Zimmer zu den anderen. Dann holte ich den Sonnenschutz aus dem Badezimmer und überlegte, wie man eigentlich am besten bei einer solchen Suche vorging.

Bislang waren Adas Botschaften immer dort aufgetaucht, wo man sie unweigerlich irgendwann finden würde, wenn man sich ein bisschen näher mit dem Haus befasste. Keine losen Bodendielen, keine versteckten Tresore in der Wand, keine Kisten auf

Dachböden. Auch keine geheimen zweiten Ebenen hinter Bücherregalen, wie man es häufig in Filmen sah.

Doch halt!

Ada war Büchernärrin gewesen, und ich hatte die kluge Fabel über die Frage nach Glück oder Unglück nur gefunden, weil ich eines ihrer Bücher aus dem Regal gezogen hatte.

Bücher gab es hier allerdings wie Sand am Meer, und zwar nicht nur in der Stuv, sondern auch in Börges Zimmer, der Werkstatt und dem Gästezimmer in der oberen Etage.

Die alle zu durchkämmen würde Tage dauern.

Doch eine innere Stimme sagte mir, dass ich das auf alle Fälle tun sollte.

24. Kapitel

Der goldene Ball am Horizont färbte sich von Minute zu Minute rötlicher und tauchte den Himmel und die Wolken in einen Farbteppich aus Rosa, Flieder und Pink.

Nicht mehr lange, und er würde im Meer versinken – um am darauffolgenden Tag wieder als goldgelbe Sonne aufzuerstehen.

»Ist das nicht gigantisch?«, flüsterte ich, völlig ergriffen von diesem Naturschauspiel. »Ich habe selten einen so wunderschönen Sonnenuntergang gesehen.«

Felix und ich saßen auf der Terrasse und genossen den weiten, unverstellten Ausblick auf die Salzwiesen und das Meer, das im Schein der untergehenden Sonne zart rosafarben schimmerte. Die See war heute spiegelglatt und erweckte die Illusion, man könne auf Kufen von Fliederoog nach Föhr oder die Nachbarhalligen gleiten.

»Das ist echt der Hammer«, stimmte Felix mir zu. »Hier zu sitzen, ein kühles Blondes in der Hand, leckeres Essen auf dem Grill und dazu diese Aussicht. Was will man mehr?«

Die Glut der Grillkohle knisterte und zischte leise, ansonsten lag vollkommene Stille über der Hallig.

Selbst der Gesang der Vögel war verstummt.

Ich dachte an mein quirliges, stressiges Leben in Hamburg, der Stadt, die niemals schlief. Man hörte permanent das Hupen von Autos, Polizeisirenen oder Baulärm. All dies erschien gerade so weit weg, als sei es niemals für mich bestimmt gewesen.

Plötzlich zerriss das Klingeln des Telefons die friedliche Stille. Felix stöhnte genervt, und auch ich war kurz versucht, es einfach läuten zu lassen.

Marie und die Lorenzens hatten meine Handynummer.

Auf Adas Festnetz rief so gut wie nie jemand an.

Doch gerade dieser Umstand bewog mich, ins Haus zu gehen und den Anruf entgegenzunehmen.

»Spreche ich mit Ada Schobüll?«, fragte eine weibliche Stimme, die äußerst aufgelöst klang. »Bitte entschuldigen Sie die späte Störung, aber ich wusste mir keinen anderen Rat, als Sie anzurufen.« Bevor ich die Anruferin darüber aufklären konnte, dass Ada gar nicht am Apparat war, sprudelte sie auch schon los: »Ich habe gerade großen Kummer und Entscheidungsschwierigkeiten und bekam von einer guten Bekannten den Tipp, Sie um Rat zu fragen. Leevke Hennings sagte mir, dass Sie mir bestimmt helfen können.«

Zu meiner eigenen Überraschung hörte ich mich fragen: »Worum geht es denn genau?«

»Es geht … na ja, es geht darum, ob ich wegen eines Mannes, den ich noch nicht besonders gut kenne, aber sehr mag, in eine andere Stadt ziehen und dort ein neues Leben anfangen soll. Ich habe schon zig Pro-und-Kontra-Listen gemacht, komme aber einfach nicht weiter.«

»Wo wohnen Sie denn?«

»Auf Föhr«, antwortete die Anruferin, die nun, nachdem sie sich ein bisschen gesammelt hatte, recht jung klang. »Leevke sagte, dass Sie diese Beratung kostenlos machen, ist das richtig?«

Ich schwieg überrascht. War es das? Hatte Adas Wirken damit zu tun, dass sie Menschen in Not mit Rat und Tat zur Seite gestanden hatte – und das Ganze, ohne Geld dafür zu nehmen?

Ich beschloss, einfach ja zu sagen und diese eigenartige Geschichte auf mich zukommen zu lassen. »Wann könnten Sie denn vorbeikommen? Sie wissen ja, dass ich auf Fliederoog … praktiziere.«

»Ja, das weiß ich«, antwortete die Stimme. »Das ist kein Problem für mich. Ich könnte aber erst nächsten Sonntag, weil ich sonst immer arbeite.«

»Also Sonntag, der zehnte Juli«, wiederholte ich und tat, als würde ich in einem randvollen Terminkalender blättern. »Ja, das müsste gehen. Können Sie am frühen Nachmittag? So ab vierzehn Uhr?« Bis dahin war Felix abgereist und ich hatte das Haus für mich allein.

»Ja, das wäre super. Toll, dass das klappt!«

Ich notierte den Namen Svea Schulze sowie ihre Handynummer.

Danach ging ich zurück zu Felix auf die Terrasse.

»Ich dachte schon, du kommst gar nicht mehr wieder«, sagte er. »Was ist denn los? Du siehst irgendwie komisch aus.«

»Du wirst es nicht glauben, aber ich habe gerade einen Termin mit einer Klientin vereinbart«, antwortete ich, setzte mich neben ihn und hörte mir zu, als sei ich selbst eine Außenstehende, die mich aus einer gewissen Distanz verwundert betrachtete.

»Wie, mit einer Klientin? Wovon redest du?« Felix schaute mich genauso verwirrt an, wie ich mich gerade fühlte. Also erzählte ich ihm, was gerade passiert war.

Mein Bruder stand auf, nahm sich eine zweite Flasche Bier aus der Kühltasche und öffnete den Bügelverschluss mit einem lauten *Plopp*. »Also, nur um sicherzugehen, dass ich alles richtig verstanden habe: Hast du gerade wirklich gesagt, dass du an einem Mädchen, das dir völlig fremd ist, ausprobieren willst, ob du die … äh … *Fähigkeiten* deiner Großmutter geerbt hast?«

Ich war darauf gefasst, dass er jetzt so etwas sagen würde wie: »Bist du noch ganz dicht?« Stattdessen begann er zu grinsen, nahm einen großen Schluck aus der Bierflasche, leckte sich den Schaum von den Lippen und sagte: »Finde ich gut!«

»Echt jetzt? Aber das ist doch Betrug. Ich habe weder eine Ahnung davon, was Ada mit den Menschen gemacht hat, die sie um Hilfe gebeten haben, noch weiß ich, mit welcher Methode sie ihnen helfen konnte.«

»Nimmst du Geld dafür?«, fragte Felix und rieb sich das rechte Ohrläppchen. Ich schüttelte den Kopf. »Und war das Problem so groß oder klang es so kompliziert, dass du einen echten Experten brauchst, um es lösen zu können?«

»Nein, es ging im Grunde um das Übliche: Entscheidungsschwierigkeiten in Sachen Liebe und Beruf.«

»Na, darin bist du ja auf jeden Fall Expertin«, sagte Felix. »Und wenn du sowieso kein Geld nimmst, würde ich vorschlagen, dass du dir das Ganze erst mal entspannt anschaust. Betrachte es als Gespräch unter Freundinnen. Ihr Mädels quatscht doch andauernd über solchen Kram. Außerdem hast du jetzt genau eine Woche, um herauszufinden, mit Hilfe welcher geheimnisvollen Methoden deine Großmutter den Leuten geholfen hat. Wir wollten die Bude doch eh ein bisschen auf den Kopf stellen.«

Obwohl mir immer noch mulmig zumute war, stimmte ich dem Vorschlag meines Bruders zu. Sollten mir im Laufe der Woche weitere Zweifel kommen, konnte ich Svea immer noch anrufen und ihr die Wahrheit sagen.

»Dabei fällt mir gerade ein«, sagte Felix, »hat es in der ganzen Zeit, seit Ada gestorben ist, gar keine anderen Anfragen dieser Art gegeben? Wenn sie wirklich so einen tollen Ruf hatte, wundert es mich, dass du heute zum ersten Mal einen Anruf wie diesen erhalten hast. Hast du den AB denn immer abgehört?«

»Aber natürlich!«

»Und gab's irgendwelche Briefe?«

Ich schüttelte den Kopf.

»Hast du mal den Halligboten gefragt, wie Ada das mit der Post geregelt hat? Sie scheint doch vor ihrem Tod alles bestens organisiert zu haben, und es wäre ziemlich seltsam, wenn sie sich ausgerechnet darum nicht gekümmert hätte.«

»Ich rufe Reemt gleich morgen früh an«, sagte ich nachdenklich. »Wieso habe ich eigentlich nicht früher daran gedacht, ihn zu fragen, was aus Adas Post wird? Bis auf ein paar Rechnungen und eine Urlaubspostkarte ist hier nie etwas angekommen. Ansonsten kümmert sich Doktor Petersen um alles, was noch an amtlichen Dingen ansteht.«

»Du hattest genug Stress mit deinem eigenen Kram«, entgegnete Felix. »Also mach dir keinen Kopf. Ich finde, wir genießen jetzt einfach weiter diesen fantastischen Abendhimmel. Schade, dass noch nicht August ist, da sieht man hier bestimmt jede Menge Sternschnuppen.«

»Dann musst du mich eben im August wieder besuchen kommen«, sagte ich, während mich allmählich bleierne Müdigkeit überfiel. Die frische Nordseeluft schläferte mich abends immer schnell ein, genau wie die Dunkelheit, die ganz Flickeroog einhüllte wie eine schwarze Decke. »Unfassbar, dass ich dann immer noch hier sein werde, findest du nicht?«

Kaum hatte ich den Satz zu Ende gesprochen, musste ich mehrmals gähnen.

Es wurde Zeit, ins Bett zu gehen.

Am darauffolgenden Sonntagmorgen war das Wetter nicht so schön, wie ich es aufgrund des funkelnden Sternenhimmels der vergangenen Nacht vermutet hatte. Doch so war das nun mal auf den Inseln und Halligen: Das Wetter wechselte schnell, und man tat gut daran, sich nicht daran zu stören, sondern die Dinge entspannt so zu nehmen, wie sie kamen.

Nach dem Frühstück rief ich Reemt an, während Felix seine Laufschuhe anzog, um joggen zu gehen. Sobald ich mich dazu aufraffen konnte, würde ich ihn auf seiner täglichen Runde begleiten.

»Guten Morgen, ich hoffe, ich störe nicht«, leitete ich das Gespräch ein und bemerkte zu meinem Ärger, dass ich nicht so souverän war, wie ich es gern gewesen wäre. »Ich wollte Sie fragen, ob während meiner Abwesenheit irgendwelche Post für Ada liegengeblieben sein könnte.«

Kaum hatte ich dies gesagt, bereute ich meine Worte auch schon. Sie klangen, als würde ich Reemt unterstellen, seiner Aufgabe nicht gewissenhaft nachzugehen.

Bevor ich mich korrigieren konnte, antwortete der Halligbote in süffisantem Tonfall: »Guten Morgen, Frau Wiegand. Nein, tun Sie nicht, sonst wäre ich gar nicht ans Telefon gegangen. Und zweitens: Ja, hier liegen noch ein paar Briefe, die Sie sich irgendwann anschauen sollten, wenn Sie offen dafür sind und es Ihnen zeitlich passt.«

Wenn Sie offen dafür sind … Allmählich gingen mir die Formulierungen aus Adas Umfeld auf die Nerven.

Doktor Petersen, Marie, Reemt und zuvor auch Jasper taten alle so, als würden sie einen geheimen Schatz hüten, der mindestens so wertvoll war wie der Heilige Gral. Als seien sie Mitglieder eines Geheimbundes, einer Verbindung, so mächtig wie die Freimaurer oder Rosenkreuzer. Doch das konnte ich jetzt nicht sagen, schließlich war ich auf Reemts Hilfe angewiesen.

»Wann hätten Sie denn mal Zeit, um sie mir zu bringen?«, fragte ich, während ich versuchte, meinen Unmut hinunterzuschlucken. »Außerdem würde ich Ihnen gerne ein paar Fragen in Zusammenhang mit diesen ominösen Ringen stellen, die Sie und andere Freunde von Ada tragen.«

Eigentlich hatte ich damit gerechnet, dass Reemt sofort abstreiten würde, dass es mit den Ringen etwas Besonderes auf sich hatte, doch er tat nichts dergleichen.

»Was halten Sie von Montagabend in einer Woche? Ich bin zwar sicher schon vorher bei Ihnen, aber ich finde, wir sollten über all diese Themen in Ruhe reden, und dazu habe ich vorher leider keine Zeit.«

»Okay, das passt«, antwortete ich, froh darüber, dass endlich ein bisschen Bewegung in die ganze Sache kam. »Was halten Sie von einem frühen Abendessen, so um achtzehn Uhr? Bei schönem Wetter könnten wir auf der Terrasse grillen.«

Felix schenkte mir ein spöttisches Lächeln und verließ dann das Haus. Ich schaute ihm durchs Fenster hinterher, bis er hinter einer Kurve verschwand.

»Klingt gut«, sagte Reemt. »Und ich bringe Wein mit. Ich wette, Sie mögen Rosé.«

Dem konnte ich nicht widersprechen, denn das stimmte.

Ich musste mir eingestehen, dass es Reemt stets aufs Neue gelang, mich zu überraschen. Ich war mir nur noch nicht sicher, ob ich das gut finden sollte …

25. Kapitel

Der Wind peitschte ums Haus und rüttelte an den Fensterläden. Dunkelgraue Wolken hingen so schwer am Himmel, als wollten sie sich an ihm festhalten und dort für immer bleiben.

»Schätze, das ist der perfekte Tag für unser Vorhaben«, sagte Felix, als wir beim Frühstück saßen und beide aus dem Fenster schauten. »Joggen kann ich heute wohl vergessen, genau wie das Fotografieren. Also, Sis, hast du Lust, hier mal so richtig Staub aufzuwirbeln?«

»Mhmmm, ich weiß nicht so recht«, antwortete ich gähnend. »Ich habe mich gerade so schön ans Nichtstun gewöhnt. Muss das wirklich sein?« In den vergangenen Tagen hatte ich ein dermaßen großes Schlafbedürfnis entwickelt, dass es mich beinahe ängstigte. Es schien, als hätte mein Körper beschlossen, all die vielen, vielen Stunden nachzuholen, die ich in den vergangenen Jahren versäumt hatte. Zudem schlief ich auf Fliederoog so tief und fest, wie es mir in Hamburg nur selten gelungen war.

»Kein Problem«, antwortete Felix und biss genussvoll in sein Aufbackbrötchen. »Mach du, worauf du Lust hast, und ich schaue mich derweil mal ein bisschen genauer in Börges Zimmer um, vor allem in seiner Bibliothek. Wie es aussieht, hat er sich überwiegend mit Psychologie, Religion und Philosophie beschäftigt. Aber vielleicht finde ich ja auch etwas weniger Intellektuelles, Pornohefte oder so.«

»Pornohefte?«, fragte ich irritiert. »Das ist jetzt nicht dein Ernst, oder?«

»Ich wollte nur testen, ob du mit offenen Augen schläfst«, erwiderte Felix grinsend.

»Okay, okay, ich helfe dir.« Ich straffte den Rücken und setzte mich gerade hin. »Schließlich brauche ich noch ein paar Hilfestellungen bis zu dem Termin mit Svea Schulze und meinem Abendessen mit Reemt. Aber vorher muss ich dringend einen zweiten Kaffee trinken, sonst wird das nichts.«

Als ich den Kühlschrank öffnete, um die Milch herauszunehmen, sah ich, dass nur noch ein kleiner Schluck in der Tüte war. Im Vorratsschrank war ebenfalls keine zu entdecken.

»Oh nee, wir haben keine Milch mehr«, maulte ich. »Wieso hast du nicht gesagt, dass du die literweise in dich reinschüttest?«

»Keine Panik, Schwesterherz, ich hole welche.«

»Du weißt aber schon, dass da draußen gerade die Welt untergeht?«

»Das macht mir nichts aus. Für dich und deine Milch würde ich mich sogar durch eine Sturmflut kämpfen.«

»Haha, lustig«, antwortete ich, war jedoch froh, dass Felix tatsächlich bereit war, einkaufen zu gehen. »Lass aber besser das Rad stehen, sonst fällst du noch ins Meer. Mit diesen Böen ist nicht zu spaßen.«

»Weißt du, dass du manchmal Ähnlichkeit mit Hanne hast?«, fragte Felix belustigt. »Du machst dir um mich genauso viele Sorgen wie sie sich um uns.«

Nachdem er sich auf den Weg gemacht hatte, räumte ich den Tisch ab, spülte das Geschirr und dachte darüber nach, was Felix gesagt hatte. So ungern ich es mir eingestand, da war was dran. Da ich keine schlechte Laune bekommen wollte, schob ich den schmerzenden Gedanken an meine Mutter energisch beiseite und konzentrierte mich auf das, was ich gerade tat.

In Hamburg hatte ich bloß die Spülmaschine anstellen müssen, und schon hatte ich knapp zwei Stunden später sauberes, trockenes Geschirr. Doch irgendwie hatte der Abwasch per Hand etwas Beruhigendes, nahezu Meditatives. Irgendwo hatte ich mal gelesen, dass man gerade Tätigkeiten, die man nicht so sehr mochte, besonders sorgfältig ausführen und den inneren Widerstand gegen sie aufgeben sollte, dann fielen sie einem automatisch leichter. Zu den Klängen von Eric Satie aus Adas CD-Player räumte ich die Stuv auf, füllte danach die Vasen mit Blumen aus Adas Garten mit frischem Wasser und ging anschließend nach oben in Börges altes Zimmer. Es war schön, zur Abwechslung mal Ruhe für alles zu haben und nicht gefühlt tausend Dinge auf einmal zu tun, wovon ich sonst immer Herzrasen bekommen hatte.

Oben sah es allerdings aus, als hätte eine Bombe eingeschlagen, weil Felix überall seine Sachen verteilt hatte, und für einen kurzen Moment war es aus mit meiner inneren Gelassenheit. *Manchmal ist er echt noch ein kleines Kind,* dachte ich genervt und sammelte seine T-Shirts, Hoodies und Jeans zusammen, um sie in den Schrank zu legen. Danach stellte ich mich vor das erste der vier randvoll gefüllten Buchregale meines Großvaters und erkannte, dass Felix recht gehabt hatte. Schriften von C.G. Jung reihten sich an die von Sigmund Freud. Neben Arthur Schnitzlers *Traumnovelle* standen Bücher der Freidenkerin und Freud-Schülerin Lou Andreas-Salomé.

In den unteren Reihen fand ich Bücher, die sich den Themen Krieg und Friedensforschung widmeten, unter anderem der Titel *Die Waffen nieder* von Bertha von Suttner. Als ich einen Fotobildband über die Halligen mit Schwarzweißaufnahmen herausnahm, um ihn mir genauer anzuschauen, ertastete ich dahinter ein weiteres Buch, dessen Deckel sich weich anfühlte.

Ich nahm es heraus und stellte fest, dass es sich hierbei um etwas Persönliches handeln musste, vielleicht ein Fotoalbum oder ein Tagebuch.

Und so war es tatsächlich.

Zum ersten Mal hielt ich Fotografien meiner Großeltern in Händen, die Börge liebevoll zusammengestellt und beschriftet hatte. Die Aufnahmen zeigten ein äußerst attraktives, interessant wirkendes Paar.

Börge war groß, schlank und dunkelhaarig. Er hatte trotz seines jungen Alters markante Gesichtszüge und ein kleines Bärtchen und stützte sich auf einigen Aufnahmen auf einen Stock. Neben ihm wirkte die zierliche Ada auf den ersten Blick wie ein zartes Vögelchen. Doch man sah sehr schnell an ihren Augen und an der gesamten Körperhaltung, dass sie eine Frau gewesen sein musste, die genau wusste, was sie wollte. Und sie schien sehr in ihren Mann verliebt gewesen zu sein. Beide posierten auf den Bildern mit ineinander verschlungenen Händen und trugen stolz ihre Eheringe.

Erst auf späteren Aufnahmen erkannte ich, dass sich zu den Symbolen ihrer Eheschließung je ein breiter, silberner Ring gesellt hatte. Leider war auf den Aufnahmen nicht zu erkennen, ob darauf Buchstaben eingraviert waren, dazu waren die Fotografien zu klein. Für diesen Zweck würde ich mir eine Lupe besorgen müssen.

Das nächste Bild raubte mir beinahe den Atem: Es zeigte meine Großmutter am Grab ihres Mannes. Auf dem Granitstein war das Todesjahr 1956 eingemeißelt – das Geburtsjahr meines Vaters.

Es traf mich wie ein Faustschlag, als ich erkannte, dass mein Vater und ich dasselbe Schicksal teilten. Uns beiden war bereits als Säugling ein Elternteil durch einen viel zu frühen Tod geraubt worden.

Und es gab auch eine Parallele zwischen Ada und meiner Mutter: Beide hatten ihre Kinder allein großziehen müssen.

Beide hatten hart dafür kämpfen müssen, ihren Kindern und sich selbst ein gutes Leben zu ermöglichen.

Doch wieso hasste meine Mutter Ada so, anstatt sich mit ihr zu identifizieren?

Verwirrt und überrollt von unterschiedlichsten Gefühlen, setzte ich mich auf den Boden und blätterte wieder und wieder durch das Fotoalbum. Auf den Aufnahmen der Beerdigung meines Großvaters konnte ich Jasper sehen und neben ihm eine blonde, hübsche Frau, die eindeutig Ähnlichkeit mit Marie hatte. Das musste Joke sein, die auf einem der Bilder schützend den Arm um Ada gelegt hatte. Auf dieser Fotografie erkannte ich die gotische Backsteinkirche in Schobüll wieder, wo ich auf Jaspers Beisetzung gewesen war.

Demnach war mein Großvater ebenfalls dort beerdigt.

Doch wieso hatte sich Ada für eine Seebestattung entschieden, anstatt für immer auf diesem Friedhof mit ihrem geliebten Mann vereint zu sein?

Und warum hatte mein Vater in Hamburg-Ohlsdorf seine letzte Ruhestätte gefunden?

Als ich Schritte auf der Treppe hörte, zuckte ich zusammen. Ich war so in einer früheren Welt gefangen gewesen, dass ich gar nicht mitbekommen hatte, dass Felix wieder zurück war.

»Sis, ich hatte gerade eine Erscheinung«, sagte er in theatralischem Tonfall und blieb im Türrahmen stehen. »Ich bin soeben einem Engel begegnet, ob du's glaubst oder nicht.«

»Ich habe auch Neuigkeiten«, teilte ich ihm mit und stand auf. »Wer zuerst?«

»Ich«, antwortete Felix. »Sonst platze ich. Du kennst diesen Engel, er hört auf den Namen Marie Bendix. Wieso hast du mir nicht gesagt, was für eine tolle Frau sie ist?«

»Vermutlich weil sie ungefähr vier Jahre älter ist als du und du ständig Dates mit deinen Tinder-Girls hast«, entgegnete ich halb amüsiert, halb genervt. Ich war nicht im mindesten scharf auf eine emotionale Verwicklung zwischen Felix und Marie. »Aber wieso arbeitet Marie im Kiek ut und nicht Nadine?«

»Weil Nadine für den Rest der Woche auf dem Festland bei ihrer kranken Mutter ist«, antwortete Felix so selbstverständlich, als lebte er seit Jahren auf Fliederoog und kannte hier alles und jeden. »Das ist nur ziemlich doof für Marie, weil sie gerade in einer wichtigen kreativen Schaffensphase steckt und dabei ist, eine Kollektion für einen Silberschmuckhersteller zu entwerfen. Stattdessen muss sie sich jetzt im Laden die Beine in den Bauch stehen, während ihr in Husum die Zeit davonrennt. Ohne Werkstatt und die nötige Ruhe kann sie ja schlecht arbeiten.«

»Sag mal, wie lange warst du im Kiek ut? Den ganzen Tag?«, fragte ich, irritiert davon, wie viel mein Bruder innerhalb kürzester Zeit über Marie erfahren hatte.

»Lange genug, um alles Wichtige zu hören. Aber keine Sorge, ich habe auch an die Milch gedacht, wobei ich gestehen muss, dass ich zuerst aus dem Laden gegangen bin, ohne sie zu kaufen. Zum Glück war Marie so schlau, mich zu fragen, weshalb ich eigentlich gekommen bin.« Felix grinste schief. »Und du? Was hast du hier so erlebt?« Sein Blick fiel auf das Fotoalbum, das ich auf den kleinen runden Tisch neben Börges

Lesesessel gelegt hatte. Er nahm es und blätterte eine Weile wortlos darin herum. »Meinst du, dein Großvater hat sich eine Verletzung im Krieg geholt?«, fragte er, nachdem er etwa bei der Mitte des Albums angekommen war. »Er ist ja offensichtlich recht jung gestorben.«

»Und zwar während Adas Schwangerschaft«, ergänzte ich. »Das bedeutet, dass er seinen Sohn nie kennengelernt hat und Ada meinen Vater alleine großziehen musste. Auf einer einsamen Hallig bestimmt keine einfache Angelegenheit. Ich werde mich als Nächstes durch Adas Ordner wühlen, um Genaueres zu erfahren. Schließlich muss sie ja irgendwo ihre Papiere aufbewahrt haben, ihre Geburtsurkunde ... Ich weiß ja noch nicht einmal, wie ihr Mädchenname lautete!«

»Könntest du vielleicht vorher noch Marie anrufen und ihr vorschlagen, in Adas Werkstatt zu arbeiten?«, fragte Felix und setzte seinen berühmten Das-darfst-du-mir-auf-gar-keinen-Fall-abschlagen-Blick auf. »Du würdest ihr damit sehr helfen.«

»Und dir eine Freude machen, ich weiß.«

Natürlich war der Gedanke naheliegend, und ich wollte Marie wirklich gern in ihrer schwierigen Lage unterstützen. Aber ich wollte auch vermeiden, dass es zwischen ihr und Felix später zu Problemen kam. Ich kannte doch meinen Bruder: Er entflammte sehr schnell, löste sich allerdings sofort in Luft auf, wenn seine Angebetete ihm zu nahe kam oder gar Forderungen stellte.

Außerdem wusste ich rein gar nichts über Maries Liebesleben. Bestimmt hatte sie einen Freund in Husum.

»Okay, ich rufe sie nachher an – aber nur unter einer Bedingung: Du lässt die Finger von ihr!«

»Ja, Mama, ich werde artig sein«, antwortete Felix, schelmisch lächelnd. »Was hältst du davon, wenn ich mich hier oben weiter umschaue und du dir währenddessen Adas Unterlagen vorknöpfst? Gemeinsam kommen wir auf jeden Fall schneller voran. Und ich kann währenddessen in Ruhe von meiner Engelserscheinung träumen ...«

26. Kapitel

Wenig überraschend stellte sich bei der Suche nach den Unterlagen heraus, dass Ada in allen Bereichen eine äußerst ordentliche, gut strukturierte Frau gewesen war.

Es dauerte nicht lange, und ich hatte den Ort gefunden, an dem sie die Ordner mit allem, was wichtig war, aufbewahrte: unter ihrem ehemaligen *Altar*, einer Schrankkommode aus dunklem Holz, deren Türen aus Kirschholz kunstvoll geschnitzt und mit hellen Intarsien verziert waren.

Meine Großmutter hatte bis zu ihrer Hochzeit Grutkamp geheißen, ein Name, den ich noch nie zuvor gehört hatte, der mir jedoch gefiel und auch gut zu meinem Vornamen gepasst hätte. Neben ihrer Geburtsurkunde, der von Börge und anderen Dokumenten entdeckte ich einen Ordner mit allen Verträgen, die im Laufe der Jahrzehnte mit den Mietern des Bauernhofs geschlossen worden waren.

Wie es schien, hatte Ada erst nach Börges Tod mit der Vermietung begonnen, oder es gab über den vorherigen Zeitraum keine Aufzeichnungen. Sicher waren die Zahlungen für eine junge Witwe eine solide und zuverlässige Einnahmequelle gewesen, vorausgesetzt, sie hatte den Hof nicht schon damals zum Schleuderpreis vermietet.

Dass sie dies nicht getan hatte, erkannte ich nach Überprüfung der Verträge. Überrascht stellte ich allerdings fest, dass es im Sommer 1979 eine Zäsur gegeben hatte: Die damaligen

Mieter – offenbar eine Art Wohngemeinschaft mit insgesamt sieben Personen – hatten plötzlich nur noch die Hälfte zu zahlen gehabt.

Aber aus welchem Grund?

Was hatte Ada dazu veranlasst, auf das Geld, das ihr aufgrund des existierenden Vertrags zugestanden hätte, zu verzichten?

Mit einem Mal fiel mir ein, dass auch das Schild neben der Eingangstür zum Leuchtturm auf diesen Zeitraum datiert war …

»Rat mal, was ich gerade gefunden habe!«, rief Felix plötzlich von oben und schreckte mich mit seiner Frage aus der Stöberei in Adas Vergangenheit. »Halt, warte, ich komm runter und zeig's dir.«

Und schon hielt ich das Tagebuch meines Großvaters in der Hand, das Felix in einer der Schreibtischschubladen gefunden hatte.

In das ledergebundene Buch waren Briefe von Ada eingeklebt, alle adressiert an ihren Mann, der tatsächlich beim Militär gewesen war. Demnach stimmte vielleicht Felix' Vermutung, dass Börge aufgrund einer Kriegsverletzung auf einen Gehstock angewiesen war. Adas Briefe wechselten sich mit kurzen und längeren Tagebuchaufzeichnungen von Börge ab, die er offensichtlich an der Front verfasst hatte.

»Das schaue ich mir heute Abend in Ruhe an«, sagte ich, weil ich gern zuerst mit dem Sichten von Adas Sachen fortfahren wollte. »Oder hast du beim Überfliegen etwas entdeckt, das uns weiterhelfen könnte?«

»Ich weiß nicht, ob es dir was bringt, aber es gibt hier eine Passage über eine lange Kriegsnacht in der Normandie, die du unbedingt lesen solltest«, antwortete Felix, der die entsprechende Seite mit einem Post-it markiert hatte.

... diejenigen von uns, die sich entschlossen hatten, gemeinsam dafür zu beten, dass wir diese Nacht des Grauens lebend überstehen, sind wie durch ein Wunder heute Morgen am Leben. Einige verletzt, so wie ich, anderen wurde kein Haar gekrümmt. Anders als jene Kameraden, die sich uns nicht anschließen wollten, die ihr Leben bereits aufgegeben hatten, die Gott in ihrer Verzweiflung und Hoffnungslosigkeit verleugneten. Sie sind nun nicht länger bei uns und werden nie zu ihren Lieben daheim zurückkehren wie ich zu meiner geliebten Frau Ada.

Gott sei uns gnädig, und Gott sei gedankt. Solange er bei uns ist und wir zusammen an seine Stärke und Macht glauben und gemeinsam beten, kann uns nichts passieren. Denn der Glaube kann Berge versetzen, genau wie Gemeinschaft ...

»Das ist ja unfassbar«, flüsterte ich, nachdem ich die bewegenden Zeilen meines Großvaters gelesen hatte. »Weißt du, was er damit sagt? Dass wir nur fest genug an etwas glauben müssen, dann wird es wahr. Im Grunde genau das, was uns all die Glücks-Gurus seit Jahren predigen und was ich ehrlich gesagt nicht mehr hören kann.« Felix nickte stumm.

»Wenn ich ihn richtig verstehe, geht er zudem davon aus, dass sich die Kraft von Wünschen potenziert, je mehr Menschen an ein und dieselbe Sache glauben.«

»Frei nach dem Motto: Zusammen ist man stärker als allein«, ergänzte Felix. »Und gemeinsame Gedankenpower hat eine größere Kraft als die eines Einzelnen. Bei deinem Großvater scheint es auf alle Fälle geholfen zu haben – oder aber es war reiner Zufall, und es war Börge und seinen Kameraden damals eben einfach noch nicht bestimmt zu sterben. Krass!«

Ich erinnerte mich an zahllose Gottesdienste in meiner Kindheit, die ich gemeinsam mit meiner Mutter besucht hatte.

Bereits als kleines Mädchen war ich davon ergriffen gewesen, wenn unsere Gemeinde gemeinsam betete und sang.

Außerdem hatte ich schon immer eine Vorliebe für Chöre gehabt und wäre sicher in einen eingetreten, hätte ich denn singen können.

Mit einem Mal sah ich die von Börge beschriebene Nacht im Schützengraben wie einen Film vor mir.

Nur dass meinem Großvater leider kein echtes Happy End beschieden gewesen war, schließlich war er 1956, elf Jahre nach Ende des Zweiten Weltkriegs, gestorben.

»Ich brauche jetzt erst mal einen Tee und dann frische Luft«, sagte ich, während die Geister einer mir fremden Vergangenheit nach mir griffen, und klappte das Tagebuch zu. Mein Nacken war verspannt, Kopfschmerzen pirschten sich bedrohlich heran.

»Das klingt nach einem guten Plan«, antwortete Felix. »Draußen schüttet es zum Glück nicht mehr, sondern nieselt nur noch. Aber denkst du bitte daran, dich bei Marie zu melden, bevor du losmarschierst?«

Marie war außer sich vor Freude, als ich sie anrief, um ihr anzubieten, während der Zeit ihres Aufenthalts auf Fliederoog Adas Werkstatt zu nutzen. »Ich habe zwar keine Ahnung, ob sie für deine Zwecke geeignet ist, aber komm gern heute Abend vorbei, und schau dir alles an. Außerdem hat Felix angeboten zu kochen, wenn du Lust auf ein Essen mit uns hast.«

Auch diese Idee gefiel Marie, so dass wir uns für den frühen Abend verabredeten.

»Das ist der perfekte Ort, um an meiner neuen Kollektion zu arbeiten«, jubelte sie schon wenige Stunden später, nachdem sie die Werkstatt in Ruhe inspiziert hatte. »Aber wäre das denn wirklich in Ordnung für euch? Ich könnte ja nur dann kommen, wenn das Kiek ut zuhat, also vor zehn Uhr morgens, eventuell mal in der Mittagspause und dann wieder ab halb sechs.«

»Das ist absolut okay«, antwortete ich, froh darüber, Marie einen Gefallen tun zu können. »Und sollte es abends spät werden, kannst du auch gern hier schlafen. Felix campiert in Börges Zimmer, das offizielle Gästezimmer ist zwar recht klein, aber frei.«

»Du bist ein Schatz!«, rief Marie begeistert aus. »Du ahnst ja gar nicht, wie genervt ich war, als ich gehört habe, dass Nadine auf unbestimmte Zeit ausfällt. Natürlich kann sie nichts dafür, und es tut mir auch leid für sie und ihre Mutter, aber der Zeitpunkt ist echt mehr als ungünstig. Mein Auftraggeber braucht in spätestens zwei Wochen bahnbrechende Entwürfe, sonst kann ich mir den Auftrag an den Hut stecken. Und dummerweise ist mir bislang nichts eingefallen, das mehr ist als Durchschnitt. Dabei brauche ich das Geld ganz dringend.«

»Was soll das denn für Schmuck sein?«, fragte ich neugierig. Felix hantierte unterdessen in der Küche herum, wie das lautstarke Topfgeklapper aus dem Erdgeschoss verriet.

»Es soll irgendetwas sein, zu dem die Käufer einen ganz persönlichen Bezug haben. Außerdem darf es natürlich nicht viel kosten. Das Ganze läuft im Rahmen einer Art Casting, und es gewinnt derjenige Designer, der den überzeugendsten Entwurf abliefert. Momentan denke ich an maritime Charms oder Trollbeads, die man sammeln und an ein Armband hängen kann. Allerdings sollte das Band aus Leder sein oder einem dünnen Seil, damit es aussieht wie ein Tau.«

»Das kling ganz nach meinem Geschmack«, sagte ich, angetan von Maries Idee. »Ich bin zwar sonst keine große Freundin von dieser Art Armbändern, aber wenn da ein Seestern dranhängt oder ein kleiner Leuchtturm oder eine Wellhornschnecke, würde ich bestimmt in Kaufrausch verfallen.«

»Na, dann bin ich ja auf dem richtigen Weg«, antwortete Marie erfreut. »Und nochmals tausend Dank, dass du mir aus der Patsche hilfst, das ist echt lieb von dir. In dem Minizimmer über dem Kiek ut kann man nämlich nur wohnen, aber auf keinen Fall arbeiten.«

»Meinetwegen kannst du auch gern mit Sack und Pack zu uns ziehen, solange Nadine ausfällt. Dann musst du nicht ständig hin- und herpendeln, sondern nur zum Arbeiten weg. Weißt du eigentlich, was Nadines Mutter hat?«

»Wie es aussieht, könnte es eine beginnende Demenz sein, gepaart mit Depressionen. Ihre Stimmungsschwankungen haben kurz nach dem Tod von Nadines Vater angefangen, daher können die Ärzte momentan noch keine genaue Diagnose stellen. Ich bin wirklich froh, dass Jasper ein relativ schneller Tod ohne lange Leidenszeit vergönnt war.«

Bevor wir weitersprechen konnten, rief Felix uns zum Abendessen.

»Voilà, die Damen, ich bitte, Platz zu nehmen«, sagte er mit leicht geröteten Wangen. Ob die gesunde Farbe vom Herumwirbeln in der Küche stammte oder eher mit Marie zu tun hatte, wusste ich nicht. Aber es freute mich zu sehen, dass er glücklich zu sein schien. Und auch Maries volle, schöne Lippen umspielte ein zufriedenes Lächeln.

27. Kapitel

Ich erwachte an diesem Morgen mit dem festen Vorsatz, mich später bei Wiete Bruhns, der ehemaligen Lehrerin meines Vaters, zu melden und sie über seine Kindheit auf Fliederoog zu befragen.

Dass es nicht leicht sein würde, die alte Dame zum Reden zu bringen, darauf war ich gefasst, schließlich war sie bei unserer zufälligen Begegnung im Kiek ut mehr als abweisend gewesen. Aber darauf, ohne weiteren Kommentar den Hörer aufgeknallt zu bekommen, kaum dass ich meinen Namen genannt hatte, war ich nicht vorbereitet gewesen.

»Das darf doch echt nicht wahr sein, was soll ich denn jetzt machen?«, schimpfte ich, während ich wie ein begossener Pudel im Wohnzimmer stand und aus dem Fenster schaute. Marie war bereits zur Arbeit gegangen, und Felix stromerte auf der Hallig herum, um Fotos zu machen und nach Strandgut für seine Objekte zu suchen. Beflügelt und inspiriert durch Maries Arbeit an der Schmuckkollektion, war auch er aktiv geworden und hatte begonnen, aus Fliederooger Fundstücken erste Kunstwerke zu fertigen. Alles in allem war die Stimmung im Wärterhäuschen entspannt, harmonisch und beinahe familiär, was ich sehr genoss.

Umso härter traf mich die Feindseligkeit von Wiete Bruhns.

»So leicht lasse ich nicht locker!«, sagte ich grimmig und wählte die Nummer ein zweites und drittes Mal – ohne Erfolg.

Beim vierten Mal war besetzt, wahrscheinlich hatte Wiete nun den Hörer beiseitegelegt.

Also beschloss ich, ihr persönlich einen Besuch abzustatten, und ließ mir von Marie ihre Adresse geben.

Wiete Bruhns lebte am äußersten Ende der Marschwarft und hatte bis zu ihrer Pensionierung alle Kinder unterrichtet, die auf Fliederoog zur Schule gingen. Später war sie von einem jungen Lehrer aus Flensburg abgelöst worden, der mit seiner Familie auf die Hallig gezogen war und hier seine Erfüllung gefunden zu haben schien.

Um ihr ein Geschenk mitbringen zu können, ging ich in den Garten, in dem Adas Blumen in voller Pracht blühten, pflückte einen Strauß aus violetten »Patty's Plum«, einer armenischen Klatschmohnsorte, Kornblumen, weißer Schafgarbe sowie pinkfarbenen Lichtnelken. Dann schnappte ich mir Adas Fahrrad, trat in die Pedale und fuhr auf der Krone des Sommerdeichs entlang, von dem aus ich einen wunderbaren Ausblick auf die umzäunten Wiesen hatte. Hier weideten Halligkühe und Schafe gemütlich nebeneinander oder machten in der warmen Vormittagssonne ein Nickerchen.

An den Prielkanten blühten schneeweiße Schafgarbe, weißviolette Strandmelden, silbergrauer Strandbeifuß und saftig grüner Strandwegerich, der aus der Ferne kaum vom Schlick- und Seegras zu unterscheiden war. Diese Pflanze wurde von den Halligbewohnern gelegentlich sogar zum Kochen verwendet, wie ich von Marie gelernt hatte. Auf dem tiefblauen Himmel trieben weiße Wattewolken umher und ließen sich gemächlich von der sanften Sommerbrise hin- und herschaukeln.

Ganz so friedlich würde es sicher nicht vonstattengehen, wenn es mir gelang, Wiete Bruhns dazu zu bewegen, mit mir zu sprechen, also genoss ich die Ruhe vor dem Sturm, der mit

Sicherheit auf mich wartete, und erfreute mich am Anblick der Boote auf der silbern glitzernden Nordsee, deren weiße Segel sich stolz im Sommerwind blähten. Ab und zu schob sich ein Krabbenkutter, offenbar auf dem Heimweg, ins Bild, und ich drückte dem Fischer insgeheim die Daumen, dass seine harte Arbeit mit reichlichem Fang belohnt worden war.

Kurze Zeit später hielt ich vor einem reetgedeckten Haus, das Maries Beschreibung nach Wiete Bruhns und ihrem Mann Uwe gehörte, stieg vom Rad und lehnte es an den Zaun des Vorgartens, der mindestens so schön war wie der von Ada.

Die Eingangstür wurde umrahmt von einem Spalier roter und roséfarbener Rosen, die Tür selbst war weiß lackiert und mit hellblauen Intarsien verziert. Auf einem handgetöpferten Schild stand der Name Bruhns. Um mich zu sammeln, atmete ich mehrmals tief durch, bevor ich auf den Klingelknopf drückte.

Ein alter Herr mit leicht gebeugtem Rücken und einem freundlichen, offenen Gesichtsausdruck öffnete und schaute mich erstaunt an. »Moin«, begrüßte er mich mit einer Reibeisenstimme, die davon zeugte, dass er heute kaum oder noch gar nicht geredet hatte. »Was kann ich für Sie tun?«

Ich stellte mich vor und bat darum, mit seiner Frau sprechen zu dürfen.

Wiete Bruhns schoss sofort scharf aus dem Hintergrund. »Schick sie weg, Uwe, und sag ihr, dass wir mit ihresgleichen nichts zu tun haben wollen. Sie soll sich dahin scheren, wo der Pfeffer wächst, und Flooderoog verlassen. Je schneller, desto besser für uns alle.«

»Na, na, na, min Seuten, nu' mal nich' so kiebig«, entgegnete Uwe Bruhns und wandte mir den krummen Rücken zu, während er mit seiner Frau sprach. »Die Dame sieht doch ganz nett aus und hat ganz höflich gefragt.«

Als Antwort kam lediglich ein »Trotzdem!« zurück, das keinerlei Zweifel zuließ: Für Wiete Bruhns schien ich aus irgendeinem Grunde der Teufel höchstpersönlich zu sein.

Uwe Bruhns drehte sich wieder zu mir um, zuckte mit den Schultern und schenkte mir ein verlegenes Lächeln. »Sie meint es nicht so böse, wie es klingt.«

»Doch, das meine ich wohl!«, erfolgte prompt die Retourkutsche, und mir war klar, dass ich nun nichts mehr ausrichten konnte.

»Tut mir leid, dass ich Sie beide gestört habe«, sagte ich und versuchte, meine letzte Karte auszuspielen. »Ich wollte Ihrer Frau nur diesen Blumenstrauß bringen und fragen, ob Sie irgendwann bereit wäre, mit mir über meinen verstorbenen Vater zu sprechen. Leider weiß ich so gut wie gar nichts über ihn und würde das sehr gerne ändern. Soweit ich weiß, hat Ihre Frau ihn damals unterrichtet.«

Wiebke Bruhns stieß im Hintergrund einen undefinierbaren Laut aus, der wie »Pah!« klang, mir aber zeigte, dass sie weiter zuhörte, was meine Absicht war.

Ihr Mann nahm den Strauß, murmelte »Der ist ja wunderschön« und wünschte mir einen guten Tag, bevor er endgültig die Tür vor meiner Nase schloss.

Ich stieg wieder aufs Rad und beschloss spontan, einen kurzen Abstecher ins Kiek ut zu machen, um Marie hallo zu sagen und mich von meinem Frust über den verunglückten Besuch abzulenken. Heute Morgen hatte ich sie noch gar nicht gesehen, weil ich ein wenig länger geschlafen hatte als sonst.

»Moin, das ist ja eine nette Überraschung«, begrüßte mich Marie, die gerade dabei war, Postkarten in einen Ständer zu sortieren, als ich in den Laden kam. »Na, was brauchst du? Hab ich dir schon alle Vorräte weggefuttert?«

Ich lachte, weil Marie jeden Abend köstliche Leckereien aus dem Laden mitbrachte, um sich dafür zu bedanken, dass sie bei mir wohnen durfte. »Nee, wir haben mehr als reichlich zu essen. Aber ich war gerade bei Wiete Bruhns und habe die Abfuhr meines Lebens kassiert, deshalb wollte ich mich erst bei dir ausheulen und mich danach auf die Terrasse eures Gasthofs setzen.«

»Das ist ja doof«, sagte Marie und hielt in der Bewegung inne. »Ich habe keine Ahnung, was mit der alten Bruhns los ist, aber sie hatte Ada aus irgendeinem Grund gefressen, das weiß ich. Ob es damit zusammenhängt, dass Uwe früher eine Zeitlang regelmäßig zu Ada gegangen ist, um bei ihr Kaffee zu trinken, oder ob da noch was anderes im Busch ist, kann ich dir leider nicht sagen, weil ich diese Geschichte nur aus Jaspers Erzählungen kenne. Aber ich kann versuchen, sie zu bezirzen, wenn sie das nächste Mal einkauft. Wie es aussieht, werde ich nämlich noch ein Weilchen hierbleiben müssen – Nadines Mutter geht es gar nicht gut.«

»Oh, das tut mir leid – für euch alle. Du kannst natürlich so lange bei mir wohnen, bis sich alles geklärt hat. Aber sag mal, hat Nadine eigentlich Lasse mitgenommen?«, fragte ich, weil mir einfiel, dass das Baby vermutlich noch gestillt wurde.

»Ja, das hat sie, und nun ist Thomas alleine mit Emily, die ihre Mama garantiert vermisst und sich furchtbar langweilt. Ich hoffe ja nur, dass sich bald klärt, wie es mit den Lorenzens weitergeht, damit ich notfalls eine Aushilfe für Nadine einstellen kann – vorausgesetzt, ich finde jemanden, der Lust hat, in diesem abgelegenen Winkel der Welt zu arbeiten.«

Gedankenverloren betrachtete ich die Motive der Postkarten, die offenbar gerade geliefert worden waren, und dann die Deko-Holzschilder, die nahe der Kasse präsentiert wurden.

Einige Sprüche waren auf Treibholz gemalt oder mit Hilfe von Schablonen gesprayt, andere wiederum waren aus Laubholz gesägt. Der Begriff *Haussegen* hing – nomen est omen – schief an der Wand.

Ich schmunzelte, als ich das sah, und überlegte gleichzeitig, wie Thomas Lorenzen wohl ohne seine Frau klarkam, aber auch, wieso diese teils banalen Spruchweisheiten in den letzten Jahren so in Mode gekommen waren. Im Grunde waren sie oft nichts anderes als Mantras, die die Käufer jeden Tag daheim anschauen und verinnerlichen konnten.

»Weißt du was? Ich biete Herrn Lorenzen an, Emily mal für einen Nachmittag zu uns zu bringen, damit sie bei uns spielen kann«, sagte ich, einer plötzlichen Eingebung folgend. »Vielleicht kann ich ja sogar mit ihr auf den Leuchtturm gehen, da oben war sie doch bestimmt noch nicht.«

Marie strahlte über das ganze Gesicht. »Das ist eine superschöne Idee, das macht der Kleinen bestimmt Spaß! Irgendwie erkennt man von Tag zu Tag mehr, dass du Adas Enkelin bist, weißt du das? Ich meine … nicht äußerlich, denn bis auf das Muttermal hast du kaum Ähnlichkeit mit ihr. Aber Ada hat auch immer ihre Hilfe angeboten, wenn irgendwo Not am Mann war. Man konnte sich immer hundertprozentig auf sie verlassen.«

Umso erstaunlicher, dass jemand wie Wiete Bruhns dann so schlecht auf meine Großmutter zu sprechen ist, sie regelrecht zu hassen scheint – genau wie meine Mutter, schoss es mir durch den Kopf.

»Jetzt aber raus mit dir auf die Terrasse, solange die Sonne scheint. Hast du Lust auf einen Eiskaffee?«

Ich nickte begeistert und ging durch die Ladentür nach nebenan in den urigen Gasthof, der nun, da Saison war, täglich für die Tagesgäste geöffnet war, die in Heerscharen über die Hallig einfielen. Allerdings waren sie genauso schnell wieder weg, wie sie gekommen waren, und ich kam nur selten mit ihnen in Berührung. Im Grunde eigentlich nur, wenn sich einer von ihnen zu mir verirrte und fragte, ob der Leuchtturm zu besichtigen sei.

Auf diese Frage antwortete ich stets mit nein und beschloss, so bald wie möglich ein Schild am Eingang des Turms anzubringen, auf dem stand, dass der Turm in privatem Besitz war und daher nicht für Besichtigungen zur Verfügung stand.

»Bitte sehr, Ihr Eiskaffee«, sagte ein junger Mann, der im Kiek ut als Saisonkraft arbeitete und in einem der kleinen Zimmer über dem Gasthof wohnte. Das üppig mit Schlagsahne gekrönte Glas entlockte mir ein Schmunzeln. Meine Mutter wäre entsetzt, wenn sie wüsste, dass ihre Tochter, statt etwas Gesundes zu Mittag zu essen, eine Kalorienbombe in Form eines mit Vanilleeis gesüßten Kaffees zu sich nahm und, untätig herumsitzend, in den Sommerhimmel schaute. Doch meine Mutter wusste es nicht. Seit ich zusammen mit Felix von Hamburg abgereist war, hatte ich nichts mehr von ihr gehört. Der Gedanke an Hanne versetzte mir immer noch einen schmerzhaften Stich.

Und obwohl mir das zum Glück immer seltener passierte, wanderten meine Gedanken zu Oliver.

Er hatte sich tatsächlich erst gemeldet, nachdem das Schiff wieder in Hamburg angelegt hatte, und war ohne Widerspruch damit einverstanden gewesen, dass ich mich von ihm getrennt hatte. Aber schon eine Woche später hatte er aus Frankfurt angerufen, um mir zu sagen, dass die Versöhnung mit seiner Frau ein riesengroßer Fehler gewesen war und sich das Zusammenleben im Alltag wieder genauso lähmend und schwierig gestaltete wie vor seinem Umzug nach Hamburg.

Hochhäuser sind eben keine Palmen und arbeitsame, gleichförmige Tage in Frankfurt keine Nächte unter karibischem Sternenhimmel im Cocktailrausch, hatte ich zynisch gedacht und mich dabei ertappt, dass ich ihm diese Misere gönnte.

Die Zeit der Trennung und der Abstand hatten dazu geführt, dass ich ihn Stück für Stück von dem Sockel geholt hatte, auf den ich ihn in meiner Verliebtheit dummerweise gestellt hatte.

Erstaunt registrierte ich, dass es mir hier auf Flieberoog fast gar nichts mehr ausmachte, Single zu sein.

Die Tage vergingen wie im Flug, ich fand so viel Freude und Erfüllung in der Arbeit in Adas Garten, ich hatte Spaß mit Marie und Felix – und ich war immer noch damit beschäftigt, Adas Vergangenheit aufzurollen. Momentan konnte ich mir gar nicht vorstellen, anders zu leben, als ich es gerade tat. Einfach im Hier und Jetzt zu sein und den Tag ungeplant auf mich zukommen zu lassen. Allerdings hätte ich mich gern wieder mit meiner Mutter versöhnt. Der schwelende Streit, all das Mauern, all die unausgesprochenen Themen machten mir zu schaffen und konnten sich erst auflösen, wenn es mir gelang, sie dazu zu bewegen, reinen Tisch zu machen, das fühlte ich ganz deutlich.

Ich beschloss, sie am Dienstag anzurufen, wenn ich den Termin mit Svea Schulze und das Abendessen mit Reemt hinter mir hatte.

Beim Gedanken an den Besuch des jungen Mädchens aus Föhr war mir immer noch ein wenig mulmig zumute, und so entschied ich, ihr die Wahrheit zu sagen. Doch leider erreichte ich nur Sveas Mailbox und bat daher um Rückruf. Danach meldete ich mich bei Thomas Lorenzen, um ihm anzubieten, Emily zum Spielen zu mir zu bringen. Er nahm meinen Vorschlag mit Freude an.

Mit dem guten Gefühl, heute viele wichtige Dinge angeschoben zu haben, trank ich den Eiskaffee aus und blinzelte zufrieden in die Sonne.

Über mir zogen Austernfischer, Rotschenkel und Seeschwalben ihre Kreise, und allmählich füllte sich die Terrasse des Kiek ut mit Tagestouristen.

Obwohl ich in Hamburg immer gern dort gewesen war, wo Trubel herrschte, ging es mir mit einem Mal ganz anders. Ich bat den Kellner um die Rechnung und konnte es kaum erwarten, wieder in Adas stilles Paradies zurückzukehren.

Und ich war sehr überrascht, ausgerechnet Wiete Bruhns vor der Haustür zu erblicken.

28. Kapitel

»Ich bin nur da, weil ich Ihren Vater sehr mochte«, sagte die alte Dame, deren Gesichtsausdruck keinen Zweifel daran ließ, wie widerwillig sie hierhergekommen war.

»Und ich weiß das sehr zu schätzen«, antwortete ich und öffnete die Tür zu Adas Haus. »Kommen Sie doch bitte mit rein.«

Wiete Bruhns folgte mir wortlos und wirkte von dem Moment an, als sie über die Schwelle getreten war, wie ein Spürhund, der Witterung aufgenommen hatte.

»Setzen Sie sich doch. Kann ich Ihnen eine Tasse Tee anbieten?«, fragte ich und deutete in Richtung Esstisch am Fenster. »Oder mögen Sie lieber Kaffee? Wasser? Saft?«

Wiete schüttelte energisch den Kopf. »Nein danke, ich habe gar nicht vor, lange zu bleiben.« Während sie dies sagte, flog ihr Blick pfeilschnell über Adas Stuv. Dann setzte sie sich auf einen der Stühle, den sie zuvor jedoch flüchtig mit der Handfläche abwischte, als wolle sie ihn auf diese Weise von bösen Geistern reinigen.

Ich setzte mich ihr gegenüber, gespannt darauf zu erfahren, was Torges ehemalige Lehrerin zu sagen hatte. Doch die hatte offenbar beschlossen, mich auf die Folter zu spannen.

»War mein Vater denn ein guter Schüler?«, fragte ich, in der Hoffnung, die Situation ein wenig aufzulockern und meinen Gast zum Sprechen zu bringen. »Ich selbst habe Deutsch, Kunst und Musik geliebt, war aber leider ein Totalausfall in allen Naturwissenschaften.«

Der Anflug eines Lächelns huschte über Wiete Bruhns' Gesicht, doch sie brachte ihre Mimik sofort wieder unter Kontrolle. »Dann haben Sie Ihr Talent zum Schreiben von Ihrem Vater«, erwiderte sie. »Allerdings war er auch sehr gut in Mathematik und Physik. Er hatte sich schon immer für Schiffe und die Seefahrt interessiert, weshalb er eine Ausbildung zum Schifffahrtskaufmann in einer Hamburger Reederei gemacht hat, nachdem er von Flieeroog aufs Festland geflohen war.« Noch ehe ich fragen konnte, was genau sie mit »geflohen« meinte, sprach sie auch schon weiter. »Ursprünglich war es sein großer Traum gewesen zu studieren, andererseits wollte er aber auch so schnell wie möglich weg von seiner Mutter. Also blieb ihm nichts anderes übrig, als eine Ausbildung zu machen, damit er Geld verdienen und auf eigenen Füßen stehen konnte.«

»Was …«, ich rang nach den richtigen Worten, »… was war denn so schlimm an meiner Großmutter? Ich weiß im Grunde kaum etwas über sie, außer dass viele Leute in den höchsten Tönen von ihr schwärmen.« Dass meine eigene Mutter zu der Fraktion gehörte, die Ada ähnlich negativ gegenüberstand wie Wiete Bruhns, verschwieg ich wohlweislich.

Die alte Dame rollte mit den Augen. »Ja, ja, die ganzen Geschichten, die sich um diese Verrückte, den Leuchtturm und die schreckliche Kommune ranken – ich kann sie alle nicht mehr hören. Ein Haufen irrer Hippies, die den lieben langen Tag nichts weiter getan haben, als Marihuana zu rauchen, irgendwelche indischen Gottheiten anzubeten, kreuz und quer … miteinander … nun ja, Liebe zu machen … und dabei vollkommen zu vergessen, dass es da auch noch einen kleinen Jungen gab, der vaterlos war und Unterstützung gebraucht hätte.«

Nun begann Wietes Stimme zu zittern, ihre graublauen, von einem feinen Faltenkranz umrandeten Augen schimmerten feucht. »Keiner von denen hat sich einen Deut um den kleinen Torge geschert«, fuhr sie mit brüchiger Stimme fort. »Was glauben Sie, wie oft der arme Kerl bei uns daheim zum Essen war, weil seine durchgeknallte Mutter mal wieder vergessen hatte zu kochen? Was glauben Sie, wer mit dem Jungen Hausaufgaben gemacht hat, wer darauf achtete, dass er regelmäßig zum Arzt aufs Festland kam, wer einen Saum an seine zu kurz gewordenen Hosen nähte? Seine Haare geschnitten hat? Wären mein Mann und ich nicht für Torge da gewesen ... ich möchte nicht wissen, was aus ihm geworden wäre.«

Wiete Bruhns' Worte wühlten mich auf – und mit jedem weiteren Satz bekam das Bild meiner Großmutter gewaltige Risse. Gleichzeitig dachte ich an meine Mutter, die sich zeitlebens immer voller Hingabe und mit Liebe um Felix und mich gekümmert hatte, wofür ich ihr sehr dankbar war.

»Wir haben den kleinen Schobüll geliebt wie unseren eigenen Sohn, und er uns auch. Am liebsten hätten wir ihn an Kindes statt angenommen. Aber das wollte Ada nicht. Sie war der Ansicht, dass das Leben in der Kommune gut für ihn war, schließlich hatte er ihrer Meinung nach statt einer Mutter mindestens sieben. Und mehrere Väter. Dummerweise hatte aber keiner von diesen Krishna- und Bhagwan-Jüngern Lust, sich mit ihm zu beschäftigen, ihn zu erziehen, mit ihm zu spielen. Ihm die Wärme und Geborgenheit zu geben, nach der er sich so sehr gesehnt hat.«

Ich schluckte schwer – diese Geschichte klang gar nicht gut! Aber durfte ich sie einfach so glauben?

Als Journalistin war ich es gewohnt, den Dingen auf den Grund zu gehen und alles zu hinterfragen, bevor ich mir ein endgültiges Urteil bildete.

Außerdem hatte bekanntlich jede Geschichte zwei Seiten.

»Haben Sie denn Ihre Kritik Ada gegenüber offen geäußert?«, fragte ich in der Hoffnung, mein Bild wieder etwas revidieren zu können. Wie konnte eine Frau, die dafür bekannt gewesen war, vielen Menschen geholfen zu haben, ihrem eigenen Kind gegenüber so lieblos, ja geradezu fahrlässig gewesen sein?

»Aber natürlich haben wir das.« Wiete Bruhns' Stimme wurde sofort wieder kräftiger. »Wir haben ihr wieder und wieder gesagt, dass der Junge, wie alle Kinder, feste Strukturen braucht. Regelmäßige und gesunde Mahlzeiten, jemanden, der für ihn da ist, der ihm zuhört. Doch Ada hat nur gelacht und gesagt, ich solle mich da nicht einmischen, schließlich wüsste sie selbst am besten, was gut für ihr Kind sei. Am Ende hat der Junge selbst entschieden und die Beine in die Hand genommen, kaum dass er den Realschulabschluss in der Tasche hatte.«

»Wissen Sie zufällig, wie er meine Mutter kennengelernt hat?«, fragte ich, zutiefst verunsichert von Wietes Geschichte. »Ich weiß, es klingt merkwürdig, aber sie hat nie viel über meinen Vater erzählt – und über Ada erst recht nicht. Umso überraschter war ich natürlich, dass ich all das hier erben sollte.«

»Oh, das war mir gar nicht klar«, sagte Wiete Bruhns und musterte mich erstaunt. »Ich dachte, Sie hätten Ihre Großmutter immer gesehen, wenn sie in Hamburg war, und eine enge Bindung zu ihr gehabt. Torge hat Hanne damals gleich zu Beginn seiner Ausbildung in einem Hamburger Friseursalon getroffen. Sie hat ihm die Haare geschnitten, und dann haben sich beide ineinander verliebt«, murmelte Wiete. »Sagen Sie, dürfte ich bitte doch einen Tee haben? Mein Mund ist vom vielen Reden ganz trocken. Ich spreche normalerweise nicht so viel … beziehungsweise nicht mehr, seit ich mit dem Unterrichten aufgehört habe.«

Ich kochte Tee und dachte währenddessen darüber nach, was ich soeben alles erfahren hatte. Um mir ein halbwegs objektives Bild vom Leben in der *Kommune,* wie die alte Dame die Wohngemeinschaft auf dem Bauernhof genannt hatte, zu machen, musste ich unbedingt jemanden auftreiben, der dort gelebt hatte. Also würde ich nachher noch mal in den Mietverträgen nach dem Namen des Hauptmieters suchen.

»Haben Sie denn selbst Kinder?«, fragte ich, nachdem ich der alten Dame Friesentee gereicht und ein paar Kekse auf einen Teller gelegt hatte. Ich selbst trank ein Glas Wasser.

Ein trauriger Ausdruck überzog ihr faltiges, blasses Gesicht. »Leider nein. Der liebe Gott hatte offenbar andere Pläne für uns«, antwortete sie, und ich konnte ihren Schmerz beinahe körperlich fühlen. Demnach war mein Vater eine Art Ersatzkind für das Paar gewesen, und die Tatsache, dass er mit gerade mal sechzehn Jahren Adas wegen die Hallig verlassen hatte, ein weiterer Grund, auf meine Großmutter böse zu sein. Nicht unbedingt die beste Voraussetzung für eine objektive, wertfreie Darstellung der Dinge.

»Hatten Sie denn Kontakt zu meinem Vater, als er in Hamburg lebte?«

»Zu Anfang ja«, antwortete sie. »Wir haben ihn sogar hin und wieder besucht und natürlich auch seine Frau kennengelernt. Als wir hörten, dass Hanne schwanger war, haben wir uns unglaublich für die beiden gefreut. Ich habe immer geglaubt, dass eine Vaterschaft Torges Verletzungen aus seiner eigenen Kindheit am besten heilen würde. Und ich wusste, dass Hanne eine gute Mutter sein würde. Liebevoll, umsorgend, beschützend. So wie sie Torge eine liebende Ehefrau war. Doch dann passierte dieser schreckliche Unfall, und mit einem Schlag war alles vorbei. Torge hatte sich kurz zuvor entschlossen, sein

Abitur nachzuholen und danach Betriebswirtschaft zu studieren, um mehr Geld für seine Familie zu verdienen. Hanne und er haben sich eine ganze Fußballmannschaft Kinder gewünscht. Leider war ihnen nichts davon vergönnt.«

Auch dies hörte ich heute zum ersten Mal.

Überhaupt war es berührend und spannend zu erfahren, wie meine Mutter als junge Frau gewesen war. Dieser Teil ihres Lebens war mir nach wie vor fremd – wie eine verschlossene Tür, zu der mir jeglicher Zugang verwehrt wurde.

Und dann begann Wiete Bruhns zu weinen.

Aus ihren Augen stürzten wahre Tränenbäche, sie zitterte am ganzen Körper, bekam einen Hustenanfall und schien ihre schmerzvolle Vergangenheit binnen weniger Minuten noch einmal zu durchleben. Am Ende konnte ich nicht anders, als ihren Mann anzurufen und ihn zu bitten, seine Frau abzuholen, was er auch tat. Die Zeit, die er benötigte, um von der Marschwarft zu Adas Haus zu kommen, war ich vollauf damit beschäftigt, die alte Dame zu beruhigen und zu trösten. Es war deutlich zu spüren, dass sie um weitaus mehr weinte als um schmerzhafte Erinnerungen.

Sie schien ein Leben zu betrauern, das ihr nicht vergönnt gewesen war.

Ein Leben, das sie sich ganz anders gewünscht und erträumt hatte. Ihr dabei zuzusehen und ihr nicht helfen zu können, war schrecklich.

»Es tut mir leid, dass ich Ihre Frau so aufgewühlt habe«, flüsterte ich, als ich Uwe Bruhns die Tür öffnete. »Bitte glauben Sie mir, dass dies nicht meine Absicht war.«

Uwe Bruhns erwiderte nichts darauf, sondern stürmte in Adas Stuv, um seiner Frau vom Stuhl aufzuhelfen und sie zu stützen. Ohne ein Wort des Abschieds ließen die beiden mich allein zurück.

Ich selbst fühlte mich, als hätte ich eine verbotene Zone betreten und würde nun für mein Vergehen bestraft.

Nachdem ich eine Weile ratlos im Wohnzimmer auf und ab getigert war, wusste ich, dass ich momentan nur eins tun konnte: die Spur weiterzuverfolgen.

Also holte ich den Ordner mit den Mietverträgen heraus. Hauptmieterin des Deichtraums war zu jener Zeit eine gewisse Kathrin Feddersen gewesen. Ich googelte den Namen in der Hoffnung, fündig zu werden, stieß jedoch auf keinerlei hilfreiche Information. Und die Namen der anderen sechs Mieter waren leider nirgendwo vermerkt. Es war zum Verrücktwerden!

Nun hatte ich ein winziges Zipfelchen der mysteriösen Geschichte meiner Großmutter zu fassen bekommen und wurde erneut ausgebremst. Doch so schnell würde ich nicht aufgeben.

Ich hatte Blut geleckt – und das in zweierlei Hinsicht.

Zum einen wollte ich der Wahrheit auf den Grund gehen, zum anderen fühlte ich mich an die Zeiten erinnert, als ich als Reporterin für die Lokalredaktion einer Hamburger Tageszeitung gearbeitet hatte, stets auf der Suche nach Wahrheit und Gerechtigkeit. Damals war es mir – bis auf wenige Ausnahmen – immer gelungen, Licht in dunkle Angelegenheiten zu bringen, also würde es mir auch diesmal gelingen.

Das musste es einfach!

Einer Eingebung folgend, wählte ich die Nummer der MBSR-Trainerin in Friedrichstadt.

»Hallo, hier ist Juliane Wiegand«, sagte ich. »Ich wollte Sie zwei Dinge fragen, nämlich erstens, ob Sie demnächst Zeit für ein Treffen mit mir haben, und zweitens, ob Sie zufällig früher mit Nachnamen Feddersen geheißen haben.«

29. Kapitel

Kurz nach dem Hinweisschild *Willkommen im Holländerstädtchen Friedrichstadt* fuhr ich mit dem Auto am grün bewachsenen Ufer der Treene vorbei, erblickte aus dem Augenwinkel eine Klappbrücke, wie ich sie aus dem Alten Land kannte, und bog dann auf den Parkplatz Altstadt ein.

Nachdem ich aus dem Mini gestiegen war, atmete ich einen Moment tief durch und versuchte mich zu orientieren. Kathrin Burmester, geborene Feddersen, wohnte in der Nähe des malerischen Paludanushauses, das ich zuvor gegoogelt hatte, knapp zehn Minuten Fußweg von hier entfernt.

Obwohl ich Schleswig-Holstein und Nordfriesland recht gut kannte, gab es doch immer noch Orte und Ecken, an denen ich bislang noch nicht gewesen war, und dazu gehörte auch mein heutiges Ausflugsziel. Das entzückende Städtchen, das an der Mündung der Flüsse Treene und Eider lag und von vielen Grachten durchzogen war, lockte – ähnlich wie Husum und Glückstadt – zahllose Touristen an. Die *Friedrichstädter Rosenträume* waren eine ebenso große Attraktion wie die Krokusblüte am Marktbrunnen, das Lampionfest und natürlich die legendären Grachtenfahrten.

Kathrin Burmester hatte vorgeschlagen, dass wir später eine Fahrt mit der Barkasse unternehmen, damit ich ihren geliebten Heimatort auch von der Wasserseite aus kennenlernte.

Auf dem Weg zu ihr bog ich an der Straße Am Binnenhafen

links ab und gelangte kurz darauf in das malerische Gässchen Prinzenstraße, wo der Duft von frisch gebackenem Kuchen und Zimt meine Nase kitzelte. Er strömte durch die geöffnete Tür eines schnuckeligen Cafés mit dazugehörigem Blumenladen, das den Namen Blumenhaus-Café trug. Auf dem Kopfstein-pflaster vor dem Café standen Holztische und Stühle mit grün-weiß karierten Kissen sowie grüne Sonnenschirme, die farblich perfekt zur Eingangstür des gegenüberliegenden Paludanushauses passten. Daneben befanden sich Kathrin Burmesters Wohnung und die Räumlichkeiten ihrer MBSR-Schule. Adas betagte Freundin öffnete gleich nach dem ersten Klingeln und war offensichtlich in Unternehmungslaune.

»Hallo, schön, Sie zu sehen«, sagte sie und schenkte mir ein warmes, herzliches Lächeln. Fältchen kräuselten sich um ihre blassrosa Lippen, und es fiel mir schwer, in dieser korrekt ge-kleideten, gut frisierten hanseatischen Grande Dame jemanden zu sehen, der in den siebziger Jahren eine Kommune auf Flie-deroog gegründet und angeblich dem indischen Guru Bhagwan Shree Rajneesh gehuldigt haben sollte. »Wollen wir gleich aufs Wasser, oder möchten Sie vorher noch einen Tee? Oder haben Sie Hunger?«

»Da das Wetter schön ist, können wir meinetwegen gern als Erstes die Grachtenfahrt machen«, antwortete ich, weil ich mir gut vorstellen konnte, dass dieses gemeinsame Erlebnis uns beide ein bisschen auflockern würde, bevor wir über ernste Themen sprachen.

»Fein.« Kathrin Burmester lächelte strahlend und setzte sich einen dunkelblauen Sonnenhut auf ihr silbergraues Haar, das von wenigen blondgefärbten Strähnen durchzogen war. Ich er-tappte mich bei dem Gedanken, dass Blond bestens zu Orange-rot, der Farbe des Einheitslooks der *Orange People*, passte, der demonstrieren sollte, dass alle Bhagwan-Jünger gleichgestellt und frei von Konventionen waren.

Ob Ada sich ebenfalls in diese Gewänder gehüllt hatte, dazu passend die *Mala*, eine Gebetskette, um den Hals?

Wir überquerten den Marktplatz, den wunderschöne alte Renaissance-Häuser mit ihren Treppengiebeln und Hausmarken in Gestalt von Symbolen wie einem Pferd, Stern oder Hirsch zierten, die in früheren Zeiten Hausnummern ersetzt hatten. Viele der traumschönen, aufwendig geschnitzten Hauseingänge waren von tiefroten, schneeweißen oder hellrosa Rosen umrankt, zahlreiche Geschäfte boten Tickets für Treene- und Grachtenfahrten an.

»Hier entlang«, sagte Kathrin Burmester, die kerzengerade ging und insgesamt die Haltung einer Ballerina hatte, was sie deutlich jünger erscheinen ließ, als sie mit ihren siebenundachtzig Jahren war. *So würde ich mich im hohen Alter ebenfalls gern bewegen können*, schoss es mir durch den Kopf. Ob diese graziöse Haltung daran lag, dass sie täglich Yoga und eine Übungsfolge namens *Die fünf Tibeter* machte, so wie sie mir am Telefon erzählt hatte?

»Bis zu den Landungsbrücken sind es nur noch ein paar Meter. Das nächste Boot fährt um ein Uhr.«

Ich schmunzelte, als ich sah, dass die Friedrichstädter Landungsbrücken am Stapelholmer Platz nicht das Geringste mit denen in Hamburg gemeinsam hatten. Es gab nur einen Anleger mit einem dazugehörigen Kiosk, der Tickets und einen Reiseführer über Friedrichstadt verkaufte. Zu diesem Anleger gehörte das Restaurantcafé Zum alten Ruderhaus, von dessen Terrasse man einen fantastischen Blick aufs Wasser und mannshohe Rosenbüsche hatte, hinter denen ein weißes Schiff ins Bild ragte.

»Fahren wir damit?«, wollte ich wissen, doch Kathrin Burmester schüttelte den Kopf.

»Nein, die Jupiter wäre zu hoch, um unter den Brücken durchzufahren. Wenn es viel geregnet hat und das Wasser vom Eidersperrwerk in die Treene gedrückt wird, kommen selbst die kleinen Barkassen manchmal kaum durch. Zum Glück war es in den vergangenen Tagen trocken, so dass wir offen fahren können und auch nicht den Kopf einziehen müssen, wenn wir unter einer Brücke durchmüssen.«

Nachdem ich für uns beide Tickets gekauft hatte, gingen wir auch schon an Bord der MS Johanna, die gemeinsam mit ihren Schwesterschiffen Klein Venedig, Klein Amsterdam und einigen anderen die stolze Flotte der Schröder-Linie bildete.

Ein freundlicher Herr half uns an Bord, und wir setzten uns auf eine Holzbank am Heck der Barkasse. Ich gab Kathrin Burmester eines der Kissen, die auf der Bank lagen, damit sie weich saß. Der Kapitän nahm seinen Platz am Steuerrad des Schiffes ein, neben ihm ergriff der rundliche, sympathische Mann das Mikrofon und begrüßte die Passagiere an Bord der Johanna.

Und dann ging es auch schon los.

Während der Fahrt bestaunte ich die zur Wasserseite gelegenen Gärten, die Brücken, unter denen wir hindurchfuhren, die Rosenbüsche, die am Ufer wuchsen, entgegenkommende Tretboote und Paddler, die sich mächtig ins Zeug legten. Später erblickte ich ein rosa-blaues Segelschiff, das ausgemustert worden war und aussah, als gehörte es Pippi Langstrumpfs Vater.

»Passen Sie auf, jetzt wird es gleich magisch«, wisperte Kathrin Burmester auf einmal und legte ihre Hand auf meinen Arm. »Das wird Ihnen sicher gefallen.«

In der Tat! An dieser Stelle war der Fluss sehr breit, man hatte das Gefühl, direkt von hier in die Nordsee schippern zu können. Wogendes Seegras säumte das Ufer, Schilf ragte baumhoch aus dem Wasser. Vögel überflogen den Fluss mit breiten Schwingen. Ein Anblick wie aus dem Bilderbuch.

»Und hier sehen Sie die legendäre Seerosenblüte«, sagte der Grachtenführer und deutete auf die tellerförmigen, dunkelgrünen Blätter, in deren Mitte weiße Blüten herausragten wie edle Steine aus einer Ringfassung. Die Silhouetten spiegelten sich zusammen mit dem Schilf im Fluss und sahen aus wie von Monet gemalt.

Am dahinterliegenden Ufer ragten vereinzelt Laubbäume auf, deren runde Blattkronen sich im Wind bogen. Auch hier spannte sich der Himmel stahlblau, nur an wenigen Stellen durchbrochen von Schäfchenwolken, über uns.

»Ada kam jedes Jahr zur Seerosenblüte her«, erzählte Kathrin Burmester, immer noch mit gedämpfter Stimmlage. »Bis zu ihrem Tod hat sie fast kein einziges Jahr ausgelassen. Dieser Ausflug besiegelte unsere jahrzehntelange Freundschaft immer wieder aufs Neue, und es war jedes Mal ein Fest, diesen Moment gemeinsam mit ihr zu erleben.«

Gänsehaut überzog meinen Körper, auch auf dem Schiff war es mit einem Mal leise. Zuvor hatten die Passagiere noch munter durcheinandergequasselt, immer wieder unterbrochen von launigen Bemerkungen und Witzen des Barkassenführers, waren zum Fotografieren und für Selfies aufgestanden und hatten insgesamt jede Menge Unruhe verbreitet. Doch nun schien jeder zu spüren, dass dieses unendlich lange Band aus Seerosen, diese wohltuende Stille und die Weite etwas so Besonderes waren, dass man den einzigartigen Moment so lange und so intensiv wie möglich auskosten musste.

Es kam erst wieder Leben in die Passagiere, als die Barkasse wendete und die Rückfahrt zum Anleger antrat.

»Wie oft haben Sie meine Großmutter denn gesehen, nachdem Sie von Flooroog weggezogen waren?«, fragte ich, nachdem wir wieder an Land gingen. Die Grachtenfahrt hatte eine Stunde gedauert, und ich hatte jede Sekunde davon genossen.

»Bedauerlicherweise nicht mehr so oft«, antwortete die alte Dame. »Ich war sehr beschäftigt mit dem Aufbau meiner Yogaschule, den ayurvedischen Kochkursen, der Ausbildung zur Meditationslehrerin und zuletzt dem MBSR-Training. Und Ada natürlich mit Leuchtfeuer.«

Leuchtfeuer?!

In dem Moment, als Kathrin Burmester den Begriff aussprach, fiel mir wieder ein, dass Adas Erbe an diese Organisation gegangen wäre, wenn ich es ausgeschlagen hätte. Damals hatte ich den Begriff im Netz recherchiert, hatte aber keine befriedigende Antwort auf meine Frage nach einer Verbindung zu Ada gefunden.

E, U, T, F, U, R.

Und dazu das H, der Buchstabe, der Kathrin Burmesters Silberring zierte.

Konnte es sein, dass diese Buchstaben zusammen das Wort Leuchtfeuer bildeten und damit die Zusammengehörigkeit der Mitglieder symbolisierten? Ich rechnete kurz nach. Ja, der Begriff bestand tatsächlich aus elf Buchstaben!

»Was ist denn dieses Leuchtfeuer?«, fragte ich mit klopfendem Herzen, während wir zurück in Richtung Marktplatz schlenderten, vorbei an den Besuchern des gut frequentierten Eiscafés Pinocchio und der berühmten Marktpumpe, die aussah wie ein kleines Giebelhaus auf blauen Stelzen. »Ich kenne eine Hamburger Organisation dieses Namens, zu der ein Sterbehospiz gehört. Es gibt aber auch eine Stiftung in Köln, die sich der Förderung von Bildung und Rehabilitation verschrieben hat. Aber es findet sich bei beiden keinerlei Hinweis auf eine Verbindung zu Ada, so sehr ich mich auch bemüht habe, etwas Aussagekräftiges zu recherchieren.«

Kathrin Burmester zog ihren Sonnenhut tiefer ins Gesicht und seufzte. »Auf diese Frage darf ich Ihnen keine Antwort geben, so leid es mir auch tut.«

Obwohl sie in bedauerndem Tonfall geantwortet hatte, wurde ich wütend. Ich verspürte seit langem mal wieder dieses gurgelnde Schäumen in meinem Bauch, das förmlich danach schrie, meiner Frustration lautstark Ausdruck zu verleihen. Natürlich wusste ich, dass Kathrin Burmester alt war und dass es sicher besser war, sie nicht aufzuregen, doch das war mir in diesem Moment egal.

»Bitte entschuldigen Sie, sollte ich Ihnen mit dem, was ich jetzt sage, zu nahe treten. Aber ich habe es wirklich satt, andauernd vertröstet zu werden, wenn ich versuche herauszufinden, was meine Großmutter getan hat! Wie lange muss ich eigentlich noch unwissend im Nebel herumstochern und werde mit den fadenscheinigsten Argumenten vertröstet und abgewimmelt? Halten Sie mich denn alle für ein kleines Kind, das die Wahrheit nicht verträgt? Ich finde es wirklich unfair, mich so zu behandeln, mich auszugrenzen, mir aber ständig Brocken à la ›Der Schlüssel zu allem liegt in dir selbst‹ vor die Füße zu werfen. Ich bin doch nicht in irgendeiner dämlichen Quizshow, verdammt noch mal! Oder bin ich es nicht wert, in diesen geheimen, edlen Zirkel eingeweiht zu werden?«

Ich wagte es kaum, Adas Freundin nach meinem Ausbruch anzuschauen. Mittlerweile zitterte ich am ganzen Körper, so sehr wühlte mich dieses Thema auf. Doch damit musste endlich Schluss sein!

Kathrin Burmester ging eine Weile schweigend neben mir

her. Während mir angst und bange wurde und ich glaubte, meine Chance auf Informationen endgültig vertan zu haben, sagte sie plötzlich: »Ach, Kindchen, lassen Sie die Dinge doch so sein, wie sie sind. Sie können nicht alles verändern, was Sie gern verändern würden. Sie erhalten nicht immer Antworten auf Ihre Fragen. Sie bekommen auch nicht immer das, was Sie sich wünschen. Wir hätten zwar alle gern, dass Menschen sich zuweilen anders verhalten, sich Situationen anders darstellen, als sie es sind – aber das liegt nun mal nicht in unserem Einflussbereich. Beeinflussen können wir nur, wie wir darüber urteilen, wie wir werten. Wie wir damit umgehen. Wichtig ist, den Dingen nur so viel Raum zu geben, dass sie einem nicht auf Dauer das Leben schwermachen können.«

Ich schluckte schwer und ließ ihre Worte nachwirken. Obwohl ich gerade auf Krawall gebürstet war und am liebsten jemanden geschüttelt hätte, hatte die alte Dame natürlich recht. Doch es würde eine ganze Weile dauern, bis ich bereit sein würde, ihre *Weisheiten* zu akzeptieren, das wusste ich genau.

»Haben Sie jetzt Lust auf ein Stück Kuchen?«, fragte sie unvermittelt und lotste mich in Richtung des Blumenhaus-Cafés. »Ich würde Sie gern dazu einladen, genau wie zu einer schönen Tasse Tee oder Kaffee. Dann sind wir beide gestärkt für den Einführungsvortrag für meinen neuen Kurs. Sie wissen ja: Essen und Trinken hält Leib und Seele zusammen.«

Froh darüber, dass sie mir offensichtlich nicht böse war, folgte ich Kathrin Burmester ins Café.

Nachdem ich bei der freundlichen Kellnerin Apfelkuchen mit Schmand und Zimt bestellt hatte und Kathrin Burmester Himbeertorte mit Frischkäse, fragte ich, wie sie damals nach Flrieroog gekommen war, und hoffte sehr, mit dieser Frage nicht schon wieder verbotenes Terrain zu betreten.

»Als der Krieg vorbei war, war ich leider in einer ähnlich traurigen Situation wie Ada damals, auch wenn ich ein paar Jahre jünger war als sie und es noch einige Zeit dauern sollte, ehe sich unsere Wege kreuzten«, hob Kathrin an. »Ich war noch ein junger Backfisch, mein Vater und meine Brüder waren im Krieg gefallen, meine Mutter im letzten Kriegsjahr an einer Lungenentzündung gestorben. Ich war entsprechend traumatisiert und hatte mit angesehen, wie viele Familien durch die Grausamkeit auseinandergerissen wurden, zu der Menschen fähig sind, wenn sie einander bekämpfen. Es wollte mir damals schon nicht in den Sinn, dass wir auf dieser Erde nicht alle in Frieden und Harmonie miteinander leben können, ungeachtet von Hautfarbe, Religion, sozialem Status oder nationaler Zugehörigkeit. So wie es mir auch heute nicht in den Sinn will, dass es immer noch Terror und Kriege auf der Welt gibt.«

Ihre Worte berührten mich zutiefst. Zwar war mir bislang ein Leben in Frieden vergönnt gewesen, doch da mittlerweile grausame Terrorakte auch in Europa stattfanden, glaubte ich zu verstehen, was traumatische Erfahrungen mit der Seele eines Menschen anrichten konnten.

»Und so begann ich, mich mit Schriften von klugen Menschen zu beschäftigen, die den Ursachen von Gewalt auf den Grund gehen wollten. Ich begann selbst danach zu forschen, wie Ungerechtigkeit, Hass und Aggression entstehen. Auf der Suche nach Antworten bin ich irgendwann nach Indien gefahren und habe mich dort der damaligen Sanyassin-Bewegung angeschlossen. Unabhängig davon, was später daraus geworden ist und welchen Verlauf die ganze Geschichte genommen hat, habe ich in Indien meditieren gelernt, die ayurvedische Kochkunst, buddhistische Leitsätze und damit die Grundlagen dessen, was wir heute Achtsamkeit nennen. Ich bin der festen

Überzeugung, dass viel Unheil auf der Welt entsteht, weil wir werten und vorschnell Schlüsse ziehen, ohne nach den Beweggründen des Handelns derjenigen zu fragen, über die wir uns vielleicht gerade ärgern. Weil wir nicht mitfühlend genug sind, einander zu wenig zuhören, einander zu wenig respektieren, lieben und achten.«

»Aber ... waren denn nicht gerade die Bhagwan-Jünger dafür bekannt, dass ihre spirituellen Sessions oft in Gewalt ausarteten?«, fragte ich zweifelnd. »Das ist doch das komplette Gegenteil von Achtsamkeit.«

Kathrin Burmester nickte. »Ja, das stimmt leider. Und es stimmt auch, dass sich das ursprünglich positive Gedankengut irgendwann ins Gegenteil verkehrte. Dies war auch der Grund, weshalb ich den Ashram verließ und wieder zurück nach Deutschland gegangen bin. Allerdings wollte ich nicht wieder nach Friedrichstadt, wo so viele schmerzhafte Erinnerungen an meine verstorbenen Lieben lebendig waren. Ich wollte irgendwo neu anfangen, aber auch in einer Gemeinschaft von Gleichgesinnten leben. Also antwortete ich auf ein Inserat Ihrer Großmutter, die neben kleineren Goldschmiede-Aufträgen durch die Vermietung des Bauernhofs ihr Einkommen sicherte. Ursprünglich hatte das Gehöft keinen Namen. Doch wir haben es später Deichtraum getauft, denn es war ein absoluter Traum, dort zu wohnen. Friedvoll im Einklang mit der Natur und sich selbst. Umgeben vom Meer, den Salzwiesen, über uns dieser unglaublich weite Himmel, der zeigt, dass es auf unserer schönen Erde keine Grenzen gibt.«

Kathrin Burmester strahlte, als sie nach ihrer Teetasse griff und mich über deren Rand hinweg anschaute. Ich konnte das Glück, das sie damals empfunden haben musste, noch heute in ihren Augen sehen.

»Da Ada keine hohe Miete für das Wohnen auf einer abgelegenen Hallig verlangen konnte, wurde der Hof schnell zu einer Art Auffangbecken für Menschen, die kaum Geld hatten und anders leben wollten als der Rest Deutschlands, der gerade der Spießbürgerlichkeit frönte«, fuhr die alte Dame fort und stellte die Tasse zurück. »Ich unterschrieb den Mietvertrag als Hauptmieterin und bot Kurse an, durch deren Gebühren ich wiederum die Miete finanzierte. Viele der Teilnehmer sind dann geblieben und haben eine ganze Weile in einem der insgesamt neun Zimmer gewohnt, die ich tage- und wochenweise vermietet habe.«

»Hat Ada diese Kurse auch belegt?«, fragte ich, erstaunt über diese unkonventionelle Nachkriegsbiografie und zugleich beglückt, endlich ein bisschen mehr über die Vergangenheit zu erfahren.

»Oh ja«, antwortete Kathrin lächelnd. »Ada war die Sinnsuchende in Person, wissbegierig bis zum Umfallen, feierfreudig und lebenslustig. Sie hatte Börge auf dessen Sterbebett versprechen müssen, dass sie jede Minute ihres Lebens auskosten und genießen würde, um auch an seiner Stelle weiterzuleben. Und sie hat dieses Versprechen mehr als gehalten.«

Ich dachte an die verbitterten Worte von Wiete Bruhns und daran, dass Ada offensichtlich keine besonders gute Mutter gewesen war.

»Und wie ging es meinem Vater mit dieser Situation?«, fragte ich. »War er auch ab und zu auf dem Hof, oder haben er und Ada sich überwiegend im Leuchtturmhaus aufgehalten?«

»Ada und Torge wohnten damals mehr bei uns als bei sich daheim«, antwortete Kathrin und aß den letzten Bissen ihres Tortenstücks auf. »Ada liebte es, Leute um sich zu haben, alles über sie und die Themen, die sie beschäftigten, zu erfahren. Sie hat dadurch viel über das Leben und die Menschen gelernt, ein feines Gespür für sie entwickelt. Die meisten kamen nur für ein paar Tage nach Fliederoog, hatten aber oft jede Menge abenteuerliche Geschichten im Gepäck. Jede dieser Geschichten, jede Reisebeschreibung, jede andersartige Erfahrung übte eine geradezu magische Anziehungskraft auf sie aus. Hätte sie Torge nicht gehabt, genug Geld und keine Verantwortung für die Warft, wäre sie bestimmt eine echte Weltenbummlerin geworden. In Wahrheit ist sie – außer in ihren Träumen – nie gereist. Husum, Friedrichstadt und Hamburg waren die einzigen Städte, die sie in ihrem Leben je gesehen hat.«

Beinahe beschämt dachte ich an all die Orte, die ich bereits bereist hatte.

Und dann stellte ich die bange Frage, um die sich meines Erachtens alles rankte. »War Ada eine gute Mutter?«

Ich sah, wie Kathrin Burmesters Gesicht sich kurz verschattete. Dann antwortete sie mit brüchiger Stimme: »Sie hat ihr Bestes gegeben und getan, was sie tun konnte. Doch leider ist das manchmal nicht genug ...«

30. Kapitel

Nach einer unruhigen Nacht, die ich im Gästezimmer von Kathrin Burmester verbracht hatte, fuhr ich am Samstagvormittag nach dem Frühstück mit der Fähre von Schlüttsiel zurück nach Fliederoog.

All die Informationen des vergangenen Tages, aber auch die Eindrücke des Einführungskurses von Kathrin Burmester in die Technik des MBSR wirbelten in meinem Kopf herum.

Es würde sicher eine Weile dauern, bis ich mich sortiert und das Erlebte halbwegs verdaut hatte.

Nichtsdestotrotz war ich beeindruckt von dem Wissen und der Güte der alten Dame und nahm mir vor, einiges von dem, was ich gestern nur im Ansatz erfahren hatte, zu verinnerlichen und später, wenn es die Umstände erlaubten, einmal einen Kurs zu besuchen. Doch natürlich traten diese Pläne in dem Moment in den Hintergrund, als ich darüber nachdachte, was ich über meine Großmutter erfahren hatte.

Es betrübte mich zu wissen, dass Ada trotz ihrer guten Absichten und der hilfreichen Dinge, die sie offensichtlich für viele Menschen getan hatte, keine besonders gute Mutter gewesen zu sein schien. Obwohl Kathrin Burmester kein böses Wort über ihre Freundin verloren hatte, hatte ihr Gesicht Bände gesprochen. Zudem waren ihre Schilderungen des Lebens in der Kommune Deichtraum deckungsgleich mit dem, was Wiete Bruhns erzählt hatte. Vor meinem inneren Augen entstand das

Bild eines traurigen, einsamen Jungen, der seinen Vater nie kennengelernt und von seiner Mutter nicht die Aufmerksamkeit und Zuwendung bekommen hatte, die ein Kind braucht, um Urvertrauen und ein gutes Selbstwertgefühl zu entwickeln und glücklich zu sein.

Wenn ich an die vielzitierten Helikoptereltern dachte, deren gesamtes Denken und Handeln um das Wohl ihrer Sprösslinge kreiste, die stets darauf bedacht waren, Pläne für die Kleinen zu schmieden, bestimmte Ziele zu verfolgen und zu erreichen, war das das komplette Gegenteil dessen, wie mein Vater aufgewachsen war.

Die entscheidende Frage lautete: Was war richtig?

Den Dingen einfach ihren Lauf zu lassen und alles so zu nehmen, wie es kam – oder alles durchzustrukturieren, wohl wissend, dass es im Leben eh meist anders kam, als man dachte?

Viele weitere Fragen dieser Art wirbelten in meinem Kopf herum, während ich an Deck der Fähre stand und auf das graue, gurgelnde Nordseewasser unter mir schaute.

Hatte Ada ihr Versagen als Mutter später dadurch zu kompensieren versucht, dass sie anderen Menschen half, weil sie ihrem viel zu früh verstorbenen Sohn keine Stütze mehr sein konnte?

Hatte sie nach seinem Unfalltod erkannt, welch großen Fehler sie gemacht hatte?

War sie verzweifelt darüber gewesen, ihr Unrecht nicht wiedergutgemacht zu haben?

Hegte meine Mutter genau aus diesem Grund diese heftige Abneigung gegen Ada?

Als ich spürte, dass all diese Themen begannen, mich zu stressen, und ich mich in ihrem Strudel gefangen sah, anstatt die Schönheit des Meeres zu genießen, erinnerte ich mich an

Kathrin Burmesters Worte. »Öffnen Sie Ihr Herz für die Intensität des Augenblicks. Atmen Sie tief ein und aus, spüren Sie den Moment, beruhigen Sie ihren zerstreuten Geist, holen Sie ihn wieder zurück, und lassen Sie ihn das Wunder des Augenblicks erfahren.«

Obwohl es mir nicht leichtfiel, versuchte ich, ganz bewusst ein- und auszuatmen und die frische, salzhaltige Luft tief zu inhalieren. Sobald meine Gedanken wieder drohten in Richtung Ada abzugleiten, stellte ich mir meinen Geist als eine Art Lasso vor, das ich auswerfen und damit meine Gedanken zurückholen konnte. Dabei beobachtete ich ein großes Stück Holz, das von den Nordseewellen hin und her geworfen wurde, Treibgut im wahrsten Sinne des Wortes.

War es »hilflos« der Kraft und dem Willen des Meeres ausgeliefert, oder ließ es sich vielmehr als echter Wellenreiter treiben und letztlich an einen Ort spülen, wo es hingehörte …?

Auf Flieteroog angekommen, setzte ich mich auf das Rad, um zur Warft zu fahren. Auch dies versuchte ich, ganz bewusst zu tun, anstatt die ganze Zeit daran zu denken, was mich später in Adas Haus erwarten würde. Und siehe da: Heute nahm ich den in der Ferne aufragenden Leuchtturm anders wahr als vor meinem Besuch in Friedrichstadt. Er erschien mir nun nicht mehr nur als Orientierungshilfe und Leuchtfeuer, sondern auch als Mahnmal dafür, was unachtsames, egoistisches Handeln anrichten konnte.

Mein Eindruck wurde jäh von einer Herde Schafe und Ziegen unterbrochen, die sich plötzlich auf dem Weg zur Warft versammelten, als wollten sie mich begrüßen.

Dicht zusammengedrängt und offensichtlich nicht im mindesten davon beeindruckt, dass ich mit dem Rad weitermusste, stießen sie ein fröhliches Mäh aus, schauten mich neugierig an oder kabbelten sich spielerisch mit den etwa zehn Ziegen, die sich dazwischen tummelten.

Das müssen die von Einspänner sein, dachte ich, halb amüsiert, halb ratlos. Wären es nur ein paar Schafe gewesen, na gut. Aber es waren sicher an die vierzig, die sich allesamt den Bohlenweg als Aufenthaltsort ausgesucht hatten.

Und wenn sie sich nicht bald wieder von da wegbewegten, musste ich wohl oder übel das Rad stehen lassen und zu Fuß durch die Salzwiesen zur Warft gehen.

Ich stieg vom Fahrrad, legte es auf den Weg und spürte bereits den warmen Atem eines Schafs in meinem Gesicht. Seine Augen musterten mich, und ich bekam tatsächlich ein wenig Muffensausen. Doch dann besann ich mich darauf, dass ich noch nie von einem gefährlichen Angriff eines Schafs gehört hatte, richtete mich auf und versuchte, die Tiere zu verscheuchen, ohne sie allzu sehr zu verschrecken. Ich rief »Schhhhh« und »Weg da!« und wedelte mit den Händen, doch nichts passierte.

Ganz im Gegenteil: Je mehr ich versuchte, den Schafen klarzumachen, dass sie woanders hinsollten, desto reizvoller schien es für die Tiere zu werden, denn sie umzingelten mich nun komplett und schauten mich an, als warteten sie gespannt darauf, was ich als Nächstes tat.

Plötzlich ertönte ein Pfiff, und es kam erst Leben in die Ziegen, dann in die Schafe. Ein Border Collie umkreiste die Herde und trieb sie vom Weg in Richtung Salzwiesen.

Als Nächstes sah ich einen baumlangen Kerl in Latzhosen, der »Fein, Käpt'n!« rief, woraufhin der Hund hechelnd zu ihm rannte und sich dann zu seinen Füßen setzte.

»Moin, Herr Schaefer«, begrüßte ich Enrik und hob das

Fahrrad wieder auf. »Gut, dass Sie gekommen sind, sonst hätte ich wohl zu Fuß zum Leuchtturm gehen müssen. Vorausgesetzt, die Tiere hätten mich überhaupt gelassen.«

»Wollte bloß nicht, dass meine Ziegen noch weiter ausbüxen«, entgegnete Einspänner, ohne eine Miene zu verziehen. »Und sonst? Alles klar?«

Ich wusste nicht, was mich mehr verwirrte: die Herde oder Enrik. Bis zu diesem Moment hatte er mir noch nie eine Frage gestellt.

»Ja, soweit alles klar«, sagte ich. »Ich komme gerade aus Friedrichstadt, wo ich Kathrin Burmester besucht habe, eine alte Freundin von Ada. Kennen Sie sie?«

»Nur flüchtig«, antwortete Einspänner. »Als sie auf dem Hof gewohnt hat, war ich ja noch auf Langeneß. Und später hat Ada eher sie besucht als umgekehrt.«

Enriks Hütehund saß immer noch artig zu dessen Füßen, schaute zu seinem Herrchen hoch und schien auf weitere Anweisungen zu warten, während sich die Schafe und Ziegen auf den Salzwiesen das frische Gras schmecken ließen.

»Wie viele Ziegen haben Sie eigentlich?«, fragte ich, darum bemüht, unser erstes *echtes* Gespräch weiter in Gang zu halten. »Und was machen Sie mit denen? Stellen Sie Produkte aus Ziegenmilch her?«

Kaum war mir die Frage über die Lippen gekommen, bereute ich sie auch schon. Was sollte Enrik Schaefer denn sonst mit den Tieren anfangen?

»Und Sie?«, fragte er, während er den Kopf seines Hundes kraulte. »Werden Sie auf Fliederoog bleiben?«

Ich versuchte, mich von seiner Gegenfrage nicht aus der Fassung bringen zu lassen, und antwortete ehrlich: »Keine Ahnung. Momentan gönne ich mir eine Auszeit von drei

Monaten, weil ich gerade meinen Job verloren habe.« *Und meinen Partner.* »Alles, was ich weiß, ist, dass ich mich auf der Hallig sehr wohl fühle. Aber ob das auf Dauer dazu reicht, um hier zu leben? Keine Ahnung. Außerdem muss ich bald wieder Geld verdienen. Von der Miete des Bauernhofs kann ich gerade mal die laufenden Betriebskosten und ein bisschen was zu essen bezahlen.«

»Früher hätten Sie als Leuchtturmwärterin Geld verdienen können«, sagte Einspänner. »Aber nachdem das Schifffahrtsamt neunzehnneunundsiebzig beschlossen hat, das Ganze automatisch laufen zu lassen, haben sie den Turm dann zwei Jahrzehnte später komplett stillgelegt.« Einspänner schob sich das Käppi aus der Stirn. »Tja, das mit dem Geld is' nun mal so 'ne Sache. Und für euch Frauen anscheinend ganz besonders … Also dann, ich sach mal tschüss.«

Verwirrt vom abrupten Ende unserer Unterhaltung, fragte ich mich, ob seine Bemerkung eine Anspielung auf seine große Liebe Theres gewesen war. War diese Beziehung am Ende nicht nur an der Distanz zwischen Langeneß und Wien gescheitert, sondern auch aus finanziellen Gründen?

»Ja … tschüss. Und noch einen schönen Tag!«, rief ich ihm hinterher, während Einspänner mitsamt dem Border Collie auf dem Absatz kehrtmachte. Dann erteilte er Käpt'n einen für mich unverständlichen Befehl, und ich beobachtete fasziniert, wie der Hütehund es schaffte, binnen weniger Minuten jede einzelne von Einspänners Ziegen aus der Herde zu holen und schließlich geschlossen in Richtung Adas Warft zu treiben.

Ich folgte auf dem Rad, hielt aber bewusst Abstand zu Einspänner, der offensichtlich allein sein wollte.

Als ich am Leuchtturmhaus angekommen war, konnte ich es kaum erwarten, Felix von meinen Erlebnissen zu erzählen, fand ihn aber nicht, nachdem ich die Tür aufgeschlossen und »Hallo« gesagt hatte.

Vielleicht ist er ja laufen, dachte ich. Der Himmel war zwar bedeckt, aber es war trocken und relativ windstill, gute Voraussetzungen, um zu joggen. Marie war ebenfalls nicht da, aber die musste ja schließlich auch im Kiek ut arbeiten.

Also packte ich meine Tasche aus, kochte Tee und ging dann nach draußen, um mich auf die Bank mit Blickrichtung Garten zu setzen.

Nach einer kleinen Pause würde ich Unkraut jäten, verwelkte Blätter und Blüten von den Blumen entfernen, wenn nötig Raupen von den Pflanzen absammeln und sommerblühende Sträucher schneiden. Doch eins nach dem anderen und nicht alles parallel, wie ich es sonst so häufig tat.

Während ich wohlig seufzend auf das Paradies vor meinen Augen schaute, ertönte ein Kichern aus dem geöffneten Fenster des ersten Stocks. Verwundert setzte ich meine Teetasse ab, stand auf und blickte nach oben.

Dann sah ich, wie Marie und Felix sich am Fenster stehend küssten.

Oh nein, bitte nicht!, war mein erster Gedanke.

Offensichtlich hatten die beiden nicht mitbekommen, dass ich wieder da war. Natürlich gönnte ich ihnen ein bisschen Spaß, aber ich kannte meinen Bruder gut genug, um zu wissen, dass er Marie das Herz brechen würde, wenn sie sich in ihn verliebte. Und das hätte ich gerne verhindert.

Das Kichern verstummte, das Fenster wurde geschlossen, und kurz darauf traten Marie und Felix eng umschlungen aus der Tür, offensichtlich überrascht, mich zu sehen.

»Oh, du bist schon da?«, fragte Felix, der als Erster seine Sprache wiederfand.

»Moin, Juliane«, sagte Marie, ganz offensichtlich verlegen, denn sie löste sich blitzschnell aus der Umarmung meines Bruders. »Wie war's in Friedrichstadt? Hat es dir dort gefallen?«

»Musst du heute gar nicht arbeiten?«, fragte ich zurück und hörte zu meinem Ärger, wie zickig mein Tonfall klang.

»Heute bleibt das Kiek ut mal zu«, erklärte Marie. »Ich habe die letzten Tage nonstop gearbeitet und brauche dringend eine Pause. Außerdem möchte ich noch weiter an meinen Entwürfen arbeiten, mit denen bin ich leider ziemlich im Verzug. Irgendwie will mir diesmal einfach nichts einfallen. Vielleicht sollte ich ein paar Tage Urlaub machen oder mir eine Auszeit nehmen, genau wie du.«

»Sis, kann ich dich kurz mal sprechen?«, fragte Felix mit seiner legendären Dackelblick-Unschuldsmiene, die verriet, dass er genau wusste, wie sehr ich mich gerade über ihn ärgerte. »Im Garten reifen die ersten Bohnen, die würde ich dir gern zeigen.«

»Und ich koche uns derweil eine große Kanne starken Kaffee, ich bin nämlich hundemüde«, sagte Marie und verschwand wieder ins Haus.

Ich folgte Felix in Adas Nutzgarten.

»Bitte, sei nicht böse«, sagte er und rieb sich am Ohrläppchen. »Ich weiß, dass ich versprochen habe, nichts mit Marie anzufangen, aber … irgendwie … nun ja … konnte ich einfach nicht anders. Gestern Abend hatten wir hier einen unwahrscheinlich schönen Sonnenuntergang, wir haben beide ein bisschen zu viel Wein getrunken, und plötzlich haben wir uns geküsst … Marie ist wirklich toll, und sexy, weißt du?«

»Ja, das weiß ich«, antwortete ich. »Und genau deshalb möchte ich auch nicht, dass du ihr weh tust. Aber nun ist es ja eh zu spät … und ihr seid beide erwachsen.«

Ich verspürte einen Stich, der nicht nur etwas damit zu tun hatte, dass mein Bruder sich nicht an unsere Absprache gehalten hatte. Die beiden so eng umschlungen zu sehen, mit strahlenden Gesichtern ... das erinnerte ich mich an die ersten Wochen mit Oliver. Da war auch ich jeden Tag *hundemüde* gewesen, weil ich kaum Schlaf abbekommen hatte.

Dennoch hatte ich selten besser ausgesehen und war selten energiegeladener gewesen als zu jener Zeit.

Ob ich in diesem Leben noch einmal das Glück haben werde, so etwas zu erleben?

»Ich werde sie schon nicht verletzen, dazu ist Marie viel zu tough. Wenn da jemand am Ende leidet, dann eher ich«, sagte Felix und schaute dabei so zerknirscht drein, dass ich ihm nicht böse sein konnte. Obwohl ich keine Sekunde daran glaubte, Marie könnte eine *Gefahr* für sein Seelenheil darstellen. Felix hatte noch nie in seinem Leben Liebeskummer gehabt.

»Keiner von euch soll leiden«, entgegnete ich und gab ihm spontan einen Kuss auf die Wange. »Ich möchte gern, dass alle glücklich sind.«

»Na, dann ist's ja gut.« Felix seufzte erleichtert. »Und ehe ich es vergesse: Eine Svea Schulz hat angerufen und gesagt, dass sie den Termin bei dir trotzdem wahrnehmen möchte. Wer war das noch gleich?«

»Oh nein, die habe ich ja total vergessen!«, rief ich erschrocken. »Das ist das junge Mädchen von Föhr, das eigentlich zu Ada wollte. Ich habe sie angerufen und über die Situation aufgeklärt. Und ich habe ihr gesagt, dass ich nicht das Zeug dazu habe, in Adas Fußstapfen zu treten.« Bei diesen Worten dachte ich an das Gespräch mit Kathrin Burmester zurück; an die Tatsache, wie gern Ada Menschen um sich gehabt und von ihnen gelernt hatte. Was hatte ich mit meinen neununddreißig

Jahren diesem unermesslichen Erfahrungsreichtum, den meine Großmutter sich im Laufe ihres langen Lebens angeeignet hatte, denn schon entgegenzusetzen? »Und nun will sie trotzdem kommen?«

Felix grinste und zuckte mit den Schultern. »Offensichtlich. Tja, Sis, man wächst mit seinen Aufgaben. Mehr hab ich dazu nicht zu sagen.«

31. Kapitel

»Schön, dass du da warst«, sagte ich zu Felix, als er mit gepackter Tasche und dem leeren Seesack die Treppe herunterkam. »Du wirst mir fehlen.«

Mein Bruder stellte sein Gepäck ab und nahm mich in den Arm. »Danke für die tolle Zeit. Ich wünschte, ich könnte länger bleiben, aber ich brauche den nächsten Job, wie du weißt. Und du bist ja nicht allein, Marie ist bei dir. Also, Sis, lasst es euch gutgehen, und macht keinen Quatsch. Vielleicht kann ich ja übernächstes Wochenende schon wieder kommen.«

Nachdem Felix aufs Rad gestiegen und in Richtung Fähranleger davongefahren war, blieb ich noch einen Moment an der Türschwelle stehen, obwohl mein Bruder längst aus meinem Blickfeld verschwunden war. Wenn man ganz genau hinschaute, konnte man erste zartrosa und blassblaue Flecken inmitten des Grüns der Salzwiesen erkennen: die Knospen des Strandflieders.

Noch ein paar Tage Sonne, dann würden sie in voller Blüte stehen und die Hallig in ein lilafarbenes Blumenmeer verwandeln.

Nachdem ich die Tür wieder geschlossen hatte, entschied ich, einen Blick in Adas Buch *Das geheime Wissen der Wunschmeditation* zu werfen, in der Hoffnung, darin irgendeine Hilfestellung für Sveas Besuch nachher zu finden.

Während Marie oben schlief, blätterte ich durch die Seiten

des dicken, handgeschriebenen Werkes. Es enthielt jede Menge Tipps, die vom Umgang mit Heilkräutern über Turn- und Atemübungen bis hin zu Rezepten und Tricks beim Kochen reichten. Offensichtlich hatte Ada in diesem Buch alles gesammelt und notiert, was ihr im Laufe der Jahre entweder zugetragen worden war oder was sie selbst erprobt hatte.

Das Buch war in mehrere Rubriken gegliedert. Die letzte hieß *Wunschmeditation* und enthielt einige Mantras und Anleitungen für Räucherrituale, die gegen Liebeskummer helfen sollten, aber auch Loslass-Rituale und welche zum Mutmachen oder zur Stärkung des Selbstvertrauens oder der Wunscherfüllung waren darunter.

Natürlich war mir all dies nicht fremd, schließlich boomten seit Jahren Bücher und Zeitschriften mit diesen Inhalten.

Trotzdem hatte ich noch nie jemanden kennengelernt, der solche Rituale selbst durchführte. Die einzige Ausnahme in dieser Hinsicht war Meggie, die nach meiner Trennung von Oliver beschlossen hatte, meine Wohnung in Ottensen mit Hilfe von getrocknetem Salbei von negativen Beziehungsschwingungen zu reinigen. Am Ende dieses etwas skurrilen Abends hatten wir beide kichernd auf dem Sofa gesessen, den Duft des Salbeis in der Nase, von dem Meggie behauptete, er erinnere sie an Marihuana.

Nachdem ich mich eine Weile in den Inhalt des Buches vertieft hatte, gelangte ich zu dem Schluss, dass Ada ihren *Klienten* mit dieser Art rituellen Hexenwerks geholfen haben musste. Da ich allerdings keinerlei Lust verspürte, diesbezüglich in ihre Fußstapfen zu treten, beschloss ich, Sveas Besuch einfach auf mich zukommen zu lassen und intuitiv zu entscheiden, was zu tun war. Was hatte Kathrin Burmester noch mal zu diesem Thema gesagt? *Durch achtsames Innehalten spüren wir unsere Bedürfnisse, unsere Gefühle und unsere Intuition deutlicher.*

Wie ich aus der Psychologie wusste, war es für Menschen, die sich mit einer Entscheidung schwertaten, am hilfreichsten, sie durch geschickte Fragen an den Punkt zu lotsen, an dem sie sich selbst die richtige Antwort gaben, also im Grunde ihrer ureigenen Intuition folgten.

Zwei Stunden später war es so weit. Wie telefonisch vereinbart, holte ich Svea am Fähranleger ab, wo sie mit einem Schiff der W.D.R.–Linie ankam, und gab ihr dann das Rad von Felix, um gemeinsam mit mir zum Leuchtturm zurückzufahren.

Svea war eine zarte, elfengleiche junge Frau Mitte zwanzig. Ihre hellblauen Augen wirkten ein wenig verschleiert, als sie am Anleger auf mich zutrat und fragte, ob ich Juliane Wiegand sei. Offensichtlich ging es ihr wirklich nicht gut.

»Das ist ja wunderschön hier«, sagte sie, nachdem ich sie ins Haus gebeten hatte. »So würde ich auch gerne einmal wohnen.«

»Aber Sie leben doch auf Föhr«, entgegnete ich verwundert. »Ich liebe diese Insel und habe früher immer davon geträumt, mal ein Häuschen in einem der Inseldörfer zu besitzen. Am liebsten in Oldsum oder Nieblum.«

»Ich wohne aber in einer winzigen Wohnung in Wyk, in der Nähe des Nordsee-Kurparks«, erwiderte Svea und strich sich die blonden Haare aus der Stirn. »Natürlich habe ich es von da nicht weit zum Strand, aber ich mag meine Wohnung nicht, weil sie so klein und ohne jede Atmosphäre ist und ich laute Nachbarn habe. Leider kann ich mir nichts anderes leisten, weil es auf Föhr mittlerweile fast genauso schwer ist, an bezahlbaren Wohnraum zu kommen, wie auf Sylt«, erklärte Svea.

Prompt musste ich an Reemt und seine Tirade über den *Ausverkauf* der Nordseeinseln denken. Vielleicht war dieses Problem ja wirklich größer, als ich bislang geglaubt hatte.

»Möchten Sie Tee oder Kaffee? Oder eine Schorle?«, fragte ich, während Svea sich mit verzücktem Gesichtsausdruck in der Stuv umschaute. »Ich habe welche aus selbstgepflückten Kirschen vom Nachbarhof. Zusammen mit frischer Minze aus dem Garten schmeckt sie absolut himmlisch. Wir könnten uns nach draußen auf die Terrasse setzen und dort in Ruhe reden.«

»Klingt super«, sagte Svea. »Aber duzen Sie mich gerne, so machen wir das fast alle auf Föhr.«

»Also, Svea«, begann ich, nachdem wir beide einen Schluck des aromatischen Getränks genommen hatten. »Was bereitet dir denn so großen Kummer, dass du meine Großmutter um Hilfe bitten wolltest?«

»Ich weiß einfach nicht, was ich tun soll«, antwortete Svea und schaute angestrengt in die Ferne. »Wie du vielleicht weißt, wurde der Kreißsaal in Wyk geschlossen, wodurch ich meinen Job als Krankenschwester auf der Station verloren habe. Das bedeutet, dass ich auf Föhr keine Arbeit finde, es sei denn, ich mache etwas vollkommen anderes und arbeite zum Beispiel in der Gastronomie oder so, was ich aber nicht möchte. Ein Jahr bevor ich arbeitslos wurde, habe ich beim Online-Dating einen Mann aus Kiel kennengelernt, in den ich sehr verliebt bin und mit dem ich gern zusammen sein möchte ...«

»Kannst du denn in Kiel als Krankenschwester arbeiten?«, fragte ich, um mir ein besseres Bild von der Situation zu machen.

»Keine Ahnung«, murmelte Svea. »Ich habe mich noch nicht darum gekümmert, weil ich eigentlich gern auf Föhr bleiben möchte. Schließlich habe ich dort meine Wurzeln. Ich bin dort aufgewachsen, meine Familie lebt in Süderende. Ich liebe Föhr über alles!«

»Würde dein Freund denn zu dir ziehen?«

Svea schüttelte traurig den Kopf. »Er ist Wissenschaftler und hat im Geomar in Kiel einen tollen, gutbezahlten Job. Außerdem kann er mit dem Inselleben nichts anfangen. Für ein paar Tage im Sommer ist natürlich immer alles super. Ein bisschen bei Pitschis abhängen, eine Runde surfen oder den Sonnenuntergang in Utersum bestaunen, das ist okay für ihn. Aber er will keinen Stillstand, wie er sagt. Er ist ehrgeizig und kann sich gut vorstellen, auch im Ausland zu forschen. Außerdem ist er fast zehn Jahre älter als ich.«

»Und du, wünschst du dir denn eine Familie?«, fragte ich, weil allmählich ein Bild von Sveas Problematik in meinem Inneren entstand.

Das junge Mädchen nickte. Zum ersten Mal strahlten ihre Augen. »Ich habe drei Geschwister. Zwei Brüder und meine kleine Schwester, eine Nachzüglerin, die gerade in die Schule gekommen ist. Genauso eine große Familie möchte ich auch. Und ich möchte meine Geschwister nicht nur ein paar Mal im Jahr sehen, sondern möglichst viel mit ihnen zusammen sein.«

»Hast du denn mit deinem Freund darüber gesprochen, ob er sich vorstellen kann, Kinder mit dir zu haben?«

Nun glitzerten Tränen in Sveas Augen, womit für mich sonnenklar war: Diese *Liebe* hatte keinerlei Aussicht auf Zukunft, was Svea im Grunde genommen selbst wusste, sich zu diesem Zeitpunkt aber – noch – nicht eingestehen konnte.

Sie schüttelte den Kopf und holte ein Tempo aus ihrer Handtasche. Dann schneuzte sie sich kräftig.

»Was sagt deine Familie denn zu alldem? Deine Freundinnen?«

Natürlich fragte ich mich, wieso dieses junge, sympathische Mädchen ausgerechnet bei jemand Wildfremdem Rat suchte, anstatt mit denjenigen zu sprechen, denen ihr Wohl am Herzen lag.

»Die würden mich gern auf Föhr behalten und sagen, dass sich schon alles irgendwie fügen wird. Dass ich darauf vertrauen soll, dass alles gut wird. Aber ich finde, dass keiner von ihnen ein wirklich guter Ratgeber ist, weil keiner von ihnen neutral ist«, sagte Svea, und ich konnte den leicht verzweifelten Unterton in ihrer Stimme hören. »Deshalb habe ich Leevke Hennings gebeten, mir einen Tipp zu geben, der mich aus diesem Dilemma befreit, bevor ich noch verrückt werde. Ich schlafe kaum noch und fühle mich ständig wie gerädert. Im Grunde ist es gut, dass ich gerade nur bei meinen Eltern arbeite, die Ferienwohnungen vermieten, sonst würde ich garantiert einen schwerwiegenden Fehler nach dem anderen machen.«

Leevke Hennings ... Leevke Hennings ... irgendwie kam mir dieser Name bekannt vor.

»Hat diese Leevke zufällig einen Laden in Nieblum?«, fragte ich aufs Geratewohl.

»Ja, hat sie«, antwortete Svea. »Sie beschäftigt sich viel mit Esoterik, verkauft tolle Bücher, Tees, Talismane und kann Tarot-Karten legen. Aber nichts davon hat bislang geholfen, ich weiß immer noch nicht, wie ich mich entscheiden soll. Deshalb hat sie mir den Tipp gegeben, mich an deine Großmutter zu wenden, die wohl schon vielen Leuten geholfen hat zu erkennen, was gut und richtig für sie ist. Leevke konnte ja nicht wissen, dass Ada Schobüll tot ist.«

»Warst du denn schon mal auf einem Leuchtturm?«, fragte ich, einer spontanen Eingebung folgend. Svea schüttelte den Kopf. »Nun, ich kann dir anbieten, auf diesen hier zu steigen und eine Weile von dort oben runterzuschauen. Das klingt jetzt vielleicht ein bisschen seltsam und banal, aber es hat mir persönlich in einer schwierigen Phase meines Lebens auch sehr geholfen, einen anderen Blick auf die Situation zu bekommen.

Man ist ja oft so verstrickt in seine Themen, dass man den Wald vor lauter Bäumen nicht sieht. Was meinst du? Willst du es mal versuchen?«

Svea schaute mich mit großen Augen an und wirkte, als sei sie enttäuscht. Vermutlich hatte sie gehofft, ich würde eine Art Zauberstab schwingen, ein paar Mantras murmeln, und schon läge ihre Zukunft offen wie ein Buch mit garantiertem Happy End vor ihr.

»Ich ... ich weiß nicht so recht«, stammelte sie betreten. »Meinst du wirklich, das hilft? Ich weiß ja noch nicht mal, ob ich es bis oben rauf schaffe oder ob ich nicht Höhenangst habe ...«

»Das findest du nur heraus, indem du es ausprobierst«, ertönte auf einmal die Stimme von Marie. »Störe ich?«

Ich schaute Svea fragend an. Diese musterte Marie von oben bis unten. Die beiden sahen sich, bis auf den unterschiedlichen Körperbau, recht ähnlich. Beide nordische Inselschönheiten, beide die Haare von der Sonne gebleicht, mit tanzenden Sommersprossen auf der leicht gebräunten Haut.

»Das ist meine Freundin Marie, die zurzeit bei mir wohnt, weil sie gerade in Adas Werkstatt an einer Schmuckkollektion arbeitet. Sie lebt eigentlich in Husum, stammt aber von Fliederoog.«

»Oh, tatsächlich?! Sie haben die Hallig verlassen, um in die Stadt zu ziehen? Sind Sie ... haben Sie das der Liebe wegen gemacht?«

Neugierig richtete ich meinen Blick auf Marie. Ich hatte sie bislang nie gefragt, weshalb sie von Fliederoog nach Husum gezogen war. Ich hatte einfach immer vorausgesetzt, dass ihr die Enge, die Abgeschiedenheit auf der Hallig zu viel geworden war.

»Ja, das habe ich«, antwortete Marie zu meiner großen Überraschung. »Olaf kam als Tagestourist hierher, ich habe ihm im
Kiek ut Schokoriegel verkauft, und schon kurz darauf waren wir
ein Paar. Ich habe lange gezögert, ihm nach Husum zu folgen,
weil meine Eltern mich auf FlieCeroog im Laden und im Gasthof gebraucht haben und ich hier sehr verwurzelt bin. Und natürlich hatte ich auch Angst vor Veränderung.« Marie zwin-
kerte Svea verschmitzt zu. »Auf der Hallig kenne ich jeden
Strauch, jeden Stein, jedes Schaf, jeden Bewohner. Husum ist
zwar nicht Manhattan und meine Eltern stammen sogar von
dort, aber es war trotzdem eine komplett andere Welt – einfach
nur, weil ich sie nicht kannte. Ein paar Wochen später habe ich
natürlich darüber gelacht, dass ich mir so ins Hemd gemacht
habe. Im Grunde unterscheidet sich das Leben in einer Klein-
stadt nämlich gar nicht so sehr von dem auf den Inseln. Außerdem verlieren die meisten Dinge ihren Schrecken, wenn man
sich mit ihnen beschäftigt und sich bewusst auf sie einlässt.«

»Und was ist aus Ihnen und Olaf geworden?«, fragte Svea,
sichtlich beeindruckt. »Sind Sie immer noch zusammen?«

»Nein«, antwortete Marie lächelnd. »Und das ist auch gut
so. Natürlich hat die Trennung am Anfang furchtbar weh getan, denn er hat sich Knall auf Fall in eine andere verliebt, was
ich zu allem Überfluss auch noch durch eine gemeinsame Bekannte, aber nicht von ihm selbst erfahren habe. Trotzdem war
er derjenige, der mich dazu ermutigt hat, mich als Schmuck-
designerin selbständig zu machen und eine eigene Werkstatt
anzumieten. Das war das Beste, was mir zu diesem Zeitpunkt
passieren konnte, und dafür werde ich ihm ewig dankbar sein.
Im Übrigen sind wir heute gut befreundet, und ich bin Paten-
tante seiner kleinen Tochter.«

Svea hauchte ergriffen »Wow!«, trank ihre Schorle in einem

Zug leer, reckte das Kinn und sagte: »Ich würde das mit dem Leuchtturm gern versuchen.«

Beglückt von dieser unerwarteten Wendung durch Maries Auftauchen, ging ich mit Svea zum Turm, gab ihr den Schlüssel und sah zu, wie sie sich zuerst unsicher umschaute und dann den Fuß auf die erste Stufe der Treppe setzte.

32. Kapitel

Der Montag rieb sich morgens erstaunt die Augen, denn das strahlende Sommerwetter des Vortags war über Nacht grauen Wolken gewichen, die sintflutartigen Regen auf die Hallig niederprasseln ließen.

So viel zum Thema Grillen, dachte ich seufzend, nachdem ich gemeinsam mit Marie gefrühstückt, über den gestrigen Besuch von Svea gesprochen und dabei fortwährend aus dem Fenster geschaut hatte. Nun war Marie, gekleidet in einen kanarienvogelgelben Regenmantel, Regenhose und blau-weiß gestreifte Gummistiefel, auf dem Rad in Richtung Kiek ut unterwegs, und ich blätterte unentschlossen in dem Kochbuch, das Ada mir geschenkt hatte.

Was sollte ich denn heute Abend bloß zum Essen servieren, wenn Reemt kam? Um Felix zu zitieren: Ich war super im Bestellen, ein Ass in Restaurantbesuchen und konnte Mikrowellen im Schlaf bedienen. Das Einzige, was ich außer Miracoli-Nudeln je gekocht hatte, war eine Art indisches Gemüsecurry. Aber auch nur, wenn ich ein Glas mit fertiger Currypaste daheim hatte, was gerade nicht der Fall war.

Ob ich mir mit Pasta und einer Fertigsoße behelfen konnte, mit gartenfrischem Pflücksalat als Beilage?

Ein Blick in den Vorratsschrank offenbarte jedoch, dass Soßen im Glas dummerweise alle waren. Wenn ich nicht im strömenden Regen ins Kiek ut fahren wollte, musste ich mir wohl oder übel etwas anderes einfallen lassen. Ada hatte in ihrem Nutzgarten Tomaten angepflanzt, doch die sahen mittlerweile arg mitgenommen aus, weil dieses Gemüse viel Hege und Pflege benötigte, von Blattgrün befreit und regelmäßig ausgegeizt werden musste, damit die Pflanze ihre Energie nicht in die Entwicklung ausufernder Triebe steckte. Doch dazu hatte mir bislang die Fachkenntnis und Thomas Lorenzen die Zeit gefehlt, um mich dabei zu unterstützen.

Ich überlegte, was zurzeit noch alles in Adas Garten wuchs: Gurken, Zucchini, grüne Bohnen, Blattsalate, Möhren, Radieschen und jede Menge Kräuter, die ich zum Teil gar nicht kannte.

Ob man daraus etwas zaubern konnte, das Reemt beeindruckte?

Bislang hatten sich zum Glück Marie und Felix mit dem Kochen abgewechselt, aber Marie würde heute Nachmittag für zwei Tage nach Husum fahren, weil sie dort einiges erledigen musste, das keinen Aufschub duldete. Das Kiek ut wurde provisorisch von den Mitarbeitern des Gasthofs betreut, die versuchen würden, dem Ansturm der Tagesgäste bei gutem Wetter Herr zu werden. Allerdings war es heute alles andere als schön. Dieser Julitag trug ein dunkles Herbstkleid aus kratzigem Stoff und gab mir einen kleinen Vorgeschmack darauf, was mich erwartete, falls ich bis Anfang Oktober keine Lösung für mein künftiges Leben gefunden hatte: Kälte, Nässe, Dunkelheit, finanzielle Probleme und regelmäßig Land unter.

Miese Laune und ein Hauch von Schwermut setzten zum Angriff auf meine Seele an und zeigten mir klar auf, dass ich emotional noch immer einem schwankenden Schiff glich. Wenn die Sonne schien, ich eine Aufgabe hatte, durch irgendwelche Aktivitäten abgelenkt oder in Gesellschaft war, war meist alles in Ordnung. Sobald ich jedoch auf mich und meine Gedanken zurückgeworfen wurde, löste sich mein Optimismus schnell in Rauch auf und das innere Gleichgewicht war wie weggeblasen.

Kathrin Burmester hatte in ihrem Einführungskurs immer wieder die Vorzüge von Meditation in Gefühlslagen wie diesen angepriesen und mir eine CD mitgegeben, auf der sie Anleitungen dazu – aber auch zu anderen Themen eines achtsamen Alltags – gab.

Ob ich die mal ausprobieren und die Beschäftigung mit dem Thema Essen einfach auf später verschieben sollte?

Mit Schaudern erinnerte ich mich jedoch sofort wieder an die zahllosen gescheiterten Versuche in dieser Richtung. Egal zu welchem Meditationskurs mich Vivien oder andere Freunde mitgeschleppt hatten, ich versagte regelmäßig auf ganzer Linie. Anstatt mich zu entspannen, litt ich darunter, dass ich scheinbar der einzige Mensch auf Erden war, dem es nicht gelang, seine Gedanken zum Stillstand zu bringen, und beschloss daher, dieses Kapitel endgültig für mich ad acta zu legen.

Vielleicht waren ja diese Achtsamkeits-Malbücher eher etwas für mich? Mir fiel ein, dass ich das eine Exemplar, das ich vor Wochen im Supermarkt in Ottensen gekauft hatte, in meinen Koffer gesteckt und mit nach Fliederoog genommen hatte. Eigentlich mehr als Gag, aber wieso nicht ausprobieren, ob nicht doch etwas an diesem Hype dran war?

Nachdem ich das Buch zwischen einem Kniffel-Spielblock und einem Reise-Set Brettspielen gefunden hatte, stellte ich fest, dass mir die wichtigsten Utensilien fehlten, um loszulegen: farbige Stifte. Obwohl ich mir nicht vorstellen konnte, dass Ada so etwas besaß, durchsuchte ich erst ihre Schubladen in der Stuv und danach die in ihrer Werkstatt in der oberen Etage.

Und siehe da, ich fand sowohl eine Packung Buntstifte als auch einen Aquarellkasten sowie Wasserfarben, farbige Kreide und Wachsmalstifte, wie ich sie als Kind liebend gern benutzt hatte.

Das nenne ich mal eine echte Kreativwerkstatt, dachte ich und betrachtete die zahllosen Skizzen, die Marie als Anregung für ihre Schmuckkollektion angefertigt und an einer Pinnwand befestigt hatte, zusammen mit Fotos, Federn, Draht, Postkarten und Zeitungsausschnitten. Diese sogenannten Moodboards wurden in fast allen kreativen Berufen zu Inspirations- oder Präsentationszwecken benutzt, und ich dachte mit einem Anflug von Wehmut daran, wie ich solche Boards in Redaktionskonferenzen gemeinsam mit dem Team dazu genutzt hatte, um die Themen der kommenden Ausgaben von *Herself* vorzustellen. Wir hatten aufgeregt die Köpfe zusammengesteckt, heftig diskutiert, Vorschläge verworfen und neue Ideen kreiert. In diesem Moment wurde mir klar, wie sehr ich es geliebt hatte, zusammen mit anderen zu arbeiten, etwas im Team zu entwickeln, Neues zu erschaffen. Ich war es zwar ebenfalls gewohnt, allein zu arbeiten, auch allein für etwas zu kämpfen – aber so richtig blühte ich erst auf, wenn ich mit anderen Menschen an einem Projekt arbeitete. Ich vermisste Vivien, die letzte Woche angerufen und erzählt hatte, dass ihre Gynäkologin gerade bestätigt habe, dass sie schwanger sei. Meine ehemalige Assistentin hatte zum Glück eine neue Anstellung in einem großen Hamburger Verlag ergattert, auch andere Kollegen waren größtenteils wieder auf die Füße gekommen, wenn auch die meisten von ihnen keine gleichwertigen Jobs in Hamburg gefunden hatten.

Traurig dachte ich daran, dass ich in Augenblicken wie diesen stets meine Mutter angerufen, sie um Rat gebeten und mich von ihr hatte trösten lassen. Bis zu dem Zeitpunkt, als ich Adas Erbe angetreten hatte, war unser Verhältnis gut und eng gewesen, und ich konnte es immer noch nicht glauben, geschweige denn akzeptieren, dass irgendein unausgesprochenes Familiendrama aus der Vergangenheit die Macht hatte, die Gegenwart – und schlimmstenfalls sogar die Zukunft – zu zerstören.

Das konnte und würde ich auf gar keinen Fall zulassen!

Doch ich musste meine Ungeduld zähmen und bis morgen mit dem Anruf bei meiner Mutter warten, denn heute hatte das Treffen mit Reemt absolute Priorität. Schließlich erhoffte ich mir, noch fehlende Teilchen zum mysteriösen Puzzle rund um Adas Zirkel *Leuchtfeuer* und die elf Ringe zu bekommen.

Also schnappte ich mir die Buntstifte und ging nach unten, um mit dem Ausmalen zu beginnen. Draußen goss es immer noch in Strömen, deshalb zündete ich mehrere Kerzen an, kochte Tee und legte klassische Musik auf, um es mir gemütlich zu machen. Dann öffnete ich das Malbuch und las den Einleitungstext: *Achtsam sein, das heißt, dem jetzigen Moment die volle Aufmerksamkeit zu schenken, den Geist von allen Ablenkungen zu befreien und sich ganz auf das Sein zu konzentrieren.* Ich durchblätterte das Buch und bestaunte filigrane Muster, Tiermotive, Küchengegenstände, florale Illustrationen sowie grafische Muster unterschiedlichen Schwierigkeitsgrads.

Einem ersten Impuls folgend, entschied ich mich für eine Doppelseite mit Blumen, weil sie mich an Adas Garten erinnerten und ich Blüten aller Art liebte.

Zunächst wusste ich nicht, wie ich beginnen, welches Motiv ich zuerst ausmalen, welche Farbe ich wählen sollte.

Wann hatte ich zuletzt einen Pinsel in der Hand gehalten?

Wann mit Kreide bunte Bilder aufs Pflaster gemalt, in der Hoffnung, dass der Regen sie nicht so schnell wieder wegwaschen würde?

Vivien hatte laut eigener Aussage am Ausmalen besonders

geschätzt, dass sie *Endlich mal nur eine ganz einfache Entscheidung treffen musste,* zum Beispiel, ob sie ein helles oder dunkles Rot wählte. Außerdem hatte es ihr Zufriedenheit verschafft, nach einem langen Tag im Büro, bei dem sie manchmal keine sichtbaren *Beweise* für ihre getane Arbeit zu haben geglaubt hatte, zu sehen, wie sich ihr *Werk* entwickelte. Natürlich erforderte auch diese Tätigkeit Konzentration, aber in ihren Augen eine positive und zutiefst befriedigende.

Ähnliches hatte ich von Meggie gehörte, wenn sie mal wieder im Backrausch war, oder von Harald, wenn er alle paar Monate die Bücherregale im Wohnzimmer neu ordnete.

Zunächst zaghaft und skeptisch, dann jedoch mit wachsendem Spaß, begann ich mit dem Ausmalen. Bei den ersten Strichen mit den bunten Stiften grübelte ich immer noch darüber nach, was ich heute zum Abendessen machen sollte, ob es mir gelingen würde, Reemt zum Sprechen zu bringen, ob der gestrige Tag wirklich dazu beigetragen hatte, Klarheit in Sveas Gedanken zu bringen, und wie ich es anstellen sollte, den Streit mit meiner Mutter aus der Welt zu schaffen.

Doch schon bald nahm mich das Spiel mit den Farben immer mehr gefangen, und ich vergaß die Welt um mich herum.

Nach drei ausgemalten Bildern beschloss ich, auf Wasserfarbe umzusteigen. Schon als Kind hatte ich Freude daran gehabt, selbst Farben zu mischen, vorwiegend mit Weiß, da ich Pastelltöne liebte. Mittlerweile war ich bei einer Doppelseite mit maritimen Motiven angelangt. Was die Farbwahl anging, hatte ich hier ja Inspiration genug: die schier unendlich vielen Schattierungen der Nordsee, ihrer Flora, ihrer Fauna. Auch die changierenden Grüntöne der Salzwiesen, die, je nach Sonneneinstrahlung und Windrichtung, mal silbergrau, mal bräunlich, dann wieder beinahe neonfarben schimmerten.

Als ich das nächste Mal auf die Uhr sah, war es halb sechs. Es lief längst keine Musik mehr, zwei der drei Kerzen waren beinahe abgebrannt.

Mein Herz begann sofort zu pochen, da mir nur noch wenig Zeit blieb, bis Reemt kam. Bis dahin musste ich aufräumen, mich duschen und umziehen – vor allem aber gekocht haben.

Ruhig, ganz ruhig, sprach ich mir Mut zu und versuchte, meinen unruhigen Puls unter Kontrolle zu bekommen, indem ich regelmäßig und bewusst ein- und wieder ausatmete. In Hamburg hätte ich in so einer Situation Sushi bestellt oder Pizza. Selbst Haute Cuisine aus den besten Restaurants der Stadt konnte man seit neustem dank luxuriöser Lieferservice-Unternehmen wie Deliveroo bekommen. Doch hier auf Flieeroog war ich ganz allein auf mich und meine Fähigkeiten gestellt.

Gerade als ich überlegte, Reemt unter dem Vorwand abzusagen, ich sei plötzlich erkrankt, klingelte mein Handy. Der Anrufer war – als hätte er es geahnt – Reemt Harksen. »Moin«, sagte er so gut gelaunt, dass ich mich dafür schämte, diese Notlüge auch nur eine Sekunde in Erwägung gezogen zu haben. »Ich weiß ja nicht, ob ich deine Pläne arg durcheinanderbringe, wenn ich jetzt noch einen Vorschlag fürs Essen mache, aber ich habe gerade von einem sehr netten Kunden eingelegte Bratheringe bekommen. Die könnte ich nachher mitbringen. Zusammen mit Pellkartoffeln und Salat wäre das ein tolles Abendessen, findest du nicht? Das mit dem Grillen fällt heute ja wohl sowieso ins Wasser, wie ich die Sache so sehe.«

Ich überlegte einen Moment. Kartoffeln hatte ich, Salat gab es in Adas Garten in Hülle und Fülle. Also antwortete ich: »Dich schickt der Himmel! Ehrlich gesagt kann ich nämlich kein bisschen kochen und bin vollkommen aufgeschmissen, weil das mit dem Grillen heute nicht klappt.«

Reemt lachte, aber nicht belustigt, sondern eher ungläubig. »Wie, du kannst nicht kochen? Das glaube ich nicht. Aber pardon, mir fällt gerade auf, dass ich dich duze, ohne zuvor gefragt zu haben, ob ich das überhaupt darf.«

»Schon okay«, antwortete ich. »Aber glaub's mir. Ich bin eine totale Niete, was Kochen und Backen angeht. Das mit den Pellkartoffeln kriege ich aber hin. Also, bis nachher um acht?«

»Das ist der zweite Grund, weswegen ich anrufe«, erwiderte Reemt. »Heute läuft die Flut zwanzig Minuten später ab, und ich kann erst dann mit der Lore losfahren. Ist das zu spät für dich?«

Mein Pulsschlag beruhigte sich allmählich, und ich entspannte die Schultern, die ich vor lauter Stress hochgezogen hatte. »Nein, das passt alles ganz wunderbar. Bis später also.«

Nachdem ich aufgelegt hatte, stieß ich einen kleinen Jauchzer aus. Mein Essensproblem war keines mehr, und ich hatte sogar zwanzig Minuten Zeit gewonnen.

Manchmal lösten sich die Dinge tatsächlich von selbst.

33. Kapitel

»Und noch mal Moin!«

Reemt strahlte mich an, als sei er tatsächlich froh darüber, mich zu sehen. In meinem Magen machte sich ein undefinierbares, leicht flaues Gefühl breit, das ich auf den Hunger schob. Schließlich hatte ich seit dem Frühstück kaum etwas gegessen.

»Hier sind die Bratheringe, mit den besten Grüßen von meinem Fischhändlerfreund auf Föhr. Er sagt, wir sollen es uns schmecken lassen. Und außerdem noch der Rosé, den ich dir versprochen hatte.«

Ich nahm sowohl die beiden Flaschen Wein als auch die lange, schmale Plastikbox mit dem Fisch entgegen und trug sie in die Küche, wo im Topf gerade die Pellkartoffeln kochten, die laut meines Handy-Timers in fünf Minuten fertig sein mussten.

Reemt beäugte die hellbraune Tonschüssel auf der Anrichte, in der ich kleingeschnittene Blattsalate mit Radieschen und Möhren vermengt hatte. »Mhmmm, es geht doch nichts über knackigen Salat aus Adas Garten«, sagte er, öffnete dann kurz den Deckel des Topfes, dessen Inhalt gerade überzukochen drohte, drosselte die Gasflamme und schaute auf die Olivenöl- und Balsamico-Flaschen, die ich für das Dressing bereitgestellt hatte.

»Ist das alles?«, fragte er. In seiner Stimme schwang Enttäuschung mit. »Ich weiß, dass die Italiener ihren Salat so anmachen, aber wozu gibt es denn im Garten so fantastische, aromatische Kräuter? Ich geh mal schnell welche holen. Und du schaust inzwischen bitte nach, ob du Zitrone im Haus hast und vielleicht auch Knoblauch.«

Sprach's und war auch schon verschwunden. Bis er wiederkam und seine nasse Regenjacke im Flur aufhängte, fragte ich mich, ob ich mich überrumpelt fühlte oder froh darüber war, dass mir jemand beim Kochen unter die Arme griff, und entschied mich schließlich für Letzteres.

»Hier hast du Zitrone und zwei Zehen Knoblauch«, sagte ich und schob beides in seine Richtung, während er die Ärmel seines dunkelblauen Leinenhemdes hochkrempelte.

Da ich ganz dicht neben ihm stand, stieg mir der Duft seines Aftershaves in die Nase und benebelte für einen kurzen Moment meine Sinne. Allerdings nicht, weil es so stark oder aufdringlich war, sondern weil ich den Duft mochte. Nicht zu herb, nicht zu lieblich, genau richtig. Ich sah zu, wie Reemt die Zitrone aufschnitt und den Saft der einen Hälfte in eine kleine Porzellankanne tropfen ließ, die er zuvor aus dem Hängeschrank geholt hatte. Seine Hände waren gebräunt, die Unterarme muskulös. Kein Wunder, schließlich musste er täglich teils sehr schwere Pakete in die Lore wuchten. »Dazu kommen jetzt das Olivenöl, der Balsamico, ein halber Teelöffel Honig, wenn du welchen dahast, Salz und frisch gemahlener Pfeffer. Und natürlich die Kräuter! Könntest du die mit dem Wiegemesser zerteilen? Danach lege ich die beiden geschälten Knoblauchzehen ins Dressing, lasse das Ganze einen Moment durchziehen und hole sie anschließend wieder heraus.«

Beeindruckt von Reemts Souveränität in Küchenfragen, reichte ich ihm ein Glas Honig, kramte in der Besteckschublade nach einem Wiegemesser und wurde tatsächlich fündig. »Ich muss gestehen, dass ich so etwas noch nie benutzt habe«, gab ich unumwunden zu und starrte unsicher auf Adas Küchenutensil. Ich wartete förmlich auf eine weitere spöttische Bemerkung, doch die blieb aus.

Stattdessen säuberte Reemt das Schneidebrett, legte es vor mich auf die Anrichte und pflückte mehrere Stengel Dill aus dem Bund Kräuter, das er gerade abgewaschen und mit Küchenkrepp vorsichtig trockengetupft hatte. Dann stellte er sich hinter mich, drückte mir das Wiegemesser in die Hand und legte seine Hände über meine. »So, und nun immer schön gleichmäßig das Messer von oben nach unten bewegen und dich dann Stück für Stück weiter nach vorn arbeiten. Ja, das machst du super. Siehst du, wie gut es funktioniert?«

Ich war beinahe enttäuscht, als Reemts Hände sich von meinen lösten, doch ich fand Gefallen an dieser gleichmäßigen Bewegung und der Art, die Kräuter zu zerkleinern. Als Nächstes war die krause Petersilie dran, dann Schnittlauch und zum Schluss etwas Estragon. Reemt hatte unterdessen das Wasser abgegossen und füllte die Kartoffeln mit der dunklen Schale in eine Schüssel, die ich bereitgestellt hatte.

»Dann kann's ja gleich losgehen«, sagte er und trug nacheinander alles ins Esszimmer, wo ich sorgfältig gedeckt hatte. Ich hatte nämlich zuvor in strömendem Regen nicht nur Salat, Radieschen und Möhren geerntet, sondern auch noch Blumen gepflückt, die mittlerweile trocken waren und in der Zinkkanne, die ich beim Aufräumen in einem Schrank entdeckt hatte, ihre bunte Blütenpracht entfalteten.

Reemt schenkte uns beiden erst Wasser und anschließend den Rosé ein. Die langstieligen, fein ziselierten Gläser wirkten in seiner eher kräftigen Hand eigentümlich deplaziert.

»Also dann«, sagte er und erhob das Glas. »Auf Ada, auf dich, auf Flietroog und auf die Zukunft.«

»Auf Ada und die Zukunft«, wiederholte ich und trank den ersten Schluck des Weins, der so himmlisch schmeckte, dass ihn nur ein echter Weinkenner ausgesucht haben konnte. Erst jetzt schaute ich auf das Etikett und war mehr als überrascht, als ich erkannte, von welchem Gut der edle Tropfen stammte.

»Du scheinst wirklich gern zu kochen und hast ein gutes Händchen bei der Weinauswahl«, sagte ich und füllte uns beiden Salat auf. »Woher kommt das?«

»Wie? Woher kommt das?«, wiederholte Reemt und zog die rechte Augenbraue nach oben. »Ich verstehe deine Frage nicht ganz. Oder meinst du damit, wie es sein kann, dass ein einfacher Postbote von der Nordsee weiß, wie man anständig kocht, und den Wein nicht beim Discounter kauft?«

Ich versuchte, mich nicht vom Unterton in seiner Stimme provozieren zu lassen. Sich mit Reemt zu unterhalten ähnelte einem Spaziergang auf vermintem Terrain. »Was ich damit sagen will, ist: Ich kenne nicht viele Leute, die einen Domaine de Villemayou aussuchen würden, wenn sie zu einem Essen Rosé mitbringen. Dieser Wein ist wirklich etwas Besonderes und nicht an jeder Ecke zu bekommen«, erwiderte ich ruhig. »Das ist alles.«

Reemts Gesichtszüge entspannten sich. »Nun, ich kenne zufällig den Winzer, Gérard Bertrand aus Saint-André-de-Roquelongue. Ich habe früher beruflich mit gutem Wein zu tun gehabt … genau wie mit gutem Essen. Apropos: Wir sollten anfangen, bevor die Kartoffeln kalt werden.«

Wir aßen beide eine Weile schweigend, und ich überlegte fieberhaft, wie ich mich an das schwierige Thema Leuchtfeuer heranpirschen sollte, da es mittlerweile schon reichlich spät war. Keine Ahnung, wie lange die Ebbe noch anhielt und wann Reemt wieder den Heimweg antreten musste.

Um nicht unnötig Zeit zu verschwenden, beschloss ich, den Stier einfach bei den Hörnern zu packen.

»Ich war übrigens mittlerweile bei Kathrin Burmester in Friedrichstadt und habe durch sie einige interessante Dinge über Ada und den Leuchtfeuer-Zirkel erfahren«, begann ich. »Außerdem hatte ich Besuch von Wiete Bruhns, die mir viel über die Kommune Deichtraum erzählt hat und darüber, unter welchen … nun ja … Umständen mein Vater aufgewachsen ist. Wie du siehst, habe ich selbst schon einige Nachforschungen angestellt, also wäre jetzt sicher ein guter Zeitpunkt, mir endlich zu erzählen, was mir noch an Informationen fehlt. Zum Beispiel wer die anderen Ringe hat und was Leuchtfeuer eigentlich für eine Organisation ist. Allmählich gewinne ich nämlich den Eindruck, dass es sich dabei um eine Sekte handelt. Im Internet konnte ich nicht das kleinste bisschen darüber finden, was doch ziemlich merkwürdig ist, oder nicht?«

Reemt legte zu meiner Überraschung Messer und Gabel beiseite und wischte sich den Mund mit der Serviette ab. Dabei musterte er mich aus seinen tiefbraunen Augen, die jedoch in keinster Weise verrieten, ob er gerade böse war oder nur konzentriert.

»Stellst du immer solche Fragen beim Essen?«, wollte er wissen und verzog leicht den Mund, so dass der Eindruck entstand, er würde sich ein Lachen verkneifen.

»Wieso?«, erwiderte ich verblüfft. »Wir haben uns doch zum Essen verabredet, um über all diese Dinge zu sprechen. Wo ist also das Problem?«

Nun schmunzelte Reemt und trank einen Schluck Wein. »Es gibt kein Problem außer der Tatsache, dass man, um ein schönes Essen wirklich genießen zu können, dabei allenfalls Small Talk machen, aber nie über existenzielle Themen sprechen, geschweige denn streiten sollte.«

»Aber wir streiten doch gar nicht«, erwiderte ich ein wenig beleidigt. Dieser Mann hatte etwas unglaublich Provokantes an sich, und ich war nicht gewillt, dies widerspruchslos hinzunehmen. »Ich stelle lediglich Fragen, auf die ich eine Antwort verdiene.« Kaum hatte ich dies gesagt, kroch Wut in mir hoch, weil ich an die vielen Momente dachte, in denen ich immer wieder gescheitert, abgeprallt oder vertröstet worden war. »Und ich habe es allmählich satt, dass mich alle behandeln wie ein kleines Kind oder so tun, also seien sie die Hüter des Heiligen Grals. In Wahrheit ist diese ganze Leuchtfeuer-Sache garantiert nur halb so spektakulär, wie ich es mir ausmale.«

Reemts Schmunzeln verwandelte sich in ein Grinsen. »Da könnte in der Tat etwas dran sein, und genau deshalb schlage ich vor, dass wir jetzt diesen köstlichen Fisch und den leckeren Salat genießen und anschließend bei einem Espresso oder Tee über all die Dinge sprechen, die dir auf dem Herzen liegen.«

Obwohl ich es gar nicht wollte, fielen mir Kathrin Burmesters Worte zum Thema achtsames Essen ein. »Steckst du eigentlich mit Kathrin Burmester unter einer MBSR-Decke?«, fragte ich, weil ich es irgendwie immer noch nicht gut sein lassen konnte. »Sie hat bei ihrem Einführungskurs genau dasselbe gesagt wie du. Nämlich dass man sich selbst beim Naschen voll und ganz darauf konzentrieren soll, was man gerade isst, um es sowohl zu genießen als auch zu vermeiden, zu viel zu essen, weil man sich der Tatsache gar nicht bewusst ist, dass man längst keinen Hunger oder Appetit mehr hat. Bla, bla.«

Das *Bla, bla* war kindisch, und ich hätte es mir sparen können, aber irgendetwas in mir wurde gerade bockig wie ein kleines Kind.

»Oder weil man auf diese Weise demjenigen, der gekocht hat, Achtung und Respekt entgegenbringt«, antwortete Reemt, sichtlich amüsiert. »Aber um deine Frage zu beantworten: Nein, ich mache keine gemeinsame Sache mit Kathrin Burmester, obwohl ich sie natürlich kenne und sehr schätze. Bei mir hat diese Einstellung einen ganz simplen Hintergrund: Ich stamme von Hallig Hooge, und es ging in unserer Familie in erster Linie immer darum, schnell mit dem Essen fertig zu werden, damit möglichst keine Arbeit liegenblieb, schließlich musste das Vieh versorgt und geschlachtet, das Fleisch gepökelt, das Heu geerntet und das Holz gespalten werden. Ganz zu schweigen von der harten Arbeit beim Küstenschutz. Als jemand, der gerne isst und kocht, ging mir das schon als kleiner Junge gegen den Strich. Und seither achte ich sowohl bei mir selbst als auch in meinem Umfeld darauf, dass jedem der Wert der Mahlzeiten bewusst ist. Nenn mich bekloppt oder missionarisch, das ist mir egal. Ich bin, wie ich bin – und in diesem Punkt schadet es bestimmt niemandem, mal über meine Worte nachzudenken. Und ein wenig über den … äh, Tellerrand hinauszuschauen.«

Ich wollte gerade zum Gegenangriff blasen, begriff jedoch, dass es dazu keinen Anlass gab, außerdem mochte ich Reemts Wortwitz. Er hatte zweifelsohne recht.

Also nahm ich einen Bissen des Salats und ließ mir das Dressing ganz bewusst auf der Zunge zergehen.

Zuerst schmeckte ich den Estragon heraus, dann den Dill, die Zitrone und erst ganz zum Schluss einen winzigen Hauch Knoblauch.

Eine wunderbare, aromatische Mischung, die erst im Zusammenspiel ihre kulinarische Wirkung entfaltete.

»Wie lange kannst du eigentlich noch bleiben?«, fragte ich, weil es bereits nach zehn Uhr war, als ich für uns beide mit dem Herdkocher Espresso zubereitete.

Reemt schmunzelte, als er sagte: »So lange du magst. Von mir aus auch die ganze Nacht …«

34. Kapitel

»Also«, begann Reemt, während ich noch überlegte, wie ich auf seine Antwort bezüglich des Über-Nacht-Bleibens reagieren sollte. »Leuchtfeuer ist im Grunde nichts anderes als eine Verbindung von Leuten unterschiedlichen Alters und unterschiedlicher Berufe, die es sich zur Aufgabe gemacht haben – soweit es in ihrer Macht steht –, Menschen in Schwierigkeiten oder echter Not auf ihre ganz eigene Weise zu helfen. Zu diesem *Zirkel*, wie du ihn nennst, gehören Anwälte, Mediziner, Lehrer, aber auch einfache Postboten wie ich. Gegründet wurde die Vereinigung von deinen Großeltern, als Reaktion auf all das Elend, das Gewalt und Kriege über die Welt bringen. Börge hat sich nach seinem Einsatz an der Front und der schweren Kriegsverletzung viel mit der Entstehung und den Ursachen von Aggression, Gewalt und Leid beschäftigt. Er war der Überzeugung, dass diese negativen Gefühle aus einem Mangel heraus entstehen. Aus einem Mangel an Liebe, Sicherheit, Gesundheit, Zugehörigkeit. Diese Ursachen nach seinen Möglichkeiten zu bekämpfen, hatte er sich zum Ziel gesetzt. Und er glaubte an ein ... nennen wir es *Phänomen* ... das manche heute Wünsche ans Universum nennen. Er glaubte fest daran, dass sich Wünsche und Gedanken materialisieren, wenn möglichst viele daran glauben und dafür beten. Er war ein großer Verfechter von Gemeinschaften, ein herzensguter Mensch, der sein letztes Hemd für andere gegeben hätte.«

Ich verkniff mir die Frage, woher er das alles so genau wusste, schließlich war mein Großvater gestorben, lange bevor Reemt zur Welt gekommen war. Andererseits war er – laut eigener Aussage – mit Ada befreundet gewesen, die ihm sicher das ein oder andere erzählt hatte. Seine Erzählung faszinierte mich sehr, und so lauschte ich stumm seinen Worten.

»Und weil Ada so dankbar dafür war, dass der Mann, mit dem sie frisch vermählt gewesen war, den Krieg überlebt hatte, unterstützte sie ihn in seinen Ideen und entwarf die Ringe, die wir Mitglieder heute tragen. Wenn du alle elf zusammenlegst, ergeben sie das Wort Leuchtfeuer. Dass mein Ring den Buchstaben R trägt, hat übrigens nichts mit meinem Vornamen zu tun, sondern ist reiner Zufall. Mein Großvater war der Letzte in der Riege derer, die sich offiziell als Mitglied bezeichneten, und hat den Ring erst an meinen Vater weitergegeben und dieser dann an mich. Ada trug das L, Börge das E, Jasper das U, seine Frau Joke das H, das sie später als Zeichen der Freundschaft an Kathrin Burmester übergeben hat, und Doktor Petersen das U, wie du vielleicht gesehen hast. Ursprünglich gehörte der Ring seinem älteren Bruder, einem Kriegskameraden von Börge, der wenige Jahre nach deinem Großvater gestorben ist.«

Ich nippte an meinem Espresso und überlegte, was ich von alldem halten sollte. Auf der einen Seite war ich froh darüber, dass Leuchtfeuer keine Sekte war. Auf der anderen Seite fragte ich mich, weshalb dann so viel Aufhebens darum gemacht und ich von vielen Informationen regelrecht abgeschottet worden war.

»Okay, verstehe«, antwortete ich gedehnt. »Und welche Rolle spielst du bei dem Ganzen? Und wie genau unterstützt ihr die Menschen in Not? Finanziell?«

»Das hängt ganz von den Möglichkeiten der Mitglieder ab,

und davon, um welches Problem es sich handelt. Doktor Petersen hilft zum Beispiel unentgeltlich in Rechtsfragen, Kathrin Burmester bietet umsonst Entspannungs-, Meditations- und Yoga-Kurse an oder geht in Familien, um diese in Ernährungsfragen zu beraten. Börge hat viel Geld gespendet und sich gemeinsam mit Ada in der Friedensbewegung engagiert. Mein Großvater half den Bewohnern auf den Halligen beim Küstenschutz, und mein Vater war ehrenamtlich als Berater für Forschungsprojekte zum Thema Sturmflutsicherung tätig. Wir hatten auch schon Ärzte dabei, die kostenlose Behandlungen durchgeführt haben, Menschen, die freie Kost und Logis angeboten haben oder einen kurzfristigen Kredit, je nachdem, was gerade gebraucht wurde.«

»Das klingt ja alles schön und gut, unterscheidet sich in meinen Augen aber nicht wesentlich von anderen ehrenamtlichen oder nachbarschaftlichen Hilfeleistungen«, antwortete ich, immer noch skeptisch. Allerdings war mir jetzt auch klar, weshalb Doktor Petersen kein Geld für seine notarielle Arbeit von mir hatte nehmen wollen.

»Findest du?« Reemt schaute mich mit einer Mischung aus Ungläubigkeit und Verwunderung an. »Glaubst du nicht daran, dass es ansteckend und inspirierend auf andere wirkt, wenn diese Art von Hilfe in so großem Umfang und auf so vielen verschiedenen Ebenen stattfindet? Ich finde es keineswegs so selbstverständlich, dass sich Menschen, die anstrengende Berufe haben, in ihrer kostbaren, knapp bemessenen Freizeit derart engagieren. Und jemanden, den man womöglich gar nicht kennt und von dem man nur weiß, dass er sich in einer schwierigen Lebenssituation befindet, in seinem Haus aufzunehmen, finde ich ehrlich gesagt ebenfalls bewundernswert. Würdest du das denn so einfach tun?«

Nun kam ich in der Tat ins Schlingern.

Womöglich hatte ich vorschnell geurteilt.

Ich räusperte mich. »Keine Ahnung«, gab ich unumwunden zu. Aber in diesem Moment ging es auch nicht um mich, weswegen ich zum eigentlichen Thema zurückkehrte. »Und welche Rolle spielst du in diesem Szenario?«

»Ich bin nicht nur als Halligbote unterwegs«, antwortete Reemt, »sondern fungiere gleichzeitig für viele, gerade ältere und alleinstehende Menschen hier in der Gegend als Bindeglied zwischen den Halligen und dem Festland. Ich repariere Dinge, helfe bei der Ernte oder wenn Land unter ist. Ich erledige stellvertretend Behördengänge auf dem Festland, begleite gebrechliche Bewohner zu Ärzten nach Flensburg oder Kiel, was eben gerade so ansteht.«

»Wow, ich bin beeindruckt«, erwiderte ich. »Aber wann findest du denn Zeit für das alles? Du bist doch eh schon so viel unterwegs!«

Reemt schmunzelte und goss sich einen zweiten Espresso aus der silbernen Kanne ein. »Ach was, das ist alles halb so wild. Schließlich habe ich keine Familie, die daheim auf mich wartet, und keine Hobbys, die viel Zeit erfordern. Zeit ist für mich eh ein äußerst relativer Begriff. Wichtig ist, dass ich mich wohl fühle mit dem, was ich tue, und wie ich lebe. Nur dann kann ich dieses Gefühl weiter in die Welt tragen, damit es sich dort entfalten und andere inspirieren kann. Deshalb empfinde ich es auch nicht als Stress oder Anstrengung, wenn ich viel Energie für die Bedürfnisse anderer aufwende anstatt für die meinigen.«

Mich beeindruckten Reemts Worte zwar, genau wie die gesamte Geisteshaltung, die Leuchtfeuer zugrunde lag. Und doch war ein Rest Bockigkeit in mir zurückgeblieben, kleine Fragezeichen, die sich hartnäckig in meinem Kopf auftürmten.

»Gib's zu, du bist entweder ein Heiliger, der sich zufällig nach Nordfriesland verirrt hat, oder du verfolgst den Plan, so eine Art Verdienstkreuz zu bekommen«, gab ich frotzelnd zur Antwort. »Bei Ada habe ich ja ein wenig den Verdacht, dass ihre ursprüngliche Motivation später ihrem schlechten Gewissen gewichen ist und sie kompensieren wollte, dass sie meinem Vater keine besonders gute Mutter war. Aber was sind deine Beweggründe?«

Reemts Augen verschatteten sich, und er wirkte genervt, als er erwiderte: »Diese Frage habe ich dir doch gerade beantwortet. Und was deine Großmutter betrifft: Mag sein, dass sie ein gewisses Maß an Schuld auf sich geladen hat. Aber sie hat auch jeden einzelnen Tag ihres Lebens darum gekämpft, die Fehler, die ihr bei deinem Vater unterlaufen sind, wiedergutzumachen. Doch das war leider nicht ganz einfach, denn wie ich gehört habe, hat deine Mutter alles dafür getan, dass sie nicht mehr an ihn rankam. Und so hat Ada es sich im Laufe der Jahre zur Aufgabe gemacht, wenigstens denjenigen zu helfen, die sich darüber freuten und ihre Hilfe dankbar annahmen. Sie hat jeden Cent, den Menschen ihr als freiwilligen Dank für ihre Hilfe gegeben haben, in den Finanztopf von Leuchtfeuer gesteckt, der heute noch von Doktor Petersen verwaltet wird. Sie hat sich so gut wie nie etwas für sich selbst gegönnt. Ada brauchte nur wenig, um glücklich zu sein. Alles, was sie je haben wollte, befindet sich hier auf Fliederoog.«

»Dann war sie also trotz allem ein glücklicher Mensch?«, flüsterte ich, nun doch ergriffen von Reemts Erzählung.

»Ich denke schon …«, antwortete er mit leiser Stimme. »Obwohl sie den Tod deines Vaters und die Tatsache, dass deine Mutter ihr jeglichen Kontakt zu dir untersagt hat, nie wirklich verwunden hat. Weißt du eigentlich, dass es das Größte für sie war, ein-, zweimal im Jahr nach Hamburg zu fahren, um zu schauen, wie es dir geht? Marie und Jasper haben versucht, möglichst alle deine Schritte im Netz zu recherchieren, und haben sie stets auf dem Laufenden gehalten. Nachdem sie ihren obligatorischen Besuch in der Kanzlei von Doktor Petersen absolviert hat, spazierte sie durch Hamburg und schaute sich an, wo du gerade gewohnt, wo du gearbeitet hast.« Ich schluckte und klebte förmlich an Reemts Lippen, die sich nun zu einem Lächeln kräuselten. »Ich weiß noch, wie glücklich sie war, als es ihr eines Abends gelungen war, dich zu beobachten, wie du aus dem Verlagsgebäude gekommen und dann an den Hafen gegangen bist. Und bei ihrem letzten Besuch in Hamburg hat sie dich vor deiner Wohnung Arm in Arm mit einem – laut ihrer Aussage – attraktiven, dunkelhaarigen Mann gesehen.«

»Oh, das war Oliver«, murmelte ich, verwirrt von der Vorstellung, dass meine Großmutter teils nur wenige Schritte von mir entfernt gewesen war. »Tja, der ist nun auch Vergangenheit, genau wie meine Großmutter.«

»Er ist doch nicht tot, oder?« Reemt wirkte bestürzt.

»Nein, nur komplett gestorben für mich«, erwiderte ich, während sich ein Schmerz, von dem ich gehofft hatte, ihn nie wieder spüren zu müssen, wie eine Pfeilspitze in mein Herz bohrte. »Er hat mich nach Strich und Faden belogen, also habe ich ihm dem Laufpass gegeben.«

Reemt schwieg einen Moment, dann sah er mich aufmerksam an. »Ada hätte so gern Anteil an deinem Leben genommen, du ahnst gar nicht, wie sehr sie sich das gewünscht hat. Deshalb hat sie dir auch alles vermacht, was ihr lieb und teuer war. Und sie hat darauf gehofft, dass du das Haus, den Bauernhof und den Leuchtturm behalten würdest. Sie hat sich so gewünscht, dass ein kleiner Teil von ihr in dir weiterleben würde.«

»Das hätte ich auch wirklich, wirklich gern getan, wenn ich nur gewusst hätte, dass es sie gibt und dass sie Kontakt zu mir sucht. Ich hätte so gerne Geburtstage mit ihr gefeiert oder Weihnachten, mein absolutes Lieblingsfest, das Fest, an dem alle sich zeigen, wie viel sie einander bedeuten ...« Bei dem Gedanken an meine Großmutter, die kennenzulernen mir nie vergönnt gewesen war, konnte ich nicht anders; ich musste weinen, obgleich es mir peinlich war, in Reemts Gegenwart derart heftig von meinen Gefühlen überwältigt zu werden.

Doch diese Geschichte wühlte mich weitaus mehr auf, als ich es für möglich gehalten hätte, vor allem, weil die Spur des Unheils immer wieder von Ada zu dem Menschen führte, den ich so sehr liebte: meine Mutter.

Es war wirklich allerhöchste Zeit für eine Aussprache, und zwar persönlich. Ich würde sie nicht anrufen und damit riskieren, am Telefon abgewimmelt zu werden, sondern ich würde nach Hamburg fahren und sie zur Rede stellen.

Ihre Fehde mit Ada wegen meines Vaters war eine Sache. Aber mir meine Großmutter zeitlebens bewusst vorzuenthalten und alle Versuche auf Versöhnung abzublocken, eine ganz andere.

Menschen mussten irgendwann verzeihen und vergeben können – ansonsten war es schlecht um unsere Welt bestellt!

35. Kapitel

Eine gute Woche war vergangen, seit ich mit Reemt über Ada und Leuchtfeuer gesprochen und mir anschließend beinahe die Seele aus dem Leib geweint hatte, weil es mich so berührte, was ich über meine Großmutter und das, was ihr lieb und teuer gewesen war, erfahren hatte. Nach und nach beschlich mich das Gefühl, dass es Ada weniger um die Ringe selbst gegangen war, sondern um das, was sie symbolisierten, nämlich diese Welt zu einem schöneren, besseren Ort zu machen. Und den Menschen – also auch mir – die Augen dafür zu öffnen, dass sie alle auf ihre Weise dazu beitragen konnten, dieses Ziel zu verfolgen, egal wie utopisch es womöglich erschien.

Es war eine Woche intensiven Nachdenkens und In-mich-Hineinfühlens gewesen, in der ich viel spazieren gegangen war, bis auf den Kontakt mit Marie kaum mit jemandem gesprochen hatte und erfahren musste, dass meine Mutter für eine Woche in den Urlaub gefahren war, ohne mir oder Felix auch nur ein Wörtchen davon zu sagen.

Diese Information hatte ich nur erhalten, weil ich in meiner Verzweiflung darüber, sie nicht erreichen zu können, im Salon angerufen hatte, in dem sie arbeitete.

Nun war ich auf dem Weg nach Hamburg, um mich mit Hanne zu treffen. Ich hoffte, dass die zurückliegenden Urlaubstage auf Rügen, gemeinsam mit ihrer besten Freundin, sie ein bisschen milder gestimmt hatten. Zum ersten Mal in meinem

Leben hatte ich ein mulmiges Gefühl dabei, meine Mutter zu treffen, obgleich ich mich auch freute, sie nach langer Zeit endlich mal wieder zu sehen. Dennoch hallte immer noch der kühle Unterton in ihrer Stimme in mir nach, als ich sie schließlich auf dem Handy erreicht und um eine Aussprache gebeten hatte.

»Da bist du ja, blass siehst du aus«, war das Erste, was ich aus ihrem Mund hörte, nachdem sie die Tür geöffnet hatte.

Ihre Hamburger Altbauwohnung war eigentlich genauso gemütlich eingerichtet wie Adas Stuv, dennoch fröstelte es mich, als ich ins Wohnzimmer ging, wo meine Mutter am Couchtisch für Kaffee und Kuchen eingedeckt hatte.

»Dafür bist du leicht gebräunt und siehst erholt aus«, gab ich zurück, wenngleich mir etwas ganz anderes auf der Zunge lag. »War's denn schön auf Rügen?«

»Traumhaft, wie immer«, antwortete Hanne in distanziertem Tonfall und deutete mit einer Handbewegung an, dass ich mich aufs Sofa setzen sollte. »Ich kann dir nur raten, auch mal dahin zu fahren, statt andauernd an diesen Nordfriesischen Inseln zu kleben, wo das Wasser ständig weg ist und die Menschen mundfaul sind.«

Auch gegen diese Äußerung hätte ich liebend gern gekontert, atmete stattdessen aber tief ein und aus.

Sie meint es nicht so. Sie ist genauso unsicher wie ich, versuchte ich mir mit aller Macht einzureden.

»Und? Was gibt es denn so Dringendes, dass du dich extra von deiner geliebten Hallig losgeeist hast, um den weiten Weg hierher auf dich zu nehmen?«

Angesichts Hannes Sarkasmus begann es nun doch in meinem Bauch zu schäumen, und obwohl ich versuchte, mich dagegen zu wehren, sah ich komplett rot. Nein! Ich hatte keine

Lust, mich länger rundmachen und für blöd verkaufen zu lassen. Ich hatte nichts getan, dessen ich mich hätte schämen oder für das ich mich hätte entschuldigen müssen. Und ich würde es nicht zulassen, dass meine eigene Mutter ihren Hass und ihre Probleme einfach auf mich abwälzte!

»Sag mal, Mama, was ist eigentlich los mit dir? Kannst du diese Sticheleien bitte mal lassen?«, sagte ich, um einen ruhigen Ton bemüht, was mir jedoch nur schwerlich gelang. »Ob ich die Inseln oder Fliederoog mag, kann dir komplett egal sein. Viel wichtiger ist doch, was gerade mit uns beiden passiert, aber auch mit Felix, den du ja ebenfalls in Sippenhaft genommen hast, nur weil er mich in meiner Entscheidung unterstützt und auch schon auf der Hallig besucht hat.« Ich schluckte, um das Zittern in meiner Stimme unter Kontrolle zu bekommen. »Ich weiß, dass es dir nach dem Tod von Papa nicht gutging und es dir auch sehr weh getan hat, dass Leo sich von dir getrennt hat. Auch ich finde es nicht schön, so gut wie gar keinen Kontakt mehr zu ihm zu haben. Aber wieso legst du es jetzt darauf an, dich auch noch mit deinen Kindern zu überwerfen? Willst du denn auf Teufel komm raus alleine sein?«

Meine Mutter wurde blass, bewahrte aber – typisch für sie – die Contenance. Kerzengerade, die bestrumpften Beine grazil übereinandergeschlagen, saß sie mir gegenüber auf dem Sessel und trank ungerührt ihren Tee. Hätte sie dabei noch den kleinen Finger abgespreizt, es hätte mich nicht gewundert. Bei mir hingegen brachen nun alle Dämme.

»Ich habe Erkundigungen eingeholt und dabei erfahren, dass Ada immer wieder versucht hat, Kontakt zu mir aufzunehmen. Nur hast du es all die Jahre über abgeblockt«, sagte ich spitz und konnte nicht verhindern, dass meine Stimme bitter und anklagend klang. Doch das war mir egal. Ich wollte mit meinen

Gefühlen nicht länger hinter dem Berg halten. »Sie war mindestens einmal jährlich in Hamburg und hat mich aus der Ferne beobachtet. Sie hat per Internet meinen Weg verfolgt, nur um ein bisschen an meinem Leben teilhaben zu können! Kannst du dir auch nur im mindesten vorstellen, was es für ein Gefühl ist zu wissen, dass sie mir zeitlebens gern eine Großmutter gewesen wäre, es aber nicht sein durfte? Du hast sie einfach totgeschwiegen und mich im Glauben gelassen, nur du und Felix seien meine Familie! Wieso hast du mir das angetan? Warum hast du mich meiner Großmutter beraubt?«

Im Wohnzimmer war es totenstill.

Lediglich Geräusche aus der Nachbarwohnung drangen an mein Ohr. Hanne presste die Lippen zusammen und war offensichtlich immer noch nicht bereit, auch nur einen Millimeter von ihrer Haltung abzuweichen. Sie war die personifizierte Schweigemauer, und ich befürchtete, dass es mir niemals gelingen würde, sie zu durchbrechen. Doch dies war nicht der Moment, mich davon einschüchtern zu lassen.

»Ich habe mit Wiete Bruhns gesprochen, von der ich dich übrigens grüßen soll«, sagte ich, um das Gespräch dennoch irgendwie am Laufen zu halten. »Sie hat mir alles über Torges Kindheit erzählt, und ich weiß genau, dass Ada Mist gebaut hat. Aber das ist noch lange kein Grund, sie den Rest ihres Lebens zu hassen, und vor allem nicht, sie auch von mir fernzuhalten. Von einem guten Bekannten habe ich außerdem erfahren, dass sie lange Zeit versucht hat, Papa um Verzeihung zu bitten, aber auch dabei an dir gescheitert ist.« Nun sah ich meine Mutter direkt an. Ich spürte, wie gut es tat, mir all das, was mich in den letzten Wochen und Tagen so intensiv beschäftigt und belastet hatte, von der Seele zu reden. »Ich frage mich ganz ehrlich – welcher Mensch tut so etwas? Das ist doch grausam.«

»Was dir aber offensichtlich keiner gesagt hat, ist, dass Ada schuld am Tod deines Vaters ist«, erwiderte Hanne, beinahe tonlos.

»Sie ist bitte was?«, wiederholte ich ungläubig, während ich das Gefühl hatte, der Boden unter mir würde schwanken und gleichzeitig die Stuckdecke auf mich herabfallen. »Das ist jetzt nicht dein Ernst, oder? Bitte sag, dass das nicht wahr ist.«

»Wäre er nicht in der Dezembernacht 1978, einen Tag vor Heiligabend, während der großen Schneekatastrophe zu ihr gefahren, wäre er heute noch am Leben«, murmelte Hanne mit erstickter Stimme. »Ada war damals, wie so viele in Norddeutschland, von der Außenwelt abgeschnitten, es gab keinen Strom, kein Telefon, keine Lebensmittelversorgung. Dein Vater hat sich Sorgen um sie gemacht und Lebensmittel für sie ins Auto gepackt. Ich habe ihn angefleht, bei dem Wetter nicht zu fahren, sondern daheim bei uns zu bleiben. Du warst ja noch ganz klein, erst wenige Monate alt. Doch dein Vater hatte in manchen Dingen genauso einen Dickschädel wie Ada. Er sagte, Weihnachten sei das Fest der Liebe, er und seine Mutter hätten beide genug gelitten, und es sei irgendwann mal Zeit, die Dinge ruhen zu lassen, einen Strich unter die Vergangenheit zu ziehen und stattdessen in der Gegenwart zu leben. Er ...« Hanne räusperte sich und nippte an ihrem Tee. »... er wollte, dass wir alle eine große Familie werden, nun, da du geboren warst ...«

»Oh, mein Gott«, stieß ich hervor, während mich ein Strudel unterschiedlichster Gefühle mit sich riss und mir allmählich das Ausmaß meiner Familiengeschichte bewusst wurde. »Du ... du hast meiner Großmutter zeitlebens vorgeworfen, am Tod meines Vaters schuld zu sein? Obwohl sie ihren Sohn offensichtlich nicht selbst darum gebeten hatte, sie in dieser schwierigen Wetterlage zu besuchen? Ist dir eigentlich klar, was du da sagst? So tragisch das auch ist, aber es war *seine* Entscheidung, nicht ihre. Es war ein Unfall, an dem sie keinerlei Schuld trägt. Dafür kannst du Ada doch nicht hassen!«

Hanne schob energisch das Kinn vor. In ihren Augen glizerten Tränen. »Wie ich bereits gesagt habe«, fuhr sie fort. »Wäre Ada Torge nicht so eine schlechte Mutter gewesen, hätte er nicht so unter ihr gelitten und der Unfall wäre niemals passiert«, versuchte sie ihre Argumente mit der ihr eigenen Logik zu untermauern.

»Hätte, wäre, wenn …«, erwiderte ich. »Hätte Ada sich anders verhalten, wäre Torge vielleicht auf Fliereoog geblieben, und ihr beide wärt euch nie begegnet. Und hättet mich nicht bekommen, was schade wäre, denn ich lebe sehr gerne. Diese Dinge nennt man Schicksal, und keiner ist gefeit vor ihnen. Natürlich schlägt dieses Schicksal oftmals hart oder auch grausam zu, aber wir haben dann immer noch die Wahl, wie wir damit umgehen.« Ich konnte sehen, dass meine Mutter inzwischen weinte. Still, beinahe sanft flossen die Tränen aus ihren Augen. Aber ich war noch nicht fertig. »Wir haben die Wahl, im Zustand dieses Unglücks zu verharren, nach dem Schuldigen zu suchen und für den Rest des Lebens unglücklich zu sein und damit womöglich auch noch andere mit in den Abgrund zu ziehen. Oder wir stehen nach einer solchen Katastrophe wieder auf und versuchen, neu anzufangen. Mein Vater war offenbar bereit, diesen Schritt zu machen, und ich kann dir nur raten, es ihm gleichzutun. Sonst wirst du nämlich den Rest deines Lebens ziemlich unglücklich und verbittert sein, was ich dir weder wünsche noch zulassen werde. Ich liebe dich nämlich, und ich möchte, dass wir es alle wieder gut miteinander haben.«

Nun rollten auch mir die Tränen über die Wangen. Trotzdem konnte ich mir eine Bemerkung nicht verkneifen, zu groß war meine Wut darüber, wie Hanne sich mir gegenüber in letzter Zeit verhalten hatte. »Einen Vorwurf musst du dir jetzt allerdings leider trotzdem gefallen lassen, egal, wie sehr ich dich liebe. Seit Adas Tod warst du so gut wie gar nicht mehr für mich da, sondern hast mich kritisiert, anstatt mich zu ermutigen und zu unterstützen. Du warst so verstrickt in die Vergangenheit, dass du vergessen hast, in der Gegenwart eine gute Mutter zu sein, obwohl ich dich nach der Trennung von Oliver und dem Verlust meines Jobs gebraucht hätte. Tja, aber manchmal kann man eben offenbar nicht über seinen Schatten springen. Und ich schätze mal, nicht anders ist es damals meiner Großmutter ergangen. Nur mit dem Unterschied, dass sie noch sehr jung war und du es aufgrund deiner Lebenserfahrung eigentlich besser wissen müsstest.«

Nun sah offenbar auch Hanne rot, denn sie sprang vom Sessel auf und ließ dabei die Teetasse fallen, die daraufhin in tausend kleine Scherben zersprang. Ohne mich anzusehen, schrie sie: »So einen respektlosen Unsinn muss ich mir von dir weder sagen noch gefallen lassen. Du spielst dich hier auf wie Misses Allwissend und schwingst kluge Reden. Dabei ist das, was dir passiert ist, nichts im Vergleich zu dem, was ich erdulden musste! Wer hat dich und Felix denn alleine großgezogen, nachdem der eine Mann verstorben und der andere mit einer Jüngeren durchgebrannt war? Wer hat denn sein ganzes Leben zu euren Gunsten zurückgesteckt und gegen finanzielle Schwierigkeiten angekämpft, um euch ein schönes Leben bieten zu können? Vielleicht denkst du mal darüber nach, bevor du mich verurteilst, Fräulein. Und jetzt geh bitte, ich möchte allein sein.«

Schockiert von ihrer unnachgiebigen Haltung, den Vorwürfen und dem Rauswurf zog ich meine Jacke an, wandte mich im Flur jedoch ein letztes Mal zu meiner Mutter um.

Sie stand mit dem Rücken zu mir und starrte aus dem Fenster. »Also dann, mach's gut«, murmelte ich und zog die Tür hinter mir zu.

Auf der Schwelle der Eingangstür des Patrizierhauses zückte ich mein Handy und wählte mit zitternden Fingern Meggies Nummer. »Ich brauche dringend deine Hilfe«, sagte ich schluchzend. »Und einen Platz zum Schlafen. Kann ich zu euch kommen?«

36. Kapitel

»Krasse Geschichte«, murmelte Meggie betreten, nachdem ich bei ihr angekommen und in Kurzform erzählt hatte, was gerade geschehen war. Harald würde erst in zwei Stunden nach Hause kommen, die Zwillingsmädchen waren für ein paar Tage bei ihren Großeltern zu Besuch, also waren wir beide allein. »Ich weiß gar nicht, was ich dazu sagen und was ich schlimmer finden soll. Hannes Art, sich in die Vorstellung hineinzusteigern, deine Großmutter hätte Schuld am Unfalltod deines Vaters, oder den Rauswurf. Meinst du, sie beruhigt sich wieder?«

»Keine Ahnung«, sagte ich leise und kuschelte mich tief in die Wolldecke, die Meggie über mir ausgebreitet hatte. Obwohl es draußen zwanzig Grad hatte und die Sonne schien, fühlte ich mich, als sei ich in einem Eisloch gefangen, aus dem es kein Entkommen gab. »Bis vor einiger Zeit dachte ich, ich würde meine Mutter kennen, aber mittlerweile bin ich mir da nicht mehr so sicher. Auf der einen Seite ist sie liebevoll und fürsorglich, auf der anderen Seite hat sie mir gerade zum Vorwurf gemacht, dass sie Felix und mich mehr oder minder alleine großziehen musste, und welche Opfer sie dafür gebracht hat. Als seien wir nur ein Klotz am Bein. Was hat das denn bitte schön mit Liebe zu tun?«

Meggie kaute an ihrer Unterlippe. »Leider nicht besonders viel«, antwortete sie seufzend. »Natürlich machen Kinder

Arbeit, kosten eine Menge Zeit, Geld und Nerven, aber man darf es auf gar keinen Fall an ihnen auslassen, wenn die Dinge anders laufen, als man es sich wünscht. Schließlich entscheidet man sich ganz bewusst dafür, Eltern zu werden, und muss demzufolge auch die Konsequenzen in Kauf nehmen. Ganz zu schweigen davon, dass man gerne für seine Familie da ist, eben weil man sie liebt.« Meggie streichelte tröstend meinen Arm. »Ich hoffe wirklich sehr für euch alle, dass Hanne sich gerade in einer Krise befindet, in der alte Wunden zwar aufbrechen, aber auf lange Sicht auch die Chance haben zu heilen. Gib ihr Zeit, und versuch dir, wenn möglich, ihre Worte nicht zu sehr zu Herzen zu nehmen. Sie hat das nicht so gemeint, und tief in deinem Inneren weißt du das auch.« Sie reichte mir einen Becher Tee, den sie zuvor gekocht hatte. »Wirst du Felix denn davon erzählen?«

Ich nippte an dem Tee und starrte vor mich hin. »Besser erst mal nicht«, antwortete ich. »Er hat gerade einen richtigen Lauf, wird für gut bezahlte Jobs engagiert, ist künstlerisch sehr produktiv und bis über beide Ohren in Marie verschossen. Wieso sollte ich ihn mit Dingen belasten, die ihn nur am Rande etwas angehen? Ich freue mich total darüber, dass es ihm gutgeht, und möchte ihn das ungestört genießen lassen. Ich erzähle ihm, was passiert ist, sobald die Wogen sich geglättet haben.«

»Hast du eben gesagt, Felix ist bis über beide Ohren verliebt?« Meggie schaute mich ungläubig an. »Bist du dir sicher?«

Zum ersten Mal an diesem grauenvollen Tag sah ich so etwas wie einen Lichtstreifen am Horizont, denn ich fand es toll, welche Entwicklung Felix in den letzten Wochen gemacht hatte. »Ja, man mag es kaum glauben, aber mein cooler Bruder, der alles andere als monogam ist, rennt gerade Marie hinterher wie ein treues Hündchen und würde sie wohl am liebsten auf der

Stelle heiraten, wenn sie ja sagen würde. Letzteres weiß ich allerdings nur von Marie, die ich neulich so lange genervt habe, bis sie mir gestanden hat, dass sie gerade gar nicht damit umgehen kann, dass Felix so anhänglich ist. Er schreibt ihr pro Tag Tausende WhatsApp-Nachrichten, schickt ihr Fotos von Hamburg und seinen Arbeiten und versucht sie zu bezirzen, sich ein paar Tage freizunehmen und hierherzukommen.«

Meggie schüttelte ungläubig den Kopf. »Mal von der Tatsache abgesehen, dass sie damit nicht umgehen kann, mag sie Felix denn auch?«

»Doch, das tut sie, aber sie hat auch ihren eigenen Kopf. Sie brennt für das Designen von Schmuck, sie möchte die Welt bereisen, um sich dort Inspiration für ihre kreative Arbeit zu suchen, und hat meines Wissens momentan kein besonders großes Interesse daran, sich zu binden.«

»Was ist das nur für eine Generation?«, fragte Meggie. »Warum fällt es denen so schwer, sich auf etwas festzulegen oder sich auf einen Menschen einzulassen? Wovor haben die denn solche Angst, und was glauben sie zu verpassen?«, redete sie sich in Rage. »Irgendwann werden sie doch auch älter und haben es dann garantiert satt, ständig auf der Suche zu sein, dauernd auszugehen, permanent neue Dates zu haben. Ganz ehrlich: Mir wäre das alles viel zu anstrengend. In Hamburg brauchst du doch vor ein Uhr morgens gar nicht erst loszugehen, und da schlafe ich schon längst. Was bin ich froh, dass Harald und ich so ein überschaubares Leben führen! Oder sind wir spießig?«

»Ach was, seid ihr nicht«, widersprach ich. »Außerdem sind ja nicht alle so entscheidungsunwillig. Diejenigen, die noch jünger sind als Felix und Marie, leben laut Studien ein vollkommen gegenteiliges Modell. Sie können es kaum abwarten, sich zu binden und eine Familie zu gründen. Denen möchte man am liebsten zurufen: Macht mal halblang, und schaut euch erst mal ein bisschen in der Welt um, bevor ihr euch eine Eigentumswohnung kauft oder auf dem Grundstück eurer Eltern baut. Tobt euch erst mal aus, lernt euch selbst kennen, und entscheidet dann, wie ihr leben möchtet.«

»Und was ist mit dir?«, fragte Meggie. »Weißt du denn jetzt ein bisschen besser, wie du leben und ob du vielleicht sogar auf Fliederoog bleiben möchtest? Und wie war eigentlich dein Abend mit diesem heißen Halligboten? Ich will jedes einzelne Detail wissen. Ist er jetzt dein Herr der Ringe?«

Dein Herr der Ringe. Ich schmunzelte angesichts Meggies lustiger Formulierung.

»Okay, fangen wir bei Reemt an«, sagte ich und schilderte den Abend, an dem wir gemeinsam gekocht und über Leuchtfeuer gesprochen hatten. »Natürlich ist er über Nacht nicht bei mir geblieben, sondern in einem Zimmer im Kiek ut, das zur Verfügung steht, falls es jemand nicht mehr rechtzeitig zurück aufs Festland schafft«, erklärte ich, nachdem ich ein Leuchten in Meggies Augen gesehen hatte, das darauf schließen ließ, dass sie hoffte, ich würde ihr von einer heißen Nacht mit Reemt erzählen.

»Schade«, sagte sie und verzog enttäuscht den Mund. »Ich hatte mich ehrlich gesagt darauf gefreut, gleich eine heiße Geschichte zu hören. Aber ich sehe, dass es momentan eher um diese Leuchtfeuer-Sache geht als um Reemt. Und die finde ich, ehrlich gesagt, ganz schön beeindruckend. Wenn man in seinem Alltag gefangen ist und eh ständig gestresst, vergisst man häufig, auch mal über den Tellerrand hinauszuschauen und sich klarzumachen, wie viele Menschen es gibt, die nicht so privilegiert leben und die Hilfe brauchen. Hat Reemt dir denn gesagt, wer die anderen Mitglieder sind, die du nicht kennst?«

»Ja, hat er. Die Liste mit den Kontaktdaten liegt bei Doktor Petersen«, antwortete ich. »Lustigerweise ist eine von ihnen Leevke Hennings. Sie hat einen kleinen Laden auf Föhr, in dem ich bei meinen Inselbesuchen schon öfter eingekauft habe. Und diese Leevke war es auch, die Svea zu mir beziehungsweise zu Ada geschickt hat. Sie bietet wohl Menschen, die dringend eine Auszeit brauchen oder in Nöten sind, bei Bedarf kostenlos Unterkunft in einem Zimmer ihrer Wohnung in Nieblum an, genau wie das Legen von Tarot-Karten. Ich bin sehr gespannt, ob Svea sich noch mal bei mir meldet und wie sie sich entschieden hat. Reemt hat mir übrigens einen ganzen Packen Briefe mit Anfragen gegeben, die bei Doktor Petersen eingegangen sind, seit Ada tot ist. Ich werde sie mir nach und nach anschauen und dann entscheiden, ob und wie ich darauf reagiere. Offenbar wird bei Leuchtfeuer nur deshalb so eine Geheimniskrämerei betrieben, damit die Organisation nicht in Anfragen ertrinkt. Bislang läuft das Ganze ja über Mund-zu-Mund-Propaganda.«

»Ich kann mir schon vorstellen, dass die Hölle los wäre, wenn diese Geschichte an die große Glocke gehängt werden würde. Mal ganz abgesehen davon, dass dann bestimmt juristische Schritte eingeleitet werden müssten, wie zum Beispiel die Gründung einer Stiftung oder eines Vereins oder was auch immer«, pflichtete Meggie mir bei. »Und diese Leute geben wirklich gar nichts als Dankeschön für die Hilfeleistung, die sie erhalten?«

»Doch, die meisten schon, auch wenn es nicht von ihnen erwartet wird. Ada hat im Parterre des Leuchtturms eine Vitrine voller Geschenke. Einige spenden auch Geld an Leuchtfeuer, das wiederum an diejenigen verteilt wird, die es brauchen. Aber laut Reemt geht es dem Zirkel primär darum, dass alle, die

Hilfe in Anspruch nehmen, auch ihrerseits anderen Menschen helfen, sofern sie dazu in der Lage sind.«

»Also eine Art Schneeballsystem«, erwiderte Meggie, sichtlich beeindruckt. »Für mich klingt die ganze Sache zwar immer noch irgendwie abgedreht, andererseits imponiert sie mir auch. In schwierigen Zeiten wie diesen kann es eigentlich gar nicht genug Menschen geben, die mit gutem Beispiel vorangehen und versuchen, diesen Planeten ein bisschen schöner und besser zu machen. Du hast jetzt aber nicht vor, in die Fußstapfen deiner Großmutter zu treten, oder?«

Diese Frage konnte ich zu meinem eigenen Erstaunen nicht mit einem spontanen *Auf gar keinen Fall!* beantworten.

Meggie legte den Kopf schief und musterte mich eindringlich aus ihren wunderschönen grünen Augen. »Also jetzt mal ehrlich, Jule. Bei allem Respekt für Leuchtfeuer und vor allem für Ada. Denkst du allen Ernstes, du bist dazu bestimmt, die Hallig-Samariterin zu spielen und künftig Hexenrituale à la Ada Schobüll durchzuführen? Nein, das bist du nicht! Ich nehme zwar eine gewisse Veränderung an dir wahr, aber deshalb musst du trotzdem nicht von der Karrierefrau zu Mutter Teresa mutieren.«

»Wäre es denn wirklich so verkehrt, auch einen Teil dazu beizutragen, damit die Welt ein kleines bisschen besser wird, genau wie du es eben gesagt hast?«, fragte ich mehr mich selbst als Meggie. »Alles, was wir tun, hat Konsequenzen für unsere gesamte Umwelt, egal, wie groß oder klein die Schritte sind, die wir gehen. Jede Aktion erzeugt eine Reaktion, im Positiven wie im Negativen. Ich habe mich in den letzten Tagen dabei ertappt, mir zu wünschen, ich könnte Adas Bauernhof wieder seiner ursprünglichen Bestimmung zuführen.«

»Ist das dein Ernst? Du willst eine Kommune gründen, Joints

rauchen und bei Vollmond um ein Lagerfeuer tanzen?«, fragte Meggie, die Lippen zu einem spöttischen Lächeln verzogen. »Hat dieser Halligbote dir das eingetrichtert, oder warst du einfach nur zu lange alleine? Deine Mutter dreht durch, wenn du das tust.«

»Hey, nun sei nicht so biestig«, erwiderte ich, enttäuscht von Meggies Reaktion. »Ich habe ja gar nicht vor, so etwas zu machen wie Kathrin Burmester. Aber ich könnte mir durchaus vorstellen, den Hof so umzubauen, dass man die Zimmer an Leute vermietet, die mal zur Ruhe kommen und eine Weile fernab von allem im Einklang mit der Natur leben wollen«, verkündete ich die Überlegungen, die mir in den letzten Tagen durch den Kopf gegangen waren. »Auf der Hallig haben sie jede Menge frische Nordseeluft, könnten Kühe melken, lange Spaziergänge unternehmen, Yoga machen, meditieren, Vögel beobachten, Fahrrad fahren oder Obst und Gemüse ernten. Und wenn einer von ihnen das Bedürfnis verspürt, einmal einen Blick von oben auf sein Leben zu werfen und Ausschau nach Veränderung zu halten, dann kann er – gegen ein entsprechendes Entgelt – auf den Leuchtturm steigen. Diese Einnahmen würde ich reinvestieren. Und ich würde Leute wie Kathrin Burmester buchen, um Workshops für die Gäste zu geben.«

»Okay, okay, das klingt ja schon ganz anders – und viel bodenständiger«, ruderte Meggie zurück. »Und ehrlich gesagt auch nach etwas, das gerade voll im Trend liegt. Wenn ich bedenke, dass die Inseln in der Hochsaison mittlerweile fast alle aus den Nähten platzen, gibt es ja kaum noch Orte, an denen man für sich sein und zur Besinnung kommen kann. Dass man auf Fliederoog kein Auto fahren darf, finden viele bestimmt zusätzlich reizvoll. Aber wie würdest du das denn finanzieren? Mal ganz abgesehen davon, dass du die Familie, die da gerade wohnt, nicht einfach vor die Tür setzen kannst.«

Ich seufzte. »Das ist in der Tat ein Problem«, antwortete ich. »Von daher wird das wohl auch erst mal nichts mit mir und der Idee, einen Ort für Auszeitsuchende zu schaffen. Aber träumen darf man ja wohl …«

37. Kapitel

Mittlerweile war ich wieder auf Fliederoog, allerdings mit gemischten Gefühlen. Der erneute heftige Streit mit meiner Mutter, ihre Unversöhnlichkeit und das ganze Ausmaß des Familiendramas ließen mich nicht zur Ruhe kommen.

Nachdem ich bei Meggie übernachtet hatte, hatte ich tags darauf ein weiteres Mal versucht, meine Mutter zu erreichen, aber ohne Erfolg. Und so war mir nichts weiter übriggeblieben, als eine Nachricht auf ihrem Anrufbeantworter zu hinterlassen, in der ich darum bat, dass wir beide noch mal über alles sprachen, sobald wir unser misslungenes Treffen halbwegs verdaut hatten.

Um mich abzulenken und ein wenig zu erden, werkelte ich im Garten herum, bis das Klingeln meines Handys die Stille durchbrach. Mittlerweile hatte ich mir zwar abgewöhnt, das Smartphone überallhin mitzunehmen, aber heute hatte ich es in der Jackentasche, weil ich hoffte, dass meine Mutter anrief. Doch es war nicht Hanne, die mich sprechen wollte, sondern Marie, hörbar niedergeschlagen.

»Ich habe die Ausschreibung für die Schmuckkollektion nicht gewonnen«, sagte sie mit belegter Stimme. »Und deshalb hätte ich nicht übel Lust, heute Abend mit dir gemeinsam meinen Frust hinunterzuspülen. Was hältst du davon, wenn ich die Zutaten für einen Manhattan aus dem Kiek ut mitbringe und wir uns ein paar Drinks gönnen?«

»Oje, das tut mir leid«, sagte ich. »Haben die Hersteller denn begründet, weshalb du den Auftrag nicht bekommen hast?«

»Die Entwürfe waren ihnen wohl zu beliebig«, antwortete Marie. »Und das Allerschlimmste ist, dass das auch stimmt. Ich wusste die ganze Zeit, dass meine Kreationen nichts sind, was die Welt noch nicht gesehen oder worauf sie gewartet hat. Außerdem war ich mit den Gedanken beim Designen ständig woanders. Das ist nicht gut, wenn man kreativ arbeitet.«

»Wohl wahr«, stimmte ich Marie zu. »Ja, komm einfach nach der Arbeit vorbei, und dann machen wir es uns heute so richtig nett. Ich werde jedenfalls mein Bestes geben, um dich ein bisschen aufzumuntern.«

Und ich hatte auch schon eine Idee, wie ich das anstellen würde.

»Das ist aber leider noch nicht alles«, fuhr Marie fort. »Ich dürfte es dir zwar eigentlich nicht sagen, aber du erfährst es ja doch spätestens heute Abend.« Ich hielt kurz den Atem an. So, wie Marie klang, handelte es sich um keine gute Nachricht. »Anfang dieser Woche wurde bei Nadines Mutter endgültig Demenz diagnostiziert, was bedeutet, dass sie nicht mehr alleine leben kann. Nadine hat im Kiek ut gekündigt, und heute Abend wird Thomas dich anrufen und darum bitten, den Mietvertrag aufzulösen. Die ganze Familie wird wieder zurück nach Husum gehen, bevor das neue Schuljahr beginnt.«

»Das sind ja traurige Nachrichten«, murmelte ich vollkommen überrumpelt und dachte an den Abend bei den Lorenzens zurück. Nadine hatte davon geschwärmt, wie toll es war, dass ihre Kinder hier, in diesem Paradies, aufwachsen durften. Es tat mir leid für die Familie, dass ihre Pläne so über den Haufen geworfen wurden. Doch plötzlich schlich sich noch ein anderer

Gedanke in meinen Kopf. »Was meinst du denn mit frühzeitig auflösen? Etwa schon zum August? So schnell finde ich doch auf gar keinen Fall Nachmieter.«

Mal ganz abgesehen davon, dass es eh an ein Wunder grenzen würde, dass jemand, der nicht von der Hallig stammte, dauerhaft auf dem Hof wohnen wollte.

»Ehrlich gesagt habe ich keinen blassen Schimmer«, antwortete Marie. »Ich weiß nur, dass ich jetzt schnellstmöglich einen Ersatz für Nadine finden muss, sonst kann ich meinen Beruf gleich an den Nagel hängen und für den Rest meines Lebens die Zelte auf Fliederoog aufschlagen.«

Abends um sieben verließen Marie und ich Adas Haus, um unterhalb des Sommerdeichs in den Salzwiesen, nur ein paar Meter entfernt vom Meer, zu picknicken.

»Das war eine wundervolle Idee!« Marie seufzte wohlig, nachdem ich eine blau-weiß karierte Fleecedecke und mehrere Kissen auf dem Marschboden ausgebreitet hatte. Sie hatte Adas geflochtenen Weidenkorb, den ich mit Leckereien aus Hamburg gefüllt hatte, auf dem Gepäckträger transportiert. In die Mitte der Decke kam ein dunkelblaues quadratisches Leinentischtuch mit dazugehörigen Stoffservietten sowie zwei Teller, Besteck und Gläser. Für die Zeit der Dämmerung hatte ich zwei Windlichter und zwei zusätzliche Fleecedecken eingepackt, in die wir uns kuscheln konnten, wenn es zu kühl wurde.

»Magst du einen Schluck Rosé, oder willst du dich gleich mit Manhattan abschießen?«, fragte ich, nicht ganz ernst gemeint, und stellte die kleinen Schälchen mit Antipasti, die ich bei meinem Lieblingsitaliener in Ottensen besorgt hatte, neben das Holzbrett, auf dem eine knusprige Focaccia mit Meersalz und Rosmarin lag. Kurz bevor wir auf unsere Räder gestiegen waren, hatte ich sie noch im Ofen aufgebacken. Dazu kamen Melone mit Parmaschinken sowie Tomate-Mozzarella mit frischem Basilikum.

»Erst den Rosé, dann lalle ich nicht sofort«, gab Marie grinsend zurück, und ich freute mich darüber, dass die enttäuschende Absage des Schmuckherstellers zumindest für einen kurzen Moment in den Hintergrund rückte. »Ich habe übrigens den Nachmittag genutzt, um die Anzeige für eine Nachfolgerin im Kiek ut aufgeben. Drück mir bitte die Daumen, dass sich jemand meldet. Hat Thomas denn schon angerufen?«

»Ja, hat er«, antwortete ich und richtete uns beiden Tomate-Mozzarella auf den Tellern an. Das Dressing hatte ich in ein separates Schüsselchen gefüllt. »Und ich bin echt froh, dass du mich vorgewarnt hattest, sonst hätte ich überhaupt nicht gewusst, was ich sagen soll.«

»Und? Was hast du gesagt?«, fragte Marie, während über unseren Köpfen ein Schwarm Austernfischer seine Kreise zog und eine Biene summend unser Strandpicknick umkreiste. Kleine Schäfchenwolken segelten gemächlich Richtung Föhr. »Die Lorenzens haben doch einen Vertrag mit Kündigungsfrist, an den sie sich halten müssen, oder nicht?«

»Genauso ist es«, sagte ich. »Aber ich habe versprochen, mich ganz schnell um Nachmieter zu kümmern, oder mir etwas anderes einfallen zu lassen. Sollte mir das nicht gelingen, werden Sie die Miete allerdings so lange zahlen müssen, wie die Frist greift.«

»Was meinst du denn mit *was anderes einfallen lassen?* Denkst du etwa doch daran zu verkaufen? Das wäre ja wirklich jammerschade.«

»Keine Sorge«, antwortete ich und überlegte, ob ich Marie in meine Pläne einweihen sollte. In mir war am Nachmittag

nämlich ein Entschluss herangereift, und ich wollte mir auf gar
keinen Fall in meine Entscheidung reinreden lassen.

Andererseits: Marie war jung, offen, liebte Fliederoog und
war unkonventionell.

Warum ihr also nicht erzählen, was ich vorhatte?

»… und dann würde ich den Hof gerne umbenennen. Statt
Deichtraum schwebt mir so was wie *Fliederooger Auszeithaus*
oder so vor«, schloss ich meine Darstellung der Umbaupläne.
»Die meisten Menschen sehnen sich doch irgendwann in ihrem Leben mal nach einer Auszeit. Und vielleicht hast du ja
Lust, dich mit einzubringen. Du könntest dort Goldschmiede-
kurse für die Gäste geben. Felix würde ich natürlich auch in das
Projekt mit einbeziehen und einen Teil der Umbauten machen
lassen, genau wie die Innenausstattung. Dann hätte er einen
dauerhaften Ausstellungsraum für seine Kunst und könnte seine Objekte verkaufen.«

Marie hörte auf zu kauen und schaute mich mit offenem
Mund an. »Wow! Das nenne ich mal einen Plan«, sagte sie und
öffnete den Wein. Meine Gedanken flogen zu Reemt und dem
teuren Rosé, den er am Montag zum Abendessen mitgebracht
hatte. Waren diese Begegnung und die dramatische Auseinandersetzung mit meiner Mutter wirklich erst ein paar Tage her?
»Und wie willst du das alles finanzieren? Oder bist du in Wahrheit steinreich und hast diese Tatsache bisher geschickt geheim
gehalten?«

»Das ist leider der Haken an der Sache«, gab ich unumwunden zu. »Ich müsste einen Kredit aufnehmen und hoffen,
dass Adas Haus, der Hof und der Leuchtturm als Sicherheit
genügen. Ich wollte morgen mal Doktor Petersen fragen, ob
in diesem Leuchtfeuer-Zirkel zufällig auch ein Banker mit

Herz dabei ist. Das wäre nämlich jetzt genau das, was ich bräuchte.«

»Ein Banker mit Herz? Du machst wohl Witze«, sagte Marie, streckte ihre nackten, leicht gebräunten Beine aus und wackelte mit den Zehen. »Ich habe zwar keinen blassen Schimmer von diesen Dingen, aber ich gehe schon davon aus, dass Adas Besitz genügen müsste, wenn du der Bank ein ausgereiftes Konzept vorlegst. Und ja, ich würde liebend gerne Workshops oder Kurse für deine Gäste geben. Wir könnten ja nicht nur Schmuck aus Silber oder Gold anfertigen, sondern aus allem, was die Nordsee hergibt. Wenn man Muscheln bemalt, kann man daraus tolle Ketten und Armbänder zaubern. Selbst aus getrocknetem Seegras lassen sich Ringe und Armbänder machen … oder aus Fischhaut.«

Ich wollte gerade »Igitt! Bäh!« sagen, als ich erkannte, dass Marie nur gescherzt hatte.

»Apropos Ringe«, erwiderte ich, nun voll in Fahrt. Ob es am Wein lag, am sagenhaften Ausblick auf die Nordsee, der lauen Sommerluft oder einfach nur daran, dass ich einen guten *Flow* hatte, konnte ich nicht sagen. Jedenfalls war mir gerade eine Idee durch den Kopf geschossen. »Sag mal, kann man in einem Ring eigentlich eine Botschaft verstecken? Ich meine damit keine Gravur, sondern eine Möglichkeit, um Sätze, die einem wichtig sind, immer bei sich tragen und später gegebenenfalls austauschen zu können, ohne dass man dafür ein neues Schmuckstück braucht.«

Marie schaute mich zuerst verwundert an, schien dann aber zu verstehen, worauf ich hinauswollte. »Stellst du diese Frage, weil zurzeit diese Sinnsprüche auf Holz so in sind?« Ich nickte. »Hmm, lass mal überlegen … Man könnte vielleicht den Ring so bearbeiten, dass man ein Zettelchen hineinschieben kann. Der Ring müsste dann sehr dick sein, was nicht gerade eine tolle Optik, geschweige denn ein angenehmes Tragegefühl verspricht. Oder aber man montiert eine Art Aufsatz darauf, am besten ein Quadrat oder ein Oval, unter dessen Glas man den Spruch schiebt. Die Schrift wäre dann allerdings sehr winzig.« Nun begannen Maries Augen zu leuchten. »Aber das ist gar keine so blöde Idee! Und bestimmt machbar. So wie bei diesen Reiskörnern, auf die die Leute sich ihren Namen schreiben lassen.« Sie stieß mir spielerisch den Ellbogen in die Seite. »Hast du denn ein Patent darauf?«

Ich lachte. »Noch nicht, aber ich schenke dir die Idee gern, wenn du sie magst. Vielleicht kannst du ja das Ruder noch herumreißen und die Hersteller mit diesem Konzept überzeugen, sobald du weißt, ob es auch praktikabel ist.«

»Man könnte so eine Botschaft auch in einem Amulett verstecken, das als Kettenanhänger oder Brosche dient«, murmelte Marie, ohne auf meinen Vorschlag einzugehen. »Hey, das ist so toll, dass ich glatt selbst Lust habe, Schmuck mit solchen Sinnsprüchen zu besitzen. Das Coole daran ist, dass man sie nach Lust und Laune austauschen kann. Und weißt du was? Diese Idee ist viel zu gut, um sie jemandem zu geben, der dann den größten Teil des Profits einstreicht! Nein, das ist etwas, das man in Eigenregie machen und erst mal bei Onlineshops wie Dawanda testen muss.« Marie warf mir einen fragenden Blick zu, und ich konnte das Leuchten in ihren Augen sehen. »Du hast nicht zufällig Lust, ein paar Sinnsprüche zu kreieren, die noch nicht so abgenudelt sind? Und vor allem auf Deutsch, weil das meiste zurzeit auf Englisch angeboten wird.«

Nun war ich an der Reihe, überrascht zu sein.

Das klang nach einem wirklich schönen gemeinsamen Projekt und nach viel kreativem Spaß. Ob sich das Ganze am Ende rechnete, erschien mir zweitrangig.

Viel wichtiger waren Maries rosige Wangen und ihr strahlendes Lächeln; Vorfreude pur.

Passend dazu verfärbte sich der Himmel über Fliederoog gerade purpurn, und ich bekam Gänsehaut. Marie kennengelernt zu haben war eines der schönsten Geschenke, die mir das Leben in den letzten Wochen gemacht hatte.

Ich würde eine Verbündete auf Fliederoog brauchen, wenn ich meine Pläne mit dem Auszeithaus verwirklichen wollte. Jemanden, der auch daran glaubte, jemanden, der diese Hallig kannte und liebte. Und jemanden, der voller Zuversicht in die Zukunft blickte, anstatt sich von Ängsten oder der Meinung anderer abhängig zu machen.

»Weißt du was? So machen wir das«, sagte ich. »Hol mal deinen Manhattan-Mix aus dem Korb, und lass uns auf unsere tollen Pläne anstoßen, egal, ob später etwas daraus wird oder nicht! Und darauf, dass wir einander begegnet sind.«

»Darauf trinke ich ganz besonders gern«, erwiderte Marie und kramte in ihrem Korb nach dem Cocktailshaker.

38. Kapitel

An diesem Sonntagmorgen erwachte ich besonders früh, denn es wartete eine Überraschung auf mich: Reemt hatte am Freitag angerufen und gefragt, ob ich ihn am Sonntag von Fliederoog aus nach Husum begleiten würde. Als Treffpunkt für diesen Ausflug hatten wir den »Bahnhof« vereinbart.

Wie durch ein Wunder tauchte auch an diesem Tag die Sonne die Hallig in ihr warmes, gleißendes Licht, und kribbelnde Vorfreude machte sich wohlig in meinem Bauch breit.

»So eine Schönwetterperiode gab es hier schon lange nicht mehr«, hatte Marie erst gestern gesagt, als wir gemeinsam nach ihrem Dienst im Kiek ut im Garten gewerkelt, Unkraut gejätet, vertrocknete Blüten abgezupft und Pflanzen gedüngt hatten. »Das muss wohl an dir liegen, du Sonnenschein.«

Ich hatte mich sehr über diesen Kosenamen gefreut, genau wie über den Anruf von Reemt. Obwohl ich es mir nur ungern eingestand, hatte mein Herz einen kleinen Hüpfer gemacht, als sein Name auf dem Handy-Display angezeigt worden war. Und es hatte zu einem großen Luftsprung angesetzt, als Reemt sagte, er würde mich gern zu einem Trip nach Husum einladen, ohne einen besonderen Grund dafür zu nennen.

Und nun stand ich am späten Vormittag am Lore-Bahnhof und hielt Ausschau nach ihm. Reemt kam, pünktlich auf die Minute, allerdings nicht mit seiner Eisenbahn-Draisine, sondern einem Modell, das ich nicht kannte. Es war in changierenden

Blau- und Grüntönen gestrichen, die streckenweise in Türkis übergingen, eine wunderschöne Farbkombination.

Das Dach der Lore war gelb, so dass die Draisine wirkte wie das von der Sonne beschienene Meer. Auf einem Schild an der rechten Seite las ich die Worte *Leuchtturm-Express*.

»Die ist ja toll!«, rief ich begeistert aus, nachdem Reemt zum Stehen gekommen und aus dem Führerhäuschen geklettert war. »Ist die neu?«

»Komm, steig ein«, sagte Reemt, anstatt auf meine Frage zu antworten, und bugsierte mich zu meinem großen Erstaunen auf den Fahrersitz. Er selbst umrundete die Lore und setzte sich dann rechts neben mir auf die Zweisitzer-Bank. »Ich habe Adas Lore ein wenig aufgemöbelt, in der Hoffnung, dass sie dir gefällt. Nun musst du nur noch lernen, wie man sie fährt, und schon bist du – zumindest bei Ebbe – unabhängig von Einspänner oder der Fähre.«

»Die ist … für mich?«, fragte ich ungläubig und starrte aus dem Fenster des Führerhäuschens. Ich fühlte mich wie im Spielzeugwunderland. »Aber … aber ich weiß doch gar nicht, wie man so ein Ding steuert.«

»Und genau deshalb werde ich es dir ja jetzt auch beibringen«, entgegnete Reemt. »Keine Angst, das ist alles halb so wild. Du kannst Auto fahren, also schaffst du das hier locker. Regel Nummer eins lautet: Immer mit Licht fahren, egal, ob die Sonne scheint oder nicht. Regel Nummer zwei: Wer am weitesten entfernt von der Haltebucht ist, hat Vorfahrt, derjenige, der am nächsten dran ist an der Ausweichstelle, wartet. Nummer drei: Der Sicherheitsabstand zwischen zwei Loren beträgt einhundertfünfzig Meter, die Höchstgeschwindigkeit fünfzehn Kilometer pro Stunde.«

»Okay, das sollte ich mir merken können«, antwortete ich,

leicht amüsiert. »Aber brauche ich denn nicht so etwas wie einen Führerschein? Oder ... äh ... Fahrzeugpapiere?«

Reemt grinste. »Na klar, schließlich leben wir ja in Deutschland. Sobald du mit einem inoffziellen Fahrleher, also zum Beispiel mir, geübt hast, lässt du dich beim Amt in Husum registrieren und wirst auch haftpflichtversichert. Ganz wichtig ist, dass du Grundbesitz auf der Hallig hast, sonst darfst du keine Lore fahren. Aber den hast du ja jetzt.«

Beim Wort *Grundbesitz* überkam mich ein wohliges Gefühl. Ich wurde langsam zu einer echten Halligbewohnerin.

»So, Juliane, dann mal los! Wenn du allerdings keinen Krampf in der Hand kriegen willst, solltest du das Lenkrad nicht so fest umklammern. Und dann nichts wie zurück nach Dagebüll. Sonst kommen wir zu spät zu dem, was ich als Nächstes vorhabe.«

Wie sich herausstellte, war das Fahren der Lore tatsächlich nicht besonders schwer und machte riesigen Spaß, nachdem ich den Dreh erst einmal raushatte.

Als wir Dagebüll erreichten und ich *meine* Draisine auf dem Gleis zum Stehen brachte, war ich stolz wie schon lange nicht mehr.

»Wie hast du das denn so lange vor mir geheim gehalten?«, fragte ich Reemt. »Ich meine, wann hast du Adas Lore entführt und bemalt?«

»Die stand schon eine kleine Weile vor ihrem Tod bei mir in Dagebüll, weil der Keilriemen gerissen war und ich sie reparieren wollte. Ich habe das Ganze dann aber ehrlich gesagt aus den Augen verloren, weil ich eine Zeitlang weg war. Außerdem wusstest du ja anfangs noch nicht, was du mit dem Erbe anfangen würdest. Nach unserem letzten Treffen fiel mir die Lore dann wieder ein, und voilà, nun ist es fertig, das kleine Schmuckstück. Ich hoffe, der Name Leuchtturm-Express gefällt dir. Wenn nicht, kann ich auch gern was anderes draufmalen.«

»Und ob mir der gefällt«, entgegnete ich und konnte es plötzlich kaum erwarten, Reemt von meinen Plänen bezüglich der Umgestaltung des Hofes zu erzählen. Allerdings hatte die Sache – abgesehen von der Frage nach der Finanzierung – einen Haken: Reemt hatte sich bei unserer ersten Begegnung äußerst negativ darüber geäußert, dass der »Freizeitpark-Tourismus« auf den Nordfriesischen Inseln und Halligen Einzug gehalten hatte. Deshalb beschloss ich, bezüglich meines Vorhabens erst einmal relativ vage zu bleiben. »Er … er ist sehr passend. Ich plane nämlich, künftig noch mehr Menschen die Möglichkeit zu geben, mal auf den Turm zu klettern«, sagte ich also. »Und nun habe ich eine wunderbare Möglichkeit, um die … Gäste … persönlich abzuholen.«

»Gäste?«, wiederholte Reemt, sichtlich irritiert. »Du meinst die Tagestouristen, oder?«

Ich murmelte »So ähnlich« und startete dann ein Ablenkungsmanöver. »Also, was gibt es denn so Schönes in Husum, das du mir zeigen möchtest? Die Krokusblüte ist doch schon längst vorbei.«

»Wart's ab!«, entgegnete Reemt, sichtlich amüsiert. »Wenn es dir recht ist, nehmen wir mein Auto, um dorthin zu fahren.«

Ich nickte zustimmend und war gespannt, wohin Reemt mich bringen würde. Als wir beim Theodor Storm Hotel links abbogen und die Straße Westerende erreichten, erblickte ich auf dem Erkerbalkon eines rotgeklinkerten Gründerzeithauses einen riesigen Nussknacker, der neugierig auf die Straße hinabzuschauen schien. Reemt verlangsamte das Tempo und suchte dann nach einem Parkplatz.

»Ein Nussknacker und eine Girlande aus Tannengrün, mitten im Sommer?«, fragte ich und deutete nach oben zu dem kleinen Erkerbalkon. »Das ist ja toll.«

Reemt brachte das Auto zum Stehen und antwortete schmunzelnd: »Na, dann sind wir hier ja genau richtig. Komm, steig aus.«

Das Nächste, was ich sah, war ein Schild an der rötlichen Fassade, auf dem in großen Lettern *Weihnachtshaus* stand, und dann ein Fenster, hinter dem ich einen dunkelgrünen Tannenbaum aus Holz entdeckte. Von innen war der Schriftzug *Weihnachtsmuseum* angebracht.

»Was ist das denn?«, fragte ich, während ich ungläubig auf die Haustür mit der Nummer 46 starrte. Das Holz war ebenfalls grün gestrichen und mit aufwendigen Intarsien verziert. Weiße, an einer Girlande aus Tannengrün befestigte Sterne schaukelten im sanften Sommerwind. Ein etwas skurriler Anblick bei milden dreiundzwanzig Grad und strahlendem Sonnenschein.

»Da gehen wir jetzt rein«, sagte Reemt bestimmt und öffnete die Tür. Dann betrat er das rechte von zwei Zimmern, die im Parterre lagen und Weihnachtsartikel anzubieten schienen.

Ich folgte ihm neugierig und sah dabei zu, wie er zwei Eintrittskarten für das Museum löste.

»Haken Sie einfach die rote Kordel am Eingang aus, und schließen Sie sie wieder, wenn Sie im Museum sind«, bat die freundliche Dame an der Kasse des Lädchens.

»Aber sehr gern doch«, antwortete Reemt charmant, nahm die goldene Öse, an der das rote Seil hing, und ich folgte ihm in das Innere des Museums. Dabei blätterte ich in einem Faltblatt, das die Dame uns mitgegeben hatte. *Auf über drei Etagen und mehr als 300 m² sind einige tausend Ausstellungsstücke zu bestaunen*, las ich, zutiefst gerührt von Reemts Idee. Offensichtlich hatte er mir genau zugehört, als ich bei unserem letzten Treffen davon erzählt hatte, wie viel Bedeutung Weihnachten – das Fest der Liebe – für mich hatte.

Im Parterre waren neben Biedermeier-Christbaumschmuck auch der Theodor-Storm-Baum sowie historische Tannenbäume und Beleuchtungen zu bewundern. In der alten Waschküche stieß ich zu meiner großen Freude auf einen typisch nordfriesischen, aus Holz gefertigten *Jöölboom,* an dem neben den traditionellen Motiven – Mann, Frau, Tiere – einige Anhänger mehr baumelten. In Nordfriesland wurden diese sogenannten Popen aus hellem Keksteig gebacken und später mit Fliederbeersaft bemalt. In diesem Fall waren die Motive jedoch aus Holz gesägt.

»Der ist ja wunderschön, so einen hätte ich gern für Adas Stuv!«, rief ich verzückt aus, als ich den Baum erblickte. »Vielleicht kann mir ja Felix so einen schnitzen.«

»Wir haben auch einen Jöölboom in unserer Familie«, sagte Reemt. »Allerdings schmücken wir ihn zusätzlich mit wilden Kekskreationen, die uns beim Backen spontan in den Sinn kommen. Während des Backens hören wir immer das Weihnachts-Oratorium von Bach. Traditionen sind ja wirklich etwas Schönes, aber gepaart mit tollen Neuerungen unschlagbar.«

»Du hast bislang noch kaum etwas von deiner Familie erzählt, außer dass ihr es beim Essen immer eilig hattet«, versuchte ich Reemt lächelnd aus der Reserve zu locken.

Und auch sonst weiß ich kaum etwas über dich, außer dass ich beginne, dich gernzuhaben.

»Das können wir ja irgendwann nachholen, wenn du magst. Aber jetzt sollten wir uns auf das Weihnachtswunderland konzentrieren, das hier vor uns liegt. Schau mal, diese aufwendig geschnitzten Deckenleuchter, und da, das Buddelschiff mit den Zwergen in der Vitrine.«

Es war schön zu sehen, dass Reemt ganz offensichtlich nicht nur mir eine große Freude mit diesem Ausflug machte, sondern auch sich selbst. »Und da, diese riesige Spieluhr. Wollen wir die mal ein bisschen in Bewegung setzen?«

Ich antwortete »Na klar!« und drückte auf den Knopf neben der Vitrine. Binnen Sekunden glaubte ich, daheim in Hannes Wohnzimmer zu sitzen, gemeinsam mit Felix. Ich sah unzählige vergangene Weihnachtsfeste an mir vorüberziehen und bekam einen dicken Kloß im Hals. Ich musste mich unbedingt wieder mit meiner Mutter versöhnen. Nicht auszudenken, dass unsere Beziehung aufgrund des Streits womöglich für immer zerbrochen war!

»Bist du traurig?«, fragte Reemt und schaute mich besorgt an. »Weihnachten löst immer auch ein bisschen Melancholie aus, ich weiß. Tut mir leid. Hätte ich dich besser nicht hierherbringen sollen?«

»Nein, nein, alles bestens«, antwortete ich und setzte ein fröhliches Lächeln auf. »Ich finde es wunderschön und freue mich, dass ich das … mit dir gemeinsam erleben darf.« Um meine Gefühle ihm gegenüber zu verbergen – zumal sie mich gerade selbst überraschten –, zeigte ich auf eines der Exponate. »Da, schau mal, die Muschelketten und der Schmuck aus Wellhornschnecken in der Vitrine da drüben. Das passt wirklich wunderbar an die Nordsee.«

Mittlerweile hatten wir die aktuelle Sonderausstellung zum Thema *Naturspielzeug* erreicht, die zuvor schon im Freilichtmuseum Rieck-Haus in den Vierlanden gezeigt worden war. Nachdem wir auch die obere Etage und das Dachgeschoss inspiziert und über vieles gestaunt, gelacht oder es andächtig bewundert hatten, war es kurz vor fünf.

Das Museum würde gleich schließen.

»Möchtest du noch einen Abstecher in den Shop machen, oder kaufst du nicht so gerne ein?«, fragte Reemt augenzwinkernd. »Ich für meinen Teil bräuchte noch das ein oder andere Weihnachtsgeschenk.«

»So etwas lasse ich mir nie zweimal sagen«, antwortete ich und folgte Reemt über die Holzstufen nach unten ins Parterre.

Während er sich im Lädchen mit den Büchern und dem Weihnachtsschmuck umschaute, betrachtete ich nachdenklich die rundlichen Engelsfiguren mit den roten Bäckchen der Firma Wendt & Kühn aus Grünhainichen, die Hanne bestimmt gefallen würden. Ich entschied mich spontan, eine zu kaufen, weil schon der bloße Anblick gute Laune machte.

Ich ließ mir den Engel als Geschenk einpacken und schaute mich dann um, auf der Suche nach einem kleinen Geschenk für Felix oder einem Mitbringsel für Meggie und Marie.

»Hast du alles?«, fragte Reemt, als er zu mir in den Shop kam. »An deiner Stelle würde ich noch mal einen Blick nach nebenan werfen, da gibt es ebenfalls wunderschöne Sachen.«

Ich folgte seinem Rat und durchstöberte mit viel Vergnügen das große, liebevoll ausgewählte Buchsortiment mit Themenschwerpunkt Nordfriesland. Hier fanden sich neben Kochbüchern von Föhrer Landfrauen und bebilderten Ausgaben von Storms *Schimmelreiter* auch Sagen und Märchen aus Nordfriesland sowie Bücher über die Halligen. Ich entschied mich für zwei Kochbücher und die Novelle von Storm, die ich als Jugendliche im Unterricht behandelt und sehr geliebt hatte. Es würde sicher Spaß machen zu erfahren, ob mir der Text immer noch so gut gefiel und ich die Geschichte immer noch so gruselig fand wie damals. Am stimmungsvollsten wäre es sicherlich, sie an einem verregneten Herbstabend an Adas Kachelofen zu lesen, wenn draußen der Wind ums Haus pfiff.

»Lust auf einen kleinen Spaziergang zum Schloss?«, fragte Reemt schließlich, als wir draußen auf der Straße standen. »Wir können deine Sachen in den Kofferraum packen und dann weiter durch Husum laufen. Das Wetter ist viel zu schön, um jetzt schon wieder nach Hause zu fahren.«

Ich antwortete »Sehr gern«, erstaunt darüber, wie die Zeit verflog und wie harmonisch unser gemeinsamer Ausflug verlief.

Kurze Zeit später steuerten wir auf den Park zu, und ich bestaunte das Spiegelbild, das das Schloss, teils verdeckt von den sattgrünen Blättern eines Kastanienbaums, im See erzeugte.

Außer uns war erstaunlicherweise kein Mensch unterwegs, so dass der Ort etwas wundervoll Verwunschenes hatte.

Der Brunnen auf dem Platz vor dem Schlosscafé, dessen Fassade von Rosen umrankte wurde, erinnerte an das Märchen *Der Froschkönig*.

Animiert durch die besondere Stimmung und den Zauber des Augenblicks, beschloss ich, Reemt von meinen Plänen bezüglich des Bauernhofs zu erzählen. Entgegen meiner Befürchtung kritisierte er meine Ideen nicht, ganz im Gegenteil.

»Das finde ich toll«, sagte er, nachdem ich ihm mein Vorhaben dargelegt hatte.

»Vielleicht kann man dort ja sogar Konzerte aufführen wie hier im Schloss«, überlegte ich, animiert durch Reemts positive Reaktion. »Ich möchte einen Ort erschaffen, an dem die Gäste einfach sie selbst sein können, wo sie sich wohl und entspannt fühlen und mit Menschen zusammenkommen, die ähnliche Wünsche und Bedürfnisse haben. So eine Art Urlaub auf dem Bauernhof, nur für Erwachsene – wobei Kinder natürlich ebenfalls willkommen sind. Meine beste Freundin Meggie, ihr Mann Harald und ihre Zwillingsmädchen freuen sich schon riesig darauf, mich bald auf Fliederoog zu besuchen.«

»Das bedeutet also, dass du vorhast, länger auf der Hallig zu bleiben als für die Dauer deiner geplanten Auszeit?«, fragte Reemt, als wir nach einem Spaziergang um das Schloss und einem Drink im Café wieder zurück zum Auto kamen. »Dann passt dieses Geschenk ja ganz hervorragend«, sagte er, öffnete den Kofferraum und überreichte mir einen großen, unförmigen Gegenstand, verpackt in Weihnachtspapier.

»Was ist das denn?«, fragte ich überrascht, erkannte jedoch schnell, dass Reemt einen Jöölboom gekauft hatte, während ich nebenan in den Büchern gestöbert hatte.

»Für dein erstes Weihnachten auf Flöderoog«, antwortete er strahlend, und ich spürte, wie mir das Blut in die Wangen stieg. »Ich drücke die Daumen, dass Doktor Petersen dir helfen kann, die Finanzierung des Umbaus zu stemmen. Und ich biete dir hiermit hochoffiziell meine Hilfe bei allem an, was nötig ist, um deinen Traum zu erfüllen. Ada würde sich riesig freuen und wäre mächtig stolz auf dich.«

39. Kapitel

Am späten Nachmittag des darauffolgenden Montags verdunkelten schwarze Wolken den Horizont, und böiger Wind kam auf.

Marie war zu Vorstellungsgesprächen für Nadines Nachfolge aufs Festland gefahren und ich seit meiner Rückkehr von Husum allein im Haus. Ich vertrieb mir die Zeit bis zu Doktor Petersens Rückruf, den ich nicht hatte erreichen können, indem ich im Garten arbeitete und Pläne für mein Projekt »Auszeithaus« schmiedete.

In dem Moment, als das Wetter umschlug, saß ich mal wieder auf Adas Bank, trank Kaffee und schaute versonnen auf die unterhalb des Gartens liegenden Salzwiesen, die nun aufgrund der fehlenden Sonne fahl und grau wirkten. Der gestrige Tag mit Reemt war wunderschön gewesen, und ich hatte große Lust, ihn schon bald wiederzusehen, obgleich ich mich nicht aufdrängen wollte. Eine innere Stimme sagte mir, dass es sicher ratsam war, nicht zu sehr aufs Gaspedal zu treten und die Dinge einfach auf mich zukommen zu lassen.

Wie üblich staksten Austernfischer, Rotschenkel und Lachmöwen umher, auf der Suche nach Futter. Ich liebte den Anblick der hübschen Vögel, die etwas wundervoll Graziles und Majestätisches an sich hatten. Wie Tänzer in einem Kostüm aus schimmerndem Gefieder schwebten und trippelten sie über den Marschboden und machten ihn damit zu ihrer Bühne.

Doch etwas war heute anders als sonst, auch wenn ich zunächst nicht genau sagen konnte, was und wieso.

Gedankenverloren trank ich meinen Kaffee und beobachtete, wie nach und nach immer mehr Vögel auf den Wiesen landeten, die meisten von ihnen im Sturzflug. Mittlerweile mussten es mehrere hundert sein, die sich in der Marsch versammelten. Ihre Landung hatte jedoch nichts gemein mit einem gemütlichen Päuschen, dies war deutlich erkennbar.

Und plötzlich stiegen alle – wie auf ein geheimes Kommando – mit lautem Kreischen in den Himmel und nahmen gemeinsam Kurs auf die Warft.

Zahllose Vogelkörper verdichteten sich zu einem schwarzen Schwarm, der dicht über meinen Kopf hinweg in Richtung Leuchtturm flog. *Das ist ja wie bei Hitchcocks* Vögel, dachte ich, während Gänsehaut meinen ganzen Körper überzog.

Sieht aus, als seien die Tiere auf der Flucht.

Bei dem Gedanken bekam ich Schluckauf, was sonst nur äußerst selten vorkam, und der Wind wurde auf einmal so stark, dass er den Sonnenschirm aus seiner Verankerung riss und quer durch die Luft schleuderte. Wie gelähmt schaute ich zu, wie der schwere Schirm über den Garten hinweg und schließlich über den Friesenwall auf die Salzwiesen getrieben wurde.

Um nicht selbst von einer Böe erfasst zu werden, die mittlerweile Orkanstärke zu haben schienen, flüchtete ich mich ins Haus und hoffte, dass der Schirm niemanden verletzte. Dann trank ich ein Glas Wasser, um den lästigen Schluckauf in den Griff zu bekommen, der so hartnäckig war, dass es mir ein wenig Angst machte.

Plötzlich hallten Jaspers Worte in meinen Ohren wider:

»Beide wussten immer ganz genau, wann wir auf den Halligen Land unter kriegen, denn beide haben geradezu körperlich auf sich

ankündigende Sturmfluten reagiert. Ada bekam immer Schluckauf –
und Einspänner Knieschmerzen.«

Oh nein, das durfte doch nicht wahr sein!

Wir hatten Sommer, keine klassische Zeit für Sturmfluten.

Hektisch checkte ich die Wetter-App, die allerdings »nur« starke Windböen aus nordwestlicher Richtung ankündigte, keine Sturmflut. Doch irgendwie wollte ich nicht so recht glauben, was da stand. Also googelte ich als Nächstes die Stichworte *Anzeichen Land unter Halligen* und las, dass Tiere, insbesondere Vögel, sich bei Sturmflut zum Schutz vor dem Wasser auf höher gelegene Gebiete zurückzogen, um dort abzuwarten, bis die ablaufende Nordsee die Hallig wieder freigab. Diese Information in Kombination mit dem ungewöhnlichen Schluckauf war für mich der Beweis: Es würde Land unter geben.

Um mich zu vergewissern, dass das Wasser wirklich schneller auflief als sonst, beschloss ich, auf den Leuchtturm zu steigen, um mir von dort oben einen besseren Eindruck von der Situation zu verschaffen, denn ich wusste nicht, wen ich um Rat fragen sollte.

Die Lorenzens und Marie waren in Husum, Reemt in Dagebüll.

Einspänner kümmerte sich während ihrer Abwesenheit um das Vieh auf dem Hof. Sollten wir wirklich eine Sturmflut bekommen, blieb nur zu hoffen, dass Enrik sich seiner Verantwortung bewusst war und nicht nur seine Ziegen in Sicherheit brachte, sondern auch Adas Kühe und Hühner.

Die Einzigen, die ich sonst noch auf Fliederoog kannte – von kurzen, flüchtigen Begegnungen mit anderen Halliglüüd einmal abgesehen –, waren Wiete und Uwe Bruhns. Allerdings war das Ende meines Treffens mit Wiete von ihrem Zusammenbruch überschattet, keine gute Voraussetzung also, um mich jetzt bei dem Ehepaar zu melden.

Was auch immer passieren würde, ich würde allein damit fertigwerden müssen. Und ich durfte keine Zeit verlieren.

Keuchend erreichte ich die obere Etage des Leuchtturms.

Obwohl ich mich im Inneren des Turms befand, dröhnte der Wind so laut in meinen Ohren, als sei er ein wütender Riese, der seinen Hass laut brüllend in die Welt hinausschleuderte.

Der Schluckauf war zum Glück verschwunden, aber nun hatte ich das Gefühl, der Boden würde unter meinen Füßen schwanken. Hilfe suchend umklammerte ich das Treppengeländer, während kalter Schweiß auf meine Stirn trat. Doch ich durfte jetzt nicht stehen bleiben, sondern musste ganz nach oben, um zu sehen, wie tief der Blanke Hans seine Krallen bereits in die Hallig geschlagen hatte. Mit letzter Kraft erreichte ich die Eisentür und öffnete die drei Riegel. Aber allein schon der bloße Versuch, auf die Plattform zu kommen, misslang. Offensichtlich drückte der Wind mit solcher Kraft gegen die Tür, dass ich keine Chance hatte. Also schaute ich mich suchend um, da das einzige Bullauge, das sich hier befand, sehr weit oben eingelassen war. Schließlich erblickte ich im Zwielicht zwei Holzkisten, die ich eilig übereinanderschob. Dann stellte ich mich vorsichtig darauf und wagte einen Blick durch die beinahe blinde, von Salzwasserschlieren verschmutzte Scheibe.

Soweit ich es erkennen konnte, überfluteten bereits erste Nordseewellen die Steinkanten von Fliederoog. Einige Vögel, die sich nicht rechtzeitig in Sicherheit gebracht hatten, wurden vom Wind hin und her geschleudert.

Ich schloss die Augen, weil ich mir gar nicht erst ausmalen wollte, was mit den armen Tieren geschah, wenn es ihnen nicht gelang, sich aus den Klauen des Orkans zu befreien. Als ich die Augenlider wieder öffnete, sah ich, dass das Wasser nun noch viel stärker vom Sturm aufgepeitscht worden war und immer weiter über die Steinkante auf die Hallig brandete.

Nicht mehr lange, und Fliederoog würde volllaufen, so viel war sicher. Nun galt es, sofort zu entscheiden, was ich tun sollte.

Hier oben bleiben, wo mir mit Sicherheit nichts passieren würde, oder zurück in Adas Haus gehen, um dort alles, was ihr – aber auch mir – lieb und teuer war, zusammenzuraffen und in den ersten Stock zu bringen.

In diesem Augenblick wurde mir klar, dass ich um Adas Erbe kämpfen würde, anstatt mich wie ein Feigling zu verkriechen. Meine Großmutter hatte zeit ihres Lebens tapfer allen Widerständen getrotzt, und genau dasselbe würde ich jetzt auch tun.

Also hastete ich die Treppe in einem halsbrecherischen Tempo, das ich unter normalen Umständen nicht bewältigt hätte, wieder hinab. Wie ein Pfeil schoss ich dahin, ein einziges Ziel vor Augen: Adas Briefe, ihr Buch *Das geheime Wissen der Wunschmeditation* und ihre Fotos zu retten.

Mit zitternden Händen und vollkommen durchnässt von meinem Angstschweiß und dem Starkregen, der nun ebenfalls eingesetzt hatte, öffnete ich die Tür zum Haus meiner Großmutter.

Dann stopfte ich als Erstes mein Handy in die Tasche der Jeans, griff mir die Powerbank, Adas Buch und schließlich die Fotos, die Ada auf einer Kommode im Erdgeschoss aufgestellt hatte. Eines davon zeigte sie mit meinem Vater. Anschließend hastete ich die Treppe in Börges Zimmer hinauf, das nun Marie bewohnte, und schmiss alles auf die Tagesdecke. Nachdem mein Herzschlag sich ein wenig beruhigt hatte, warf ich einen erneuten Blick aus dem Fenster. Durch die Regenschlieren hindurch erkannte ich, dass die Nordsee mittlerweile beinahe buchstäblich vor der Tür stand. Niemals hätte ich gedacht, dass das so schnell gehen konnte. Noch geschätzt drei Meter, dann würde die Flut zuerst Adas Garten überrollen und schließlich ins Haus laufen.

Voller Panik rannte ich in die Küche, ließ Wasser in eine Kanne laufen, schnappte mir eine Tafel Schokolade, zwei Bananen und alle Kerzen, die ich auf die Schnelle finden konnte. Irgendwo hatte ich mal gelesen, dass bei Sturmflut auf den Halligen im schlimmsten Fall sowohl der Strom ausfiel als auch die Süßwasserversorgung zusammenbrach.

Nachdem ich alles in einen Leinenbeutel gepackt und auf die dritte Stufe des Treppenaufgangs gelegt hatte, fiel mir ein, dass ich noch Adas Ordner in Sicherheit bringen musste. Nicht auszudenken, wenn all die alten Dokumente in den Fluten der Nordsee versinken würden! Also raffte ich so schnell ich konnte alles zusammen und rannte dann in einem Tempo die Treppe nach oben, als sei der Teufel persönlich hinter mir her.

Kaum hatte ich mich auf den Vorleger vor Börges Bett sinken lassen, wurde mir schwindelig, meine Zähne klapperten und schlugen aufeinander, ohne dass ich etwas dagegen tun konnte.

Heute wurde mein schlimmster Alptraum wahr.

Seit ich denken konnte, hatte ich von einer gigantischen Flutwelle geträumt, und davon, dass mein Vater in letzter Sekunde meine Hand losließ, als die Welle mich zu überrollen drohte.

Doch niemals hätte ich geglaubt, dass ich in meinem Leben wirklich mal in eine ähnliche Situation geraten würde.

Ich dachte an meine Mutter und an Felix.

Ob die beiden wussten, was sich hier an der Nordsee binnen kürzester Zeit zusammengebraut hatte?

Wenn ja, machten sie sich garantiert Sorgen.

Ich zog mein Handy aus der Hosentasche und wollte gerade die Nummer meiner Mutter wählen, als ich feststellen musste, dass ich keinen Empfang hatte. Doch ich konnte auf dem Display sehen, dass sowohl Doktor Petersen als auch Hanne, Felix, Marie, Reemt und Meggie versucht hatten, mich anzurufen.

Zwanzig verpasste Anrufe in Abwesenheit.

Draußen war es mittlerweile beinahe vollkommen dunkel. Angestrengt starrte ich ins Zwielicht, als es plötzlich einen Knall am Fenster tat. Mit klopfendem Herzen sprintete ich zur Scheibe, um nachzuschauen, was passiert war, und entdeckte eine Blutspur, die nach unten führte. Offensichtlich war ein Vogel gegen das Glas geschleudert worden und nun verendet.

»Dir wird nichts passieren, dir wird nichts passieren«, murmelte ich, als ob ich ein Mantra aufsagen würde.

Den Gedanken daran, dass es früher in der Nordsee insgesamt einhundert Halligen gegeben hatte, von denen heute nur noch elf existierten – Flederoog mit eingeschlossen –, versuchte ich in diesem Moment ebenso beiseitezuschieben wie die Vorstellung, dass diese Sturmflut womöglich so schlimm werden könnte wie die Katastrophe von 1962.

Du darfst dich jetzt auf gar keinen Fall von deiner Angst fertigmachen lassen, sprach ich mir Mut zu.

Du musst an etwas Schönes denken, an etwas Positives, das in der Zukunft liegt.

Oder du musst beten ...

Und dann sprach ich zu Gott, wie ich es zuletzt als Kind getan hatte, als ich gemeinsam mit meiner Mutter in der Kirche gewesen war. Damals hatte ich Gott versprochen, nie zu lügen und immer artig zu sein, wenn er mir den Wunsch nach einer bestimmten Puppe oder etwas anderem erfüllte, das ich mir gerade sehnlichst wünschte.

Aber in diesem Fall war es nicht damit getan, als Tauschhandel etwas anzubieten, das sowieso selbstverständlich sein sollte, sondern etwas, das viel bedeutsamer war.

»Ich werde den Hof in Adas Sinne weiterführen und einige der Zimmer kostenlos für Menschen zur Verfügung stellen, die diese Hilfe brauchen. Keine Ahnung, wie ich das finanzieren werde, aber ich werde es tun, versprochen.«

Während ich dies sagte, wusste ich nicht, ob mein Handeln erbärmlich war oder verständlich. Doch egal. Es war schließlich keiner da, um zu werten oder zu urteilen. Ich hielt in meiner Verzweiflung innere Zwiesprache mit jemandem, von dem ich mir Hilfe erhoffte, und das war in Ordnung so. Dann fiel das Licht aus, und ich vernahm von irgendwoher einen jammernden, klagenden Laut. Mit Hilfe der Taschenlampenfunktion meines Handys suchte ich nach den Kerzen, stellte aber fest, dass ich in meiner Panik vergessen hatte, Streichhölzer mit nach oben zu nehmen.

Und dann ertönte wieder dieses Jammern.

Es schien von unten zu kommen.

Im schmalen Lichtkegel des Handys ging ich nach unten, wo der Boden der Stuv bereits einen Zentimeter unter Wasser stand. Erschrocken hastete ich ins Badezimmer und raffte dort alle Handtücher an mich, die ich finden konnte. Dann rannte ich zurück in die Stuv, rollte die Tücher zusammen und legte sie so vor die Eingangstür, dass sie sich vollsogen und hoffentlich das Eindringen weiteren Wassers verhinderten. Wieso hatte ich vorher nicht daran gedacht, die Tür auf diese Weise abzusichern?

Gerade als ich überlegte, wo ich die Schachtel mit den Streichhölzern zuletzt aufbewahrt hatte, erblickte ich es: ein kleines Kätzchen, das sich auf Adas Kommode geflüchtet hatte und mich nun mit großen Augen anschaute.

»Wie bist du denn hier hereingekommen?«, fragte ich und ging mit langsamen Schritten auf das Tierchen zu, um es nicht zu erschrecken. Die Katze antwortete mit jammervollem Maunzen. »Komm, ich trage dich nach oben, da bist du in Sicherheit«, sagte ich in so beruhigendem Tonfall, wie es mir unter diesen Umständen möglich war. »Und ich habe auch etwas zu fressen für dich.«

Obwohl ich damit rechnete, dass das Kätzchen sich wehren und mich kratzen würde, ließ es sich widerstandslos von mir auf den Arm nehmen. Ich ging in die Küche, durchwühlte dort im Schein der Handylampe die Schubladen und fand schließlich, wonach ich suchte: Streichhölzer und eine Dose Thunfisch im Vorratsschrank.

Es war nicht einfach, gleichzeitig die Katze zu halten, das Handy und dazu noch Dinge wie einen Dosenöffner einzupacken, doch schließlich balancierte ich meine wertvolle Fracht nach oben.

»Hast du Hunger?«, fragte ich, nachdem ich die Kerzen angezündet und zwei Glasschälchen aus Adas Werkstatt geholt hatte, die Marie zur Aufbewahrung von Bastelmaterial nutzte. Kaum hatte ich den Thunfisch in das eine und Wasser aus meiner Kanne in das andere Schälchen gefüllt, stürzte sich das Kätzchen augenblicklich auf den Inhalt der Dose, und ich beglückwünschte mich im Stillen dazu, dass ich den Fisch neulich im Kiek ut gekauft hatte.

Erfreut darüber, dem Tierchen mit dem hübschen, silbergrauweiß gestreiften Fell helfen zu können und nicht mehr ganz so allein zu sein, schaute ich dabei zu, wie der kleine Stubentiger genüsslich den Fisch verspeiste und sich dann mit der rosa Zunge über das Mäulchen schleckte.

Gerade als ich beschloss, noch einmal nach unten zu gehen, um nachzusehen, ob das Wasser im Haus weiter gestiegen war, hörte ich, wie jemand gegen die Tür hämmerte.

War da jemand in Not und suchte nun Unterschlupf bei mir?

Zum x-ten Mal an diesem Tag rannte ich nach unten und öffnete mit zitternden Händen den oberen Teil der Klönschnacktür.

»Was tust du denn hier?«, fragte ich, vollkommen verdutzt, als ich erkannte, wer mein unerwarteter Besucher war.

40. Kapitel

»Dann hätten wir die Frage mit dem Du auch endlich mal geklärt«, antwortete Einspänner, eine Thermoskanne schwenkend. »Lässt du mich jetzt rein, oder willst du warten, bis mir das Wasser endgültig bis zur Halskrause steht?«

»Oh, mein Gott, bitte entschuldige«, antwortete ich betreten und öffnete Enrik die Tür.

»Hast ja auch schon ganz nasse Füße«, sagte er und deutete auf meine komplett durchweichten Chucks. »Und zum Friseur müsstest du auch mal wieder, oder ist dieser Nasse-Strähnchen-Look jetzt in?«

Völlig perplex angesichts Enriks plötzlich so gesprächiger Art fragte ich: »Was machst du denn hier? Und wie hast du es überhaupt hierhergeschafft? Der Sturm weht einen doch sofort von der Hallig! Außerdem musst du ja im Wasser versunken sein.«

»So was Zartes wie dich pustet's vielleicht schon davon, aber ich bin ja 'n büschn kräftiger gebaut, außerdem habe ich ein Boot«, antwortete Einspänner. »Und ich konnte doch schlecht Adas Enkelin bei ihrer ersten Sturmflut allein lassen, nich' wahr?« Ich nickte, dankbar für sein unerwartetes Auftauchen. »Was ist? Wollen wir nach oben und heißen Tee trinken?«, fragte Enrik und fügte augenzwinkernd »Ich hab auch eine kleine Flasche Rum dabei« hinzu.

»Sehr gern. Aber zuvor würde ich gern wissen, ob ich noch

etwas tun kann, um zu verhindern, dass hier unten alles kaputt-
geht.«

Enrik zuckte mit den Achseln. »Schätze, dafür isses jetzt zu
spät, darum hättest du dich früher kümmern müssen«, sagte er.
»Aber mach dir keinen Kopf, is' ja schließlich deine erste
Sturmflut. Und die hat ihren Scheitelpunkt jetzt erreicht. Irgendwann läuft das Wasser wieder ab, und dann kannst du immer noch den Putzlappen schwingen.«

Oben angekommen, setzte ich mich auf Börges Bett, auf
dem das Kätzchen sich mittlerweile zusammengerollt hatte.
Einspänner schenkte uns Tee in zwei Becher, die er ebenfalls
dabeihatte, und gab in beide einen ordentlichen Schluck
Rum. »Beim nächsten Mal bist du besser vorbereitet und
weißt, was du zu tun hast«, murmelte er, während die Katze
wohlig zu schnurren begann und der Sturm an den Fensterläden rüttelte.

»War diese Flut denn angekündigt?«, fragte ich und streichelte das Kätzchen. Das warme, weiche Fell fühlte sich tröst-
lich an, und ich erinnerte mich daran, wie ich als kleines Mädchen darum gebettelt hatte, eine Katze haben zu dürfen. Doch
leider war Hanne allergisch gegen Katzenhaare.

»Nein, war sie nicht«, antwortete Einspänner. »Da kannste
mal sehen, dass diese ganzen neumodischen, satellitengestütz-
ten Computersysteme der Wetterdienste auch nicht immer alles wissen. Ich verlass mich auf mein Bauchgefühl und darauf,
dass ich immer Knieschmerzen bekomme, wenn wir Land unter
kriegen. Heutzutage kommen diese Sturmtiefs plötzlich und
unerwartet hart, können aber genauso gut in einer Stunde wieder abflauen. Nix Genaues weiß man nicht. Der Klimawandel
macht eben auch nicht vor den Halligen halt.«

»Sind Adas Tiere denn in Sicherheit?«, fragte ich, während

ich gleichzeitig ein bisschen beleidigt war, weil Einspänner mich nicht vor der Sturmflut gewarnt hatte.

»Jou, das sind sie«, sagte Enrik und leerte seinen Tee in einem Zug. »Und das ist auch der Grund, warum ich dich nicht warnen konnte. Ich musste ja nicht nur meine Ziegen zusammen mit Käpt'n in den Stall treiben, sondern auch die Kühe und die Hühner sturmfest machen und auch sonst auf dem Hof nach dem Rechten sehen. Aber du hast dich ja tapfer geschlagen, wie es aussieht, und auch eine neue Freundin gefunden. Hübsches Tierchen, wie heißt sie denn?«

»Keine Ahnung, sie ist mir gerade erst zugelaufen, wie auch immer sie ins Haus gekommen sein mag. Morgen mache ich einen Aushang im Kiek ut, damit der Besitzer weiß, dass sie hier bei mir ist.«

Enrik nickte und streichelte ebenfalls die Katze, die unsere Liebkosungen sichtlich genoss. »Bei uns auf der Warft habe ich sie jedenfalls noch nicht gesehen«, sagte er. Dann schenkte er uns beiden einen zweiten Tee ein, was guttat, denn ich begann zu frösteln. Schließlich trug ich noch immer meine nassen Sachen und die durchweichten Schuhe.

»Willst du dir nicht erst mal was Trockenes anziehen?«, schlug Enrik vor. »Und dann sollten wir dringend die Heizung anmachen, sonst holst du dir noch 'nen Gefrierbrand.«

Gefrierbrand?!

Dieses Wort kam mir bekannt vor.

»Sag mal, Enrik«, begann ich, weil mir nun einiges dämmerte. »Kann es sein, dass ich dir den Heizlüfter verdanke, der an meinem ersten Abend auf Fliederoog urplötzlich auf der Türschwelle stand?«

Einspänner lächelte verlegen und spielte an seinem Käppi herum. »Tja, könnte schon sein. Ich hab übrigens ein Notstromaggregat für das gute Stück mit.« Sprach's und nahm ein benzinbetriebenes Gerät aus seinem riesigen Rucksack, das aussah wie ein größeres Transistorradio. »Wo steht denn der Radiator?«

»Unten, in Adas Schlafzimmer«, antwortete ich, mehr als dankbar für Einspänners Umsicht. Wer hätte gedacht, dass hinter seiner muffeligen Fassade ein so weiches, mitfühlendes Herz schlug?

Nachdem er die mobile Heizung nach oben geschleppt, mit einem Tuch abgetrocknet und am Aggregat angeschlossen hatte, wurde es relativ schnell warm. Ich hatte mir währenddessen trockene Socken, eine Jogginghose und einen Sweater von Marie angezogen. »Und, wie sieht es da unten aus? Ist noch mehr Wasser ins Haus gelaufen?«

»Ein kleines bisschen«, sagte Enrik. »Aber keine Sorge, wir saufen hier schon nicht ab. Oder hast du jetzt Schiet inne Büx?«

»Na ja, ein bisschen schon«, gab ich zu. »Und deshalb bin ich dir auch sehr dankbar, dass du rübergekommen bist. Anfangs habe ich ja gedacht, dass du mich nicht ausstehen kannst, und nun stellt sich heraus, dass du schon zum zweiten Mal mein rettender Engel in der Not bist.«

»Das mach ich alles nur für Ada«, sagte Enrik und deutete mit dem Finger nach oben. Für eine Nanosekunde überzog so etwas wie ein Lächeln sein Gesicht. »Also bild dir ja nichts darauf ein!«

»Auf gar keinen Fall!«, antwortete ich, und dann schwiegen wir beide eine ganze Weile.

Irgendwann musste ich eingeschlafen sein, denn ich erwachte, als Licht von draußen ins Zimmer fiel. Enrik hatte offensichtlich eine Decke über mich gebreitet, denn ich lag, zusammen mit dem Kätzchen, das direkt neben meinem Kopf schnurrte, wohlig weich und warm eingemummelt auf Börges Bett.

Verschlafen blickte ich auf die hölzerne Standuhr, die neben dem Fenster stand, und sah, dass es zehn Uhr morgens war.

Ich musste geschlafen haben wie ein Stein.

Immer noch ein wenig benommen setzte ich mich auf, rief »Enrik?«, erhielt jedoch keine Antwort.

Also tappte ich gähnend zum Fenster und sah zu meinem Erstaunen, dass die Sonne schien und sich kaum ein Wölkchen am Himmel blicken ließ. Die Flut war abgelaufen, die Hallig beinahe vollkommen trockengefallen, soweit ich das erkennen konnte. Wenn ich es nicht besser gewusst hätte, hätte ich geglaubt, die Sturmflut nur geträumt zu haben.

Ob der Strom und das Telefon wohl wieder funktionierten?

Der Blick auf mein Handydisplay zeigte mir, dass ich wieder Empfang hatte, denn es waren zahllose neue Anrufe eingegangen. Dass ich nicht von ihnen geweckt worden war, verdankte ich der Tatsache, dass jemand – und dieser Jemand konnte nur Enrik gewesen sein – das Telefon auf lautlos gestellt hatte. Wie fürsorglich.

»Na, wollen wir mal schauen, wie es unten im Haus aussieht?«, fragte ich das Kätzchen, das nun ebenfalls erwachte, vom Bett sprang und unruhig durch das Zimmer tigerte. »Ja, ich weiß, das ist nicht dein Zuhause«, sagte ich. »Aber ich verspreche dir, dass ich ganz schnell herausfinde, wo du wohnst, und dich wieder dorthin zurückbringe. Lass uns nur eben etwas frühstücken, dann geht's auch schon los.«

Maunzend folgte die Katze mir die Treppe hinunter, wo es zu meinem großen Erstaunen ebenfalls aussah, als sei die Flut niemals hier eingedrungen. Nur Adas großer Wäscheständer voller nasser Handtücher und Feudel zeugte davon, dass Einspänner hier fleißig gewischt haben musste, während ich geschlafen hatte.

»Hast du mir Enrik geschickt, damit er künftig an deiner Stelle auf mich aufpasst?«, fragte ich meine Großmutter mit Blick aus dem Fenster. Ein warmes Gefühl durchströmte mich, als ich spürte, dass ich, wenn Marie unterwegs war, auf der Hallig nicht allein war.

Dann bereitete ich im Herdkocher Espresso zu. Bis dieser fertig war, schickte ich eine Rund-SMS an alle, die besorgt gefragt hatten, ob es mir gutging.

Kaum hatte ich die Nachricht versandt, hagelte es auch schon Antworten, die ich allerdings erst einmal ignorierte, weil ich überall im Haus nach dem Rechten sehen wollte. Zum Glück schien so weit alles in Ordnung zu sein, außer dass es sicher ein paar Tage dauern würde, bis die Räume wieder komplett getrocknet waren. Also öffnete ich alle Türen und Fenster, um Durchzug zu machen und die wärmende Sonne hereinzulassen.

Gerade als ich den Espresso in meinen Lieblingsbecher füllte und dabei mit dem Rücken zur Tür stand, vernahm ich eine weibliche Stimme. »Oh mein Schatz, ich bin ja so froh, dass dir nichts passiert ist.«

Verwundert drehte ich mich um und traute meinen Augen kaum, als ich sah, wer zu Besuch gekommen war.

»Mama, was machst du denn hier?!«, fragte ich und stellte den Becher beiseite. »Wie … wie bist du hierhergekommen?«

»Mit der ersten Fähre, die nach der Sturmflut ging«, antwortete Hanne, heute ungewöhnlich rustikal gekleidet. Mir war gar nicht klar gewesen, dass sie Gummistiefel besaß. »Ich habe gestern versucht, die Küstenwache zu überreden, einen Helikopter zu dir zu schicken, aber die wollten nicht fliegen, egal, wie sehr ich sie angebettelt und wie viel Geld ich ihnen für den Einsatz geboten habe. Jetzt bin ich ja hier, und dir geht es gut, und das ist alles, was zählt.«

»Du hast nicht wirklich mit der Küstenwache gesprochen?«, murmelte ich, vollkommen fassungslos. Erst dann fiel mir auf, dass meine Mutter immer noch im Flur stand. »Aber komm doch erst mal rein.«

»Ich bin übrigens auch da«, sagte eine männliche Stimme, und nun trat Felix ins Haus. »Hi, Sis. Na, alles klar?«

In diesem Moment brachen alle Dämme; ich fiel erst meinem Bruder, dann Hanne um den Hals und begann schließlich hemmungslos zu weinen.

Meine Mutter sagte »Schschschhh«, streichelte mir über den Kopf und wiegte mich dann in den Armen, wie sie es früher getan hatte, wenn ich nachts aus meinen Alpträumen hochgeschreckt war. Aus dem Augenwinkel nahm ich wahr, dass Felix sich auf die Terrasse zurückzog.

»Spätzchen, ich habe mir solche Sorgen und solche Vorwürfe wegen unseres Streits gemacht«, murmelte Hanne, die Lippen dicht an meinen Haaren. »Es tut mir so leid, was ich neulich zu dir gesagt habe. Du und Felix seid das schönste und wertvollste Geschenk, das das Leben mir gemacht hat. Kannst du mir bitte verzeihen?«

»Aber das habe ich doch schon längst«, antwortete ich, vollkommen gerührt. »Und ich hätte nicht so hart über dich urteilen sollen. Wer weiß, wie ich in einer solchen Situation reagiert hätte. Ach Mann, ich bin so froh, dass du gekommen bist, du kannst dir gar nicht vorstellen, wie sehr!«

Wir standen eine ganze Weile so in Adas Stuv und versicherten uns gegenseitig, wie sehr wir einander liebten und dass wir beide Fehler gemacht hatten.

»Wenn ihr beiden Turteltäubchen euch jetzt voneinander lösen könntet, dann solltet ihr mal in den Garten gehen«, sagte Felix, nachdem er wieder zurück ins Haus gekommen war. »Ich will ja nicht unken, aber ich würde sagen, da wartet eine Menge Arbeit, genau wie auf dem Rest der Hallig. Die ersten Helfer haben sich schon draußen versammelt.«

»Dann sollten wir wohl am besten alle gemeinsam anpacken!«, sagte meine Mutter, löste sich aus der Umarmung und stemmte die Hände in die Hüften. »Wozu habe ich schließlich dieses praktische Outfit an? Felix, sag mir Bescheid, was getan werden muss. Julchen sollten wir allerdings noch einen Moment durchschnaufen lassen, wie ich die Sache so sehe.«

»Alles klar, Mom«, sagte Felix grinsend. »Ich würde vorschlagen, dass du dir als Erstes den Garten vorknöpfst. Gartengeräte und alles andere findest du in Adas Schuppen.«

»Halt, ich komme mit! Du weißt doch gar nicht, wo was ist«, mischte ich mich ein, doch meine Mutter schüttelte den Kopf.

»Trink du erst mal in Ruhe deinen Kaffee aus, oder leg dich noch mal hin, wir machen das schon. Außerdem kenne ich mich hier auch ein bisschen aus. Schließlich war ich schon das ein oder andere Mal auf Flieи deroog.«

Verwundert, aber auch ein wenig erleichtert beschloss ich, tatsächlich noch mal ins Bett zu gehen. Die Aufregung der vergangenen Nacht steckte mir noch in den Knochen, und auch das unerwartete Auftauchen meiner Mutter und die damit verbundenen Emotionen hatten mich ziemlich überwältigt.

»Okay, das klingt nach einer guten Idee«, murmelte ich, während meine Augenlider plötzlich schwer wie Blei wurden. »Aber weckt mich bitte spätestens in einer Stunde, ich will schließlich auch mithelfen.«

41. Kapitel

Zwei Stunden später stand ich Seite an Seite mit Felix, meiner Mutter und Uwe Bruhns auf der Warft und verfrachtete Treibgut, Unmengen an Schlick und Algen, aber vor allem Plastikmüll mit Hilfe eines Aufnehmers in eine Schubkarre, um später alles zu entsorgen. Es galt jetzt die Hallig möglichst schnell von allem zu befreien, was die Flut an Nutzlosem und Dreck ins Marschland gespült hatte. Uwe Bruhns war extra von der Nachbarwarft zu uns gekommen, weil dort mehr Helfer im Einsatz waren als auf Adas Warft. Einspänner war unterdessen dabei, kaputte Weidezäune und Schäden an seiner Kate zu reparieren.

»Gut machen Sie das«, lobte Uwe Bruhns mich und lächelte freundlich. »Sieht aus, als hätten Sie zeit ihres Lebens Ställe ausgemistet oder bei Aktionen wie ›Saubere Stadt‹ mitgemacht. Das gibt ordentlich Muckis und ist gut fürs Gefühl!«

»Oder es gibt Muskelkater«, bemerkte Felix, der gemeinsam mit Hanne eine weitere Karre mit Treibgut füllte.

»Wie ... wie geht es denn eigentlich Ihrer Frau?«, fragte ich, froh über diese unerwartete Gelegenheit, mit Uwe Bruhns über Wietes Zusammenbruch sprechen zu können.

»Bestens«, antwortete Uwe zu meiner großen Überraschung. »Ich wollte mich schon die ganze Zeit mal gemeldet haben, um Ihnen zu danken.«

»Danken? Mir? Wofür denn?«, fragte ich verwundert.

»Weil Sie meine Ehe gerettet haben. Hätten Sie nicht so nachgebohrt, wäre ein großes Missverständnis zwischen meiner Frau und mir niemals aufgedeckt worden. Wiete hat all die Jahre über geglaubt, ich sei in Ada verliebt gewesen, und nun konnte ich ihr endlich sagen, weshalb ich in früheren Jahren immer zu ihr zum Kaffeetrinken gegangen bin. Bitte verstehen Sie mich nicht falsch. Ihre Großmutter war eine schöne und beeindruckende Frau. Aber ich liebe meine Wiete und habe das immer schon getan.« Er lächelte, und der warme Glanz in seinen Augen berührte mich tief in der Seele. »Ich war nur bei Ada, weil ich versucht habe, etwas gegen unsere Kinderlosigkeit zu unternehmen. Sie wissen ja sicher, dass Ihre Großmutter so ihre … nennen wir es mal Tricks … hatte. An sich glaube ich ja nicht an so 'n Tüddelkram, aber ich wollte nichts unversucht lassen, meiner lieben Frau zu helfen. Und ich habe ihr nur deshalb nichts gesagt, um ihr nicht unnötig Hoffnung zu machen und weitere Enttäuschungen zu ersparen. Schlussendlich hat es ja auch nicht geklappt.«

»Das tut mir leid«, antwortete ich, in Gedanken an das handgeschriebene Buch meiner Großmutter zum Thema Wunschmeditation. Wenn ich mich richtig erinnerte, war darin auch ein Ritual zum Thema Kinderwunsch enthalten. »Verstehe ich richtig, dass Ihre Frau all die Jahre eifersüchtig auf Ada war und Ihnen eine Affäre unterstellt hat?«, fragte ich ungläubig. Uwe Bruhns nickte. »Aber wieso hat sie Sie denn nie auf ihren Verdacht angesprochen?«

Natürlich dachte ich sofort an Oliver und daran, wie ich explodiert war, nachdem ich die Sache mit Katharina herausgefunden hatte.

»Ach, Kindchen«, sagte Uwe Bruhns seufzend. »Wir sind eine andere Generation. Meine Frau war viel zu stolz, um mich

350

mit ihrem Verdacht zu konfrontieren. Heute weiß sie natürlich auch, dass sie sich – aber auch mir – viel Kummer hätte ersparen können, wenn wir das Ganze früher geklärt hätten. Das Gespräch mit Ihnen hat ihr klargemacht, dass sich manche Dinge anders zeigen, als man sie wahrgenommen hat, wenn man sie in einem anderen Licht betrachtet.«

»Ja, man sollte in der Tat offen dafür sein, auch mal eine andere Perspektive einzunehmen«, murmelte ich in Gedanken. »Wenn man seinen Blick zu sehr einengt, kann schnell viel Leid entstehen.«

»Das stimmt allerdings«, sagte meine Mutter, die die ganze Zeit neben uns gestanden und dem Gespräch gelauscht hatte. Schließlich kannte sie die Bruhns durch meinen Vater und hatte noch lange nach dessen Tod Briefkontakt mit ihnen unterhalten. Es gab offensichtlich immer noch vieles, wovon ich nichts wusste. »Ich bin froh, dass meine Tochter sich trotz meiner massiven Widerstände für Adas Erbe geöffnet und es angenommen hat.« Überrascht sah ich zu meiner Mutter, deren Blick auf das Meer gerichtet war. »Es ist so wunderschön friedlich hier«, murmelte sie. »Wie konnte ich das nur vergessen?«

»Weil die Erinnerung an diesen Ort dir Schmerzen bereitet hat«, entgegnete Uwe und tätschelte liebevoll Hannes Arm. »Aber wie du siehst, ist es zum Glück für die meisten Dinge nicht zu spät. Jetzt bist du ja hier, und das ist auch gut so! Wiete steht nämlich gerade in der Küche und kocht wie eine Weltmeisterin für alle, die heute bei den Aufräumarbeiten helfen. Ich frage mich allerdings, wer das alles essen soll – und wo wir die alle unterbringen. Na, Platz ist ja bekanntlich in der kleinsten Hütte. Außerdem ist es wunderbar warm, also können wir im Garten Tapeziertische aufstellen.«

Die Aussicht auf einen gemeinsamen Abend mit all meinen Lieben verlieh mir neue Energie, und obwohl Felix sich ebenfalls mächtig ins Zeug legte, konnte ich mein Werk ein bisschen schneller beenden als er.

Später am Abend machte ich mich nach einer erfrischenden Dusche und einem berührenden Telefonat mit Doktor Petersen mit dem Rad auf den Weg zur Marschwarft. Felix und meine Mutter waren schon vorausgegangen, um den Bruhns bei den Vorbereitungen zu helfen.

Adas langjähriger Freund war begeistert gewesen, als ich ihm geschildert hatte, wie ich mir den Umbau des Bauernhofs vorstellte. Als ich zudem erzählte, dass ich plante, einige Zimmer – ganz im Sinne der Philosophie von Leuchtfeuer – kostenlos zu vermieten, war er vollkommen aus dem Häuschen gewesen. Außerdem nannte er mir den Namen eines Bankiers, der mir bei der Kreditvergabe und der Finanzierung helfen würde – und er stellte mir auch Mittel aus den Reserven von Leuchtfeuer in Aussicht, sollten diese vonnöten sein.

Ich selbst wollte mich demnächst um freie journalistische Aufträge bemühen, die ich neben der Tätigkeit als Betreiberin des *Auszeithauses,* wie ich es gern nennen wollte, schreiben konnte. Wenn alles geklärt war, würde ich meine Wohnung in Ottensen kündigen und mein Auto ummelden. Es war schon immer mein Traum gewesen, die Initialen *NF* als Kennzeichen zu haben.

»Hey, da bist du ja«, rief Marie, als ich mein Fahrrad am Gartenzaun der Bruhns abstellte. »Na, du tapfere Sturmflutkönigin, hast du alles gut überstanden?«

»Ich denke schon«, antwortete ich und erwiderte ihre Umarmung. »Beim nächsten Mal bin ich eindeutig besser gewappnet und weiß, wie ich das Haus sichere. Schön, dass du da bist! Ich dachte, du bist noch in Husum.«

»Ich wollte so schnell wie möglich kommen und nach dem Rechten schauen«, entgegnete Marie. »Außerdem habe ich heute noch etwas Dringendes zu erledigen. Also, lass uns in den Garten zu den anderen gehen, ich sterbe nämlich schon vor Hunger.«

»Das musst du nicht, min Seuten«, sagte Einspänner, der nun ebenfalls auf mich zukam und mich begrüßte. »Zum Essen gibt's jede Menge, sogar meinen Ziegenkäse.«

»Echt?!« Marie wirkte ehrlich begeistert, während sie uns in den Garten der Bruhns führte. »Du zweigst wirklich etwas von dieser Kostbarkeit für uns ab? Das ist ja großartig!« Ich war etwas verwundert über ihre überbordende Begeisterung, doch Marie lieferte die Erklärung dafür gleich mit. »Du musst wissen, Jule, dass Einspänners Ziegenkäse hier in Nordfriesland eine begehrte Delikatesse ist. Sämtliche Köche der besten Restaurants im Norden prügeln sich darum.«

Nun war ich allerdings erstaunt.

»Na, nu' übertreib man nich'«, entgegnete Einspänner, dem Maries Euphorie spürbar peinlich war. »Is' doch alles Käse, was du da erzählst.«

»Doch, das stimmt«, mischte sich nun auch Reemt in die Unterhaltung, der mit zwei Wasserkaraffen bewaffnet durch den Garten lief, um die Gläser der Gäste zu füllen. »Enriks Ziegenkäse ist ein Gedicht und wirklich legendär.«

»Dann muss ich dich wohl endlich mal besuchen und mir deine Käserei genauer anschauen«, sagte ich. »Da ich demnächst so etwas wie eine Hotelbesitzerin bin, möchte ich meinen Gästen natürlich ebenfalls gute regionale Produkte servieren können. Außerdem könntest du mir bei der Gelegenheit vielleicht zeigen, wie man Kühe melkt und wie viel Futter Hühner so am Tag brauchen.«

»Es ist dir also immer noch ernst mit deinem Plan?«, fragte Reemt.

Ich nickte, mit vor Glück pochendem Herzen.

Jetzt musste ich das Ganze nur noch Hanne beibringen …

»Ja, das ist es«, antwortete ich. »Und ich werde sogar einige der Zimmer kostenlos an Gäste vermieten, die eine Auszeit brauchen und zu sich selbst finden müssen. Na, was sagst du dazu?«

»Ich sage: toll! Und ich muss zugeben, du überraschst mich immer wieder.« Reemt kam einen Schritt auf mich zu. »Die Botschaft und der geheime Wunsch deiner Großmutter scheinen bei dir angekommen zu sein – ein schönes Gefühl, wenn du mich fragst.«

Ich lächelte verlegen, während ich an den Brief dachte, den Ada dem blauen Holzkästchen beigelegt hatte. Ob ich wirklich gefunden hatte, wonach ich suchte, ob meine Wünsche wirklich in Erfüllung gehen würden – ich wusste es nicht. Doch das war in diesem Moment auch gar nicht wichtig.

»Darf ich übrigens bekannt machen«, sagte ich und zeigte zu meiner Mutter und Felix, die gerade große Tabletts voller Essen auf die beiden Tische stellten, die zusammen eine lange Tafel bildeten. »Das ist meine Mutter Hanne und das mein Bruder Felix. Sie sind heute Vormittag gekommen, um sich persönlich zu vergewissern, dass ich meine erste Sturmflut unbeschadet überstanden habe.«

»Freut mich«, sagte Reemt und gab beiden die Hand. »Sie haben eine wirklich bemerkenswerte Tochter«, ergänzte er, zu Hanne gewandt.

»Das weiß ich«, entgegnete diese lächelnd. »Das hat sie zum großen Teil von ihrem Vater, aber auch ein bisschen von mir.«

Nach und nach trafen die anderen Gäste ein, von denen ich einige vom Sehen kannte, andere wiederum gar nicht. Erstaunlich, dass die Marschwarft mir im Grunde noch völlig fremd war, obwohl Fliederoog so winzig war. Doch ich war bislang zu sehr mit mir selbst und unserer Familiengeschichte beschäftigt gewesen, um mich mit den anderen Halligbewohnern bekannt zu machen.

»Bevor wir essen, würde ich euch übrigens gerne etwas sagen«, flüsterte ich Hanne und Felix zu. »Marie, Enrik, Reemt, ihr könnt gerne zuhören, wenn ihr mögt.«

Und dann erzählte ich auch meiner Familie die Neuigkeiten. An Hannes mahlendem Kiefer konnte ich erkennen, dass es ihr nicht leichtfiel zu verdauen, dass ich zum einen plante, dauerhaft auf der Hallig wohnen zu bleiben, aber auch dass ich einen Kredit aufnehmen wollte, um aus dem Deichtraum einen Ort zu machen, an dem Menschen zur Ruhe und zu sich kommen konnten.

»Du musst nicht sofort etwas dazu sagen, Mom«, sprang Felix für mich in die Bresche. »Ich finde Jules Plan megahammer! Und ich freue mich darauf, beim Umbau zu helfen und hier irgendwann meine Sachen ausstellen zu können.« Marie, die neben ihm stand und ihren Arm um seine Hüfte geschlungen hatte, strahlte. »Wir sollten stolz auf unsere Süße sein und sie nach Kräften unterstützen, findest du nicht auch?«

Während Hanne zögerlich nickte und sichtlich mit sich rang, löste Marie ihren Arm von Felix' Hüfte. Dann nestelte sie in der Tasche ihres Parkas, holte schließlich ein kleines, hübsches Kästchen, bezogen mit meerblauem Samt, hervor und reichte es mir.

»Für mich?«, fragte ich verwundert und öffnete die Schatulle.

Darin lag ein breiter silberner Ring mit dem Buchstaben L.

»Das ist Adas Ring«, erklärte Marie und streifte ihn mir über. »Sie hat ihn Jasper gegeben, damit er ihn dir überreichen kann, wenn es so weit ist.«

Ich lächelte. Noch vor wenigen Wochen war ich stinkwütend gewesen, wenn jemand davon gesprochen hatte, ich sei noch nicht so weit, mehr über Adas Wirken zu erfahren. Nun endlich verstand ich, was all die Menschen aus dem Umfeld meiner Großmutter dazu bewogen hatte, es mich selbst herausfinden zu lassen. Nur so war ich in der Lage gewesen, völlig wertfrei in mich hineinzuspüren und meine eigenen Bedürfnisse herauszufinden. Selbst zu erspüren, welchen Weg ich von nun an einschlagen würde. »Und Jasper hat ihn wiederum mir gegeben, für den Moment, der nun endlich da ist.«

»Der ist ja wunderschön«, hauchte ich, vollkommen überwältigt. »Und er passt wie angegossen.«

»Oh nee, wie kitschig, das is' ja hier wie bei Aschenputtel«, sagte Enrik, räusperte sich jedoch ein paarmal. »Wenn wir nicht verhungern und die anderen nicht länger warten lassen wollen, sollten wir aber jetzt endlich mal Butter bei die Fische machen!«

»Ja, lasst uns endlich essen! Und schön, dass Sie da sind, Juliane«, sagte Wiete Bruhns und gab mir die Hand. »Willkommen auf Fliederoog!«

Epilog

Eine Woche später war Hanne immer noch bei mir auf der Hallig. Genau wie das Kätzchen, das offenbar niemand vermisste. Darüber war ich sehr glücklich, denn das verschmuste, hübsche Tier gefiel nicht nur mir, sondern auch Hanne, die eigentlich allergisch gegen Katzen war. Doch *Stormy* besaß scheinbar Zauberkräfte.

Neben dem Spielen mit meiner quirligen, neuen Mitbewohnerin hatte Hanne es sich voller Elan zur Aufgabe gemacht, Adas Garten, der von der Sturmflut arg mitgenommen war, wieder in Ordnung zu bringen und in das Paradies zurückzuverwandeln, das es vor der Sturmflut gewesen war.

Ich konnte mich nicht erinnern, wann wir das letzte Mal so viel Zeit miteinander verbracht und so viel gesprochen hatten. Meine Mutter hatte sich offensichtlich entschieden, ihrem Leben eine neue Wendung zu geben, was mich sehr freute.

Und auch eine andere Frau hatte eine für sie wichtige Entscheidung getroffen: Svea hatte angerufen, um mir zu sagen, dass sie sich dafür entschieden hatte, auf ihrer geliebten Insel zu bleiben. »Der Blick vom Leuchtturm aus auf Föhr hat mir die Augen geöffnet«, hatte sie gesagt. »Und ich weiß jetzt genau, wo mein Platz ist. Keine Ahnung, ob ich einen guten Job bekomme oder was aus meiner Beziehung wird, das alles zählt nicht. Am meisten liegen mir die Insel und meine Familie am Herzen. Bei ihnen ist mein Platz, das habe ich erkannt, als ich bei dir war. Danke.«

Nun stand uns noch etwas Wichtiges bevor, das sich Hanne gewünscht hatte, um ihren Frieden mit Ada zu machen: Wir wollten mit dem Boot Richtung Amrum hinausfahren, um auf Adas Seegrab Rosen ins Meer zu streuen.

»Seid ihr startklar? Und seefest?«, fragte Uwe Bruhns, der angeboten hatte, uns mit seiner Jolle mitzunehmen. Er drückte uns beiden Spucktüten in die Hand, die wir nur widerwillig nahmen. »Ihr wisst, dass es da draußen ganz schön rauh ist. Kann sein, dass wir ziemlich herumschaukeln. Aber ihr habt es ja so gewollt, nicht wahr?«

»Wird schon schiefgehen«, murmelte Hanne und ließ sich von Uwe an Bord helfen.

Ich folgte ihr und warf dann vom Boot aus einen letzten Blick auf Fliederoog und den majestätisch aufragenden Leuchtturm.

Die Salzwiesen hatten sich vor zwei Tagen in einen traumhaften Teppich aus lilafarbenen Strandfliederblüten verwandelt. Ein Anblick wie gemalt.

Zwischen den Blüten erblickte ich Einspänners Ziegen, die gemeinsam mit den Schafen weideten und die Sommersonne genossen. Dieses Bild war so unendlich friedlich, dass ich wünschte, Ada könnte es sehen.

Und irgendwo tief in mir glaubte ich fest daran, dass sie es tatsächlich tat und in diesem Moment auf uns hinabblickte.

Vergangene Nacht hatte mich der Alptraum mit der Flutwelle wieder heimgesucht, doch diesmal mit einem anderen Ausgang.

Diesmal waren Hanne und Ada an meiner Seite gewesen, als die gigantische Welle auf mich zugerollt war. Sie hatten beide meine Hand genommen und waren gemeinsam mit mir nach oben geschwebt, dicht über den Wellenkamm.

Von da aus hatten wir die Schönheit des Meeres bestaunt, das mit nichts zu vergleichen war.

»Na, woran denkst du gerade?«, fragte meine Mutter und streichelte meinen Arm, während ich neben ihr saß und auf die grün schimmernde Nordsee schaute. Auf meinem Schoß ein üppiger Strauß roter Rosen aus Adas Garten. An meinem Finger ihr silberner Ring.

»Daran, dass es hier wunderschön ist und ich mich freue, dass wir Ada gemeinsam einen Besuch abstatten.«

Und daran, dass ich nicht vergessen darf, Mitte September Karten für Reemt und mich für das Weihnachtsoratorium im Hamburger Michel zu besorgen.

Ich schloss die Augen, spürte die wärmenden Strahlen der Sonne auf der Haut und atmete die salzige Luft ein.

Egal, was die Zukunft auch bringen mochte.

In diesem Augenblick war alles perfekt.

Wie hatte Thich Nhat Hanh es so wunderbar formuliert?

Es gibt nur eine wichtige Zeit, und die ist jetzt.

Nachwort

Liebe Leserinnen und Leser,
hier ist er nun, mein aktuellster Roman, bei dem ich erstmals neue Wege gegangen bin. Er spielt nicht wie sonst an einem realen Ort, sondern auf einer fiktiven Hallig namens Fliederoog.

Wieso das?

Ich brauchte den Mikrokosmos einer Hallig, auf der ich einen hohen Leuchtturm bauen und Häuser ansiedeln konnte, wie ich es mir für mich persönlich wünschen würde und es für die Geschichte, die ich erzählen wollte, nötig war. Adas kleines Paradies ist für mich das Sinnbild einer Utopie, die Sie gern als Eso-Märchen oder naiv bezeichnen dürfen, wenn Sie möchten. In meiner Fantasie wollte ich einen Ort erschaffen, an dem kleine Wunder geschehen, einfach weil Menschen sich öffnen, bereit sind, sich zu verändern, über sich hinauszuwachsen, achtsamer mit sich selbst und ihrem Umfeld zu sein.

Ich beschäftige mich seit über zehn Jahren mit den Schriften des vietnamesischen Zen-Buddhisten Thich Nhat Hanh und dem Thema Achtsamkeit, das zurzeit sehr *en vogue* ist, was mich freut, denn es ist äußerst wichtig (auch wenn ich finde, dass diese Modeerscheinung zuweilen seltsame Blüten treibt).

Leider bin ich selbst eine absolute Niete darin, meine ständig rotierenden Gedanken zum Stillstand zu bringen und zu meditieren. Dafür aber Großmeisterin darin, mich zu stressen,

Angst zu haben und mir Sorgen zu machen. Irgendwann habe ich immerhin begriffen, dass es nur wenig Sinn macht, sich im Hier und Jetzt den Kopf über Ereignisse zu zerbrechen, die vielleicht niemals eintreten werden, und mir morgens schon damit den Tag zu verderben. Von einigen Krisen werde ich verschont bleiben, andere werden mich kalt erwischen, weil ich sie nicht habe kommen sehen, egal, wie sehr ich versuche, mich gegen sie zu wappnen. In Zeiten, in denen Kriege und grausamer Terror so nah wie nie an unseren Alltag herangerückt sind, möchte ich mich am liebsten verkriechen, zusammenrollen und mir die Decke über den Kopf ziehen.

Schon als Kind hatte ich nur einen großen Wunsch (neben einer *echten* Barbie-Puppe!): dass alle Menschen gesund und glücklich sind, einander liebhaben und friedlich zusammenleben, egal, wie verschieden sie sind. Der kindliche Teil in mir sehnt sich immer noch danach, der erwachsene ist deutlich skeptischer, aber dennoch hoffnungsvoll.

Wenn es jedem Einzelnen von uns gelingt, achtsamer und liebevoller mit sich selbst und der Welt, in der wir leben, umzugehen, müsste es möglich sein, Dinge zu verändern.

Aktion erzeugt Reaktion, alles ist mit allem verbunden.

Selbst winzige Kleinigkeiten können eine große Wirkung entfalten. Dazu würde ich Sie mit meinem Roman gern inspirieren.

Viele meiner persönlichen »Achtsamkeitstipps« finden sich eingebettet in die Handlung des Romans, einige im folgenden Anhang. Ich freue mich sehr darüber, zwei tolle Kollegen dafür gewonnen zu haben, mir ihre ganz persönlichen Empfehlungen zu verraten und sie veröffentlichen zu dürfen, damit auch Sie in ihren Genuss kommen.

Und so möchte ich Ihnen gern noch ein Sprichwort mit auf

den Weg geben, das man auf den Halligen sagt: Die Flut nimmt, die Flut gibt.

So ist es auch mit dem Leben.

Genießen Sie es, jede Sekunde.

Denn Glück ist, wie Ticos Orchester es sagt, »... *vielleicht nur 'ne Entscheidung«*.

Alles Liebe,
Ihre Gabriella Engelmann

Der Song zum Roman –
Literatur trifft Musik

Bring mich zurück zu mir (Leuchtturm)
Text: Timur Coskun

Mein Kapitän hofft auf ein Wunder
Die Nacht lässt mich im Stich
Meine Mannschaft schließt die Augen
Und mein Herz hofft auf ein Licht
Mein Schiff kennt keine Richtung
Wohin wir uns auch drehen
Kann ich vor lauter Wellen
Vor lauter Wellen das Meer nicht sehen

Also geh ich über Bord
Weil ich nicht weiß, wo ich gerad' bin
Und ich laufe über Wasser
Bis ich wieder Land gewinn
Dort steig' ich auf nen Leuchtturm
Seh' das Meer, statt Wellen von hier
Leuchte meinem Schiff den Weg
Und bring mich zurück zu mir
Bring mich zurück zu mir

Vielleicht ist Glück nur ne Entscheidung
Habe Toi Toi Toi gespuckt
Wollt' durch den Meerespiegel gehen
Und wurd' vom Horizont verschluckt
Wenn mein Hafen nicht zu sehen ist

Mal' ich ihn gold in Aquarellen
Mein Geist sitzt schon im Leuchtturm
Und wirft Feuer auf die Wellen
Und wirft Feuer auf die Wellen!

Also schließe ich die Augen
Damit ich endlich etwas seh'
Und ich laufe über Wasser
So lang, bis ich untergeh'
Halt' ein' Moment die Luft an
Ich kenn' den Weg von hier
Leuchte meinem Schiff den Weg
Und bring mich zurück zu mir
Bring mich zurück zu mir

Auf der Website www.strandfliederblueten-dersong.de und der Facebook-Seite https://www.facebook.com/Strandfliederblüten finden Sie alle Links zum Download des Songs, den QR-Code, das Video zum Song und alle News rund um das Projekt mit Ticos Orchester (www.ticosorchester.de).

Auf Instagram finden sich Bilder unter den Hashtags:

#strandfliederblüten
#strandfliederblütenderroman
#strandfliederblütendersong
#strandfliederblütendasvideo
#strandfliederblütenliveonstage
#bringmichzurückzumir

© Katrin Markworth und Jens Butz

Danksagung

Dieses Mal habe ich erstaunlicherweise überwiegend den Herren aus meinem persönlichen Umfeld zu danken, was ich hiermit sehr gern tue:

Wolfgang Schoon für zwei wunderbare Fahrten an die Nordsee. Dass meine Leuchtturmszenen authentisch sind, verdanke ich der Besteigung des Leuchtturms Westerhever Sand, zu dem ich ohne Dich und Deinen »Flitzer« nicht gekommen wäre. Dasselbe gilt für die Hamburger Hallig, die – gemeinsam mit Oland – ein Vorbild für Fliederoog ist. Der Besuch des Weihnachtsmuseums in Husum war mir ein ebenso großes Vergnügen wie der des Schlossparks. Merry X-mas, Wolfgang! Jauchzet! Frohlocket! ;-)

Ticos Orchester für den wundervollen Song zum Roman, für tolle, inspirierende Treffen und die Bereitschaft, sich mit viel Begeisterung und Elan auf dieses Projekt zu stürzen.
Ich freue mich auf unsere gemeinsame Konzertlesung im Nochtspeicher und auf Euer neues Album. (Alle Angaben zum Song und zu Ticos Orchester sowie die Download-Möglichkeit finden Sie auf den Seiten 363 bis 365.)

Thomas Hohensee und **Ulrich Hoffmann** für die großartigen, äußerst persönlichen Achtsamkeits-Tipps. Schön, dass ihr beide mit »an Bord« seid. Ihr seid echte Helden der Achtsamkeit.

Hauke Nissen für die Inspiration zu Adas Hof Deichtraum. Deine Musik, lieber Hauke, ist für mich Nordsee pur. Die CD *Poesie am Meer* war der Soundtrack beim Schreiben. Danke für persönliche Einblicke in Eure Hippiestadt Pepe Hillo Town, von der sich ein bisschen auf Fliederoog wiederfindet, ebenso wie für wertvolle Informationen bezüglich Transzendentaler Meditation. Einige Wegweiser im Buch führen nach Föhr, der Insel des Friedens und meines Herzens. (Alle Infos zur wundervollen Musik des Föhrer Klangkünstlers unter: *www.haukenissen.de*)

Hans Richardt von der Hallig Oland für die kleine »Nachhilfestunde« in Sachen Lore fahren. Danke für diese kostbaren Infos!

Ein großer Dank gilt auch diesmal wieder den Mitarbeitern des Knaur Verlags, allen voran Frau **Dr. Andrea Müller**, mit der ich den Stoff dieses Buches durchaus kontrovers diskutiert habe. Danke, dass Sie mich »auf den Weg« gebracht haben, genau wie meiner freien Lektorin **Sabine Franz**, die mir, gerade im letzten Drittel, als ich kurz davor war, alles hinzuwerfen, Mut gemacht und tolle Hilfestellungen geboten hat. Danke dem gesamten **Verlagsteam**, das gemeinsam dafür sorgt, dass meine Romane nicht nur wunderhübsch aussehen, sondern auch überregional präsentiert, besprochen und beworben werden.

Danke all meinen **Leserinnen** und **Lesern**, die diesen Weg nun schon so lange mit mir gehen, egal, wo meine Bücher spielen und um welche Themen sie sich drehen. Euer Zuspruch gibt mir immer wieder Kraft, auch in Phasen, in denen ich am Schreiben zweifle. Ich hoffe wirklich sehr, dass es *Strandflieder-blüten* gelingt, einen Platz in Euren Herzen zu finden.

Ebenfalls ein dickes Dankeschön allen **Buchhändlern, Bloggern, YouTubern, Instagramern, Redakteuren** und jenen Menschen, die dafür sorgen, dass meine Romane ihre Leser finden.

Auch in diesem Fall ist alles mit allem verbunden – und es gibt kaum ein schöneres »Bindeglied« als die gemeinsame Liebe zu Büchern.

Achtsamkeits-Tipps

Gabriellas Achtsamkeits-Tipps:

Zunächst einmal möchte ich generell den Tipp geben, das Wort Achtsamkeit auch ein bisschen mit Vorsicht zu genießen.

Heutzutage schmückt es jeden Joghurt, jedes Magazin, jedes Kochbuch. Das kann schnell ein falsches Bild davon erzeugen, was mit Achtsamkeit gemeint ist.

Für mich bedeutet Achtsamkeit, mich auf Dinge, die ich sonst nebenbei erledige, weil sie selbstverständlich sind, bewusst zu konzentrieren. Kein einfaches Unterfangen in einer Welt, in der Multitasking-Fähigkeiten gefragt sind und Zeit oft Mangelware ist. Kindern fällt dies viel leichter als uns.

Als Kind nimmt man die Welt um sich herum ganz anders wahr.

Ein Kind trödelt, bestaunt die Details seiner Kinderwelt, hält nicht mit seiner ehrlichen Meinung hinter dem Berg (auch wenn das manchmal schmerzt) und es tut selten etwas, worauf es keine Lust hat, umgibt sich nur mit Kindern, die es mag.

Kurz: Wir trainieren uns im Laufe des Erwachsenwerdens vieles von dem, was uns eigentlich guttut, ab (oder bekommen es aberzogen). Achtsam sein heißt, im Hier und Jetzt zu sein, sich auf sich selbst zu besinnen, seine Gedanken und Gefühle wahrzunehmen und ihnen mit liebevoller Aufmerksamkeit zu begegnen. Ich glaube fest daran, dass wir viel mehr Kraft haben, Dinge zu bewegen, wenn wir unsere natürlichen Ressourcen besser nutzen, mehr auf unsere Intuition, auf unser Bauchgefühl hören und darauf vertrauen.

1. Nicht alles auf einmal tun

Wenn wir nicht zur selben Zeit telefonieren, WhatsApp-Nachrichten verschicken und uns währenddessen die Fingernägel lackieren, wird jede einzelne Handlung zu einem besseren, also schöneren Ergebnis führen: Der Gesprächspartner wird sich respektiert und verstanden fühlen, der Lack ist richtig aufgetragen und hat keine Dellen. Die Nachricht wird ohne Fehler verschickt, so dass man sie später nicht mit einem entsprechenden Piktogramm korrigieren muss.

2. Auch mal nein sagen

Sie alle kennen sicher Situationen, in denen Sie scheinbar »gezwungen« sind, etwas zu tun, aber denken: Dazu habe ich eigentlich keine Lust, denn es fühlt sich irgendwie nicht gut an. Meist schleppen wir uns dann doch zu diesen Terminen oder Verabredungen, während Dinge, die man stattdessen gern erledigt hätte, liegenbleiben. Oder es fehlt einem der gemütliche Abend auf der Couch, den es gebraucht hätte, um am nächsten Tag erholt zu sein.

Fragen Sie sich bei all diesen Entscheidungen stets: Mache ich das anderen zuliebe? Oder habe ich selbst wirklich so viel Lust darauf, dass ich allein durch diese Lust den vor mir liegenden Termin zu einer Bereicherung für mich und andere werden lassen kann?

3. Ausmisten und aufräumen

Viele tun sich schwer damit, Dinge auszusortieren und Platz zu schaffen. Doch äußere Ordnung geht mit innerer einher, und Sie haben beides verdient! Wer ungern loslässt, dem sei empfohlen, ein Foto von dem zu machen, was er zwar liebt, aber seit Jahren nicht mehr benutzt hat. Ein Bild davon bewahrt die Erinnerung, das Weiterverschenken ebenjenen Gegenstandes erfreut vielleicht das Herz eines anderen – und schafft eine neue Erinnerung.

4. Achtsam essen und genießen

Mir geht es seit meiner Kindheit wie Reemt aus dem Roman: Ich habe immer schon gern gegessen und es entsprechend zelebriert. Heute bin ich überall bekannt dafür, extrem langsam zu essen, was ab und zu mein Umfeld in »Zugzwang« bringt. Letzteres tut mir leid, denn gemeinsam eingenommene Mahlzeiten sind wirklich etwas für Leib und Seele.

Aber egal, ob Sie schnell essen oder langsam. Tun Sie mir und sich bitte einen Gefallen: Behandeln Sie bei Tisch keine schwierigen Themen, wälzen Sie dabei keine Probleme. Sie fressen dann das Negative buchstäblich in sich hinein und werden demjenigen, der das schöne Essen zubereitet hat, nicht gerecht. Genießen Sie stattdessen bewusst und mit allen Sinnen, was Sie Ihrem Körper zuführen.

5. Achtsam in den Tag starten – und ihn achtsam beenden

So simpel wie wirkungsvoll: Beginnen Sie den neuen Tag nicht, indem Sie sofort Ihr Handy einschalten, sondern recken und strecken Sie sich noch eine Weile im Bett.

Währenddessen oder anschließend denken Sie daran, worauf Sie sich an diesem Tag freuen.

Abends vor dem Schlafengehen schließen Sie die Augen, lassen die vergangenen Stunden Revue passieren und bedanken sich für alles, was Ihnen Gutes widerfahren ist, auch wenn es nur »Kleinigkeiten« sind. Sie werden sehen, dass all dies in der Summe viel Schönes ist und man so Negativem nicht mehr Raum einräumt, als nötig ist.

Drei Tipps zur Achtsamkeit

Von Thomas Hohensee

1. Wie sitzen Sie im Moment? (Ich gehe davon aus, dass Sie beim Lesen sitzen. Die Übung funktioniert aber auch, falls Sie stehen, gehen oder liegen. Sie müssen die Hinweise und Fragen dann lediglich etwas anpassen.)

Halt, nichts ändern! Einfach nur wahrnehmen, wie Sie sitzen. Spüren Sie Ihren Körper. Wandern Sie mit Ihrer Aufmerksamkeit den Körper von unten nach oben oder in umgekehrter Richtung entlang, ganz wie Sie mögen. Lassen Sie sich dabei Zeit.

Beim Sitzen denken viele nur an die Körperteile, die sie durch die Berührung mit der Sitzfläche am stärksten spüren, also an das Gesäß und den Rücken. Aber Ihr ganzer Körper ist am Sitzen beteiligt.

Also, wie haben Ihre Füße Platz genommen? Wie haben Sie sie eingerichtet, um bequem zu sitzen? Sitzen Sie überhaupt bequem? Wo ist es angenehm und wo nicht? Ginge es bequemer? Noch bequemer? Und noch bequemer? Wie angenehm können Sie überhaupt sitzen?

Falls Sie Ihre Sitzhaltung verändern möchten, nehmen Sie den Wunsch danach wahr, bevor Sie es tun.

Wie »sitzen« Ihre Beine? Fühlt sich Ihr linkes Bein anders an als Ihr rechtes? Spüren Sie Ihren gesamten Oberkörper: den Rücken, den Bauch, die Brust, die Schultern. Was macht Ihr Nacken bzw. was machen Sie mit ihm?

Und schließlich Ihr Kopf, insbesondere das Gesicht: Mund, Lippen, Nase, Augen, Stirn, Kiefer. Sind diese Teile entspannt? Verkrampft? Wie »sitzt« Ihr Gesicht?

Beschäftigen Sie sich so lange mit Ihrer Sitzhaltung, bis Sie

Bad-Mindfulness-Days. Dann ist man geistig mehr oder weniger abwesend.

Der Reiz besteht darin, die Achtsamkeit zu steigern und tagsüber wirklich wach zu sein. Sonst verpasst man die schönsten Momente. Wäre doch schade, oder?

Thomas Hohensee ist Autor mehrerer Bestseller, darunter »Gelassenheit beginnt im Kopf« und »Glücklich wie ein Buddha«. In seiner Freizeit unterrichtet er Gruppen und bietet Einzelcoaching an, wenn er nicht gerade in einem Park sitzt und in den blauen Himmel guckt. Weitere Infos unter www.thomashohensee.de

Was unterscheidet Achtsamkeit von Meditation – und was ist eine Achtsamkeits-Meditation?

Oft werden die Begriffe Achtsamkeit und Meditation gleichgesetzt. Sie sind aber nur verwandt. Was unterscheidet Achtsamkeit vom Meditieren?

Meditation zielt auf Erkenntnis. Selbsterkenntnis oder Erkenntnisse über die Welt. Sie soll uns genauer wahrnehmen lassen, wie die Welt ist. Wie wir sind. Gerade jetzt im Moment, aber auch im Prinzip und überhaupt.

Es gibt Geh-Meditationen, Sing-Meditationen, unterschiedliche Visualisierungen. Mit verschiedenen Mitteln verfolgen alle Meditationen einen Zweck: möglichst genau zu erkennen und zu erfassen, wie wir sind und wie die Welt tickt.

Die in der westlichen Welt (Europa und USA) bekannteste Meditationsform ist die »Achtsamkeits-Meditation«. Dabei achtet man achtsam auf den Atem. Achtsam in diesem Sinne bedeutet: mit freundlicher Aufmerksamkeit, aber nicht wertend. Es ist also egal, ob man tief oder flach atmet, schnell oder langsam. Man versucht einfach, den eigenen Atem so gut wie möglich zu beobachten. Und im Rahmen der Achtsamkeits-Meditation tut man das nicht nur mehr oder weniger zufällig, sondern absichtlich und ausdauernd. Anfangs vielleicht nur für ein oder zwei Minuten, später für fünfzehn oder fünfunddreißig.

Salopp gesagt: Freut man sich, auf einer Blumenwiese zu sitzen, ist man achtsam. Setzt man sich auf die Blumenwiese, um sich bewusst und für eine festgesetzte Zeit an ihr zu erfreuen, ist das eine Achtsamkeits-Meditation. Meditation ohne Achtsamkeit ist nicht möglich, aber Achtsamkeit ohne Meditation entfaltet keine Tiefenreinigungskraft.

In klinischen Tests lässt sich beweisen, dass regelmäßige Achtsamkeits-Meditationen Stress reduzieren und zum Wohlbefinden beitragen. Das nennt man dann MBSR, mindfulness based stress reduction bzw. Achtsamkeitsbasierte Stressreduktion. MBSR wurde von dem Molekularbiologen Jon Kabat-Zinn in Massachusetts entwickelt. In jeder größeren Stadt gibt es mittlerweile MBSR-Kurse. Die Technik ist einfach zu erlernen und bietet einen »Pausenknopf« für den Alltagsstress.

Die gesundheitlichen Vorteile der Meditation (weniger Stress, niedrigerer Blutdruck) stellen sich ein, egal ob man daran glaubt oder nicht. Man muss auch nicht auf der Suche nach Weisheit oder Erkenntnis sein. Hauptsache, man sitzt da und achtet auf den Atem. Empfohlen wird drei bis vier Mal die Woche, je 30 bis 60 Minuten. Keine Angst: Die Zeit holt man durch bessere Konzentration im Alltag und einen erholsameren Schlaf problemlos wieder rein.

Wenn Sie Lust haben und neugierig geworden sind, probieren Sie gern die folgenden Meditationen aus. Sie sind ganz unterschiedlich. Denn eine Übung, die man mag, macht man viel öfter als eine, die man nicht mag und daher meidet.

1. Atem-Meditation

Stellen Sie den Timer Ihres Handys auf eine Zeit, die Ihnen keine Angst macht. Probieren Sie es zu Anfang ruhig mit einer Minute oder mit 1:30 Min. Schalten Sie den Flugmodus ein.

Setzen Sie sich bequem und mit aufrechtem Rücken auf einen Stuhl (oder, wenn Sie möchten, im Schneidersitz auf ein Kissen). Neigen Sie das Kinn leicht nach unten. Legen Sie die Hände auf die Knie, Handflächen nach oben oder nach unten, wie es Ihnen angenehmer ist.

Schließen Sie die Augen oder schauen Sie unfokussiert, wie beim Tagträumen, in eine mittlere Entfernung.

Holen Sie tief Luft, lassen Sie den Atem langsam ausströmen. Noch einmal: tief Luft holen, ruhig ausatmen. Wenn es Ihnen möglich ist, atmen Sie durch die Nase.

Dann lassen Sie Ihren Atem einfach so kommen und gehen, wie er es von allein tut. Egal ob Sie tief oder flach atmen, schnell oder langsam. Versuchen Sie wahrzunehmen, wo Sie Ihren Atem spüren können. In der Nase? In der Luftröhre? In der sich weitenden Brust oder im Bauchraum, der sich mit jedem Einatmen wölbt?

Folgen Sie nun mit Ihrer Aufmerksamkeit dem Ausatmen. Können Sie auch dabei den Luftstrom spüren?

Achten Sie auf diese Weise weiter auf Ihren Atem. Wenn Sie möchten, können Sie stumm »ein« sagen, wenn Sie einatmen, und »aus«, wenn Sie ausatmen.

Sollten Sie auf einmal merken, dass Sie an etwas ganz anderes denken, lassen Sie diesen Gedanken davonziehen wie eine federleichte Wolke, und richten Sie Ihre Konzentration wieder auf den Atem, bis der Timer piepst.

Vielleicht kam Ihnen die Zeit lang vor. Vielleicht auch kurz. Möglicherweise fiel es Ihnen leicht, Ihren Atem zu beobachten. Oder Sie hatten Mühe, Ihre Gedanken im Zaum zu halten. So geht es uns allen. Wenn Sie mögen, probieren Sie es an einem anderen Tag noch einmal. Jede Meditation fühlt sich anders an. Langweilig, erfrischend, anstrengend, entspannend, oder alles auf einmal.

2. Geh-Meditation

Suchen Sie sich eine Strecke von drei bis vier Metern Länge. Ziehen Sie, wenn möglich, Ihre Schuhe aus (anfangs ist die

Übung ohne Schuhe leichter, später geht es auch im Flughafen). Wenn Sie möchten, stellen Sie Ihren Handytimer auf eine Zeit, die Ihnen nicht zu lang erscheint. Beim ersten Mal sind zwei Minuten völlig ausreichend. Schalten Sie den Flugmodus ein, um nicht durch einen Anruf erschreckt zu werden.

Nun setzen Sie Ihre Schritte, so langsam und aufmerksam Sie können. Achten Sie darauf, wie und mit welchem Teil Ihr Fuß zuerst auf den Boden trifft. Welche Bewegung vollführt das Knie? Wie verlagert sich Ihr Gewicht? Wann und wie berührt die Fußsohle den Boden? Wie heben Sie den hinteren Fuß, um den nächsten Schritt zu tun? Wie sehr und auf welche Weise ist Ihr ganzer Körper in das Gehen mit einbezogen?

Wenn Sie nach drei, vier Schritten das Ende Ihrer Strecke erreicht haben, wenden Sie, so aufmerksam es Ihnen möglich ist, und gehen zurück. Immer hin und her. Falls Ihnen auffällt, dass Sie gar nicht mehr auf ihre Schritte achten, sondern an etwas ganz anderes denken, lenken Sie die Aufmerksamkeit freundlich wieder auf den nächsten Schritt, bis das Handy piepst.

Atmen Sie zum Schluss einmal tief durch, und lächeln Sie dankbar dafür, dass Sie sich diese Zeit und Aufmerksamkeit gegönnt haben.

3. »Liebende Güte«-Meditation (kurz)

In der ausführlichen Version schickt man »liebende Güte« (im Grunde: »gutes Karma«) an sich selbst, denn nur wer sich selbst schätzt, kann andere mögen. Dann arbeitet man sich durch eine Reihe Personen – Menschen, die man flüchtig kennt, Menschen, die man mag, Menschen, die einem Schwierigkeiten bereiten, alle Menschen auf der Welt.

In dieser Kurzfassung schicken wir nur uns selbst positive

Energie. Achten Sie einmal darauf, ob Sie sich im Verlauf des Tages danach anders fühlen als sonst.

Die Übung dauert zwei bis drei Minuten, es ist nicht nötig, einen Timer zu stellen (aber bitte schalten Sie Ihr Handy in den Flugmodus).

Nehmen Sie eine bequeme Sitzhaltung ein. Sprechen Sie dann im Geiste die folgenden Sätze gutwillig und langsam nach:

Möge ich gesund sein und frei von Leiden.
Möge ich frei sein von Hass, Gier und Verblendung.
Möge ich erfüllt sein mit Ruhe, Gelassenheit und Frieden.
Möge ich glücklich sein.

Machen Sie eine kurze Pause, und lassen Sie die Sätze in Ihrem Inneren nachklingen.

Sprechen Sie sie dann noch einmal im Stillen langsam und gutwillig nach:

Möge ich gesund sein und frei von Leiden.
Möge ich frei sein von Hass, Gier und Verblendung.
Möge ich erfüllt sein mit Ruhe, Gelassenheit und Frieden.
Möge ich glücklich sein.

Atmen Sie tief durch, und freuen Sie sich über die guten Wünsche, die Sie sich gerade entgegengebracht haben. Genießen Sie dieses Gefühl, wenn es Ihnen angenehm ist, und nehmen Sie es mit in Ihren Tag.

Ulrich Hoffmann ist Bestsellerautor sowie Meditations- und Yogalehrer. Er ist verheiratet und hat drei Kinder. Die Familie lebt in

Hamburg und den USA. Informationen über den Autor: www.ul-richhoffmann.de

Von Ulrich Hoffmann sind u. a. erschienen:

- *»Mini-Meditationen«, Gräfe & Unzer*
- *»Übungsbuch: Meditation«, Gräfe & Unzer*
- *»One, two, free – kleine Yogapausen für sofort und überall«, Gräfe & Unzer*
- *»Meditations-Box«, Königsfurt Urania*
- *»Einschlafen ist gar nicht schlimm – Mini-Meditationen für Kinder«, Knaur Balance*
- *»Konzentrieren ist ja ganz leicht – Mini-Meditationen für Kinder«, Knaur Balance*
- *»Weitere Mini-Meditationen für Kinder sind in Vorbereitung. Info:* www.minimedi.de

Quellenverzeichnis

Die Kapitelanfangszitate stammen aus folgenden Quellen:

Bucheinstieg, Seite 5. *Zitat aus: Theodor Storm: Eine Hallig-fahrt. Entnommen: Theodor Storm: Sämtliche Werke in vier Bänden, hg. von Karl Ernst Laage und Dieter Lohmeier, Frankfurt a. M.: Klassiker Verlag 1987/88, Bd. 2.*

Teil 1, Seite 9. *Zitat aus: Thich Nhat Hanh: Gut sein und was der Einzelne für die Welt tun kann. O.W. Barth 2014.*

Teil 2, Seite 195. *Zitat aus: Thich Nhat Hanh: Das Wunder der Achtsamkeit. Theseus in J. Kamphausen Mediengrupppe GmbH 1988.*